L'INTERPRÉTATION
DES TEXTES

ISBN 2-7073-1280-0

L'INTERPRÉTATION DES TEXTES

par

Jean Molino, Roger Chartier
Christian Jouhaud, Claude Reichler
Marie-Jeanne Borel, Nicole Loraux
Jean-Michel Adam

Sous la direction de Claude Reichler

⭐*m*

ARGUMENTS

LES ÉDITIONS DE MINUIT

OUVRAGE PUBLIÉ AVEC LE CONCOURS DE LA REVUE DES ÉTUDES DE LETTRES
DE L'UNIVERSITÉ DE LAUSANNE

SOMMAIRE

Claude REICHLER, Avant-propos   7

Jean MOLINO, Interpréter   9

Roger CHARTIER et Christian JOUHAUD, Pratiques histo-
    riennes des textes   53

Claude REICHLER, La littérature comme interprétation
    symbolique   81

Marie-Jeanne BOREL, Textes et construction des objets
    de connaissance   115

Nicole LORAUX, Les mots qui voient   157

Jean-Michel ADAM, Pour une pragmatique linguistique et
    textuelle   183

CLAUDE REICHLER

AVANT-PROPOS

Par une heureuse fortune, il se trouva que certains savants personnages se croisèrent un matin dans la cité des textes. « Tiens ! fit l'un, nos routes se rencontrent toutes ici, et puis chacune poursuit sa voie. » Un autre voyageur remarqua : « Il y a bien des carrefours dans cette ville, mais point d'autres où tous les chemins convergent. — Et comment se nomme cette croisée-là ? — C'est une vaste place, observa quelqu'un, c'est la place de l'Interprétation ! »

Ainsi pourrait commencer un conte allégorique, dans le goût de La Fontaine, comme celui de Psyché, *où quatre amis déambulent dans les jardins de Versailles en parlant de la comédie et de la tragédie... A ce carrefour où veille Hermès, dieu des marchands, des voleurs et des interprètes, on ferait s'arrêter nos six promeneurs. Assis aux chaises d'une terrasse, soufflant des ronds de fumée ou traçant sur le marbre des signes improbables avec leur cuillère, ils entameraient leur colloque...*

Mais les temps sont difficiles ; les loisirs de la promenade et de la conversation sont comptés. Pour faire se rencontrer nos savants protagonistes, mieux valait leur proposer de consacrer quelques veilles solitaires à coucher sur le papier leurs idées, et rassembler ces idées dans un livre — propice métaphore de notre carrefour *. C'est au résultat de cette rencontre que je dédie les réflexions qui suivent, sans autre titre que d'être un peu moi-même cette place où les chemins se rencontrent et se séparent, cet espace parcouru par des voies de traverse.

On dit volontiers que l'époque est à la crise dans nos études.

---

* Je voudrais remercier Françoise Gaillard pour l'aide qu'elle m'a apportée dans la conception de ce projet.

Mais cela est-il bien vrai ? Certes, les modèles hérités du XIXe siè-

Mais cela est-il bien vrai ? Certes, les modèles hérités du XIXe siè-
cle semblent avoir perdu leur valeur, du moins certains d'entre
eux, puisque d'autres au contraire retrouvent un attrait (la
philologie, l'herméneutique). Chacun est retourné sur son ter-
rain, on se méfie des essais de synthèse. Pourtant, les constats de
faillite des grands systèmes, les dénonciations provoquées par les
explications totalisantes font déjà figure de stéréotypes. La
critique des structuralismes et de leurs suites est devenue le
marchepied des médiocres ; non qu'il n'eût pas fallu y procéder,
ni qu'il ne soit pas toujours nécessaire de réévaluer l'apport d'un
type de spéculations qui fait encore partie de notre horizon. Mais
surtout il est redevenu possible, au-delà des remises en cause, des
myopies et des limites acceptées, d'apercevoir quelques interroga-
tions partagées.

Certes, les idéologies et les modèles globalisants ne peuvent
plus constituer un terrain commun, pas plus que les artefacts
abstraits. Mais prenons garde qu'une confusion ne nous entraîne
à éliminer, avec les pensées de naguère, les objets de ces pensées.
La déroute apparente des grandes entreprises de savoir devrait
même, tout au contraire, laisser libres les objets qu'elles avaient
enserrés. Libres, et demandant à être intégrés, reconstruits selon
d'autres perspectives.

Il en va évidemment ainsi du thème du présent ouvrage. Une
fois évaporée l'ambition d'une Science du Texte et la projection
à l'universel de quelques phénomènes particuliers, restent des
objets, les textes, et des pratiques, les diverses disciplines qui ont
affaire à eux. Cette situation ne définit pas une crise, mais bien
plutôt un état favorable à la réflexion, et peut-être à l'établisse-
ment d'une nouvelle carte des sciences humaines. C'est à quoi
l'on voudrait contribuer ici, dans une démarche résolument
concrète : il y a des textes, et il y a des chercheurs qui y consacrent
leurs travaux. N'y aurait-il pas alors, entre les disciplines, une
communauté autre que le seul constat empirique ? autre aussi
que le plan parfaitement idéal que voudrait atteindre une sémio-
tique générale ? (Après tout, celle-ci est une pratique textuelle
particulière.) Entre l'empirisme, qui ne constate que des diffé-
rences, et l'idéalisme abstrait, qui ne voit partout qu'une même
structure, trois conceptions semblent aujourd'hui confrontées :
la philologique, qui relève d'une épistémologie positiviste, pour
laquelle il est possible de connaître un texte de plus en plus

complètement, en cumulant les modes d'approche ; la post-struc-
turale, pour laquelle on ne saisit jamais que les effets qu'engen-
dre la textualité, perpétuelle pourvoyeuse d'idéologies et de savoir
plus ou moins mythiques ; l'herméneutique, qui met l'accent sur
le sujet de l'interprétation et s'efforce d'allier œcuméniquement
les méthodes et les techniques.

Les auteurs de ce volume ne sont réunis par aucun de ces
projets. Chacun à sa façon, ils s'efforcent de les situer et de
les dépasser. Tous visent non seulement à décrire des fonctionnements et des effets, à fixer des genèses et des variations,
à découvrir des significations et des modes de relation au
monde. Mais tous aussi, à leur manière, reconnaissent dans les
textes plus que d'inertes objets d'enquête : ils y voient les
traces d'un savoir toujours actif. Les textes en savent plus que
leurs lecteurs : les interpréter nous modifie, non seulement
comme une conséquence liée aux gestes par lesquels nous les
disposons dans un réseau de rapports inédits, mais aussi parce
que les textes sont des productions de type symbolique, qui
demandent de leurs récepteurs des activités de réponse particulières.

Que, mis à part ce point de fuite, aucune théorie élaborée ne
soit commune aux essais ici rassemblés relève du paradoxe : voici
un livre fait de différences, mais dont chacune marque la
nécessité d'un espace de convergences. Ce paradoxe ne
représente-t-il pas la situation de la recherche en sciences humaines, en roue libre dans les territoires de la connaissance, ne
pouvant plus faire fond complètement sur leurs traditions
disciplinaires, ni emprunter ailleurs des méthodes et des objectifs,
ni véritablement discerner ce qui les nouera à un nouveau destin
spéculatif ? La justification de ce livre est de tenter de faire
apparaître les lieux communs de ce destin, ceux qui sont là
depuis fort longtemps, et qui demandent à être repensés. On n'a
pas cherché à être complet, laissant au contraire quelque place au
hasard, accueillant parfois la disparité. Pourtant, les essais de ce
volume sont sans doute exemplaires. Ils représentent à peu près,
pour user d'un terme à la mode, une génération : celle d'une
recherche sans allégeance ni complaisance, d'une pensée qui n'est
portée ni par les illusions de la totalité ni vers quelque post que
ce soit. Ils représentent aussi les plus importantes disciplines qui,
aujourd'hui, trouvent leur matériau dans des textes, et, à l'inté-

*rieur de ces disciplines, les secteurs et les chercheurs pour lesquels
ce fait pose un problème primordial.*

*Ces voies transversales, quelles sont-elles ? Le point le plus
apparent, pour ces travaux qui partent du fait que les textes sont
des mises en représentation des choses du monde, de la société
ou de la pensée, c'est l'importance prise par les questions de type
épistémologique. Les problèmes de communication et de signification sont subordonnés à ceux que posent les* configurations
*opérées par les textes, ou, à travers eux, par les sujets, qu'ils
soient des agents sociaux collectifs, des producteurs de savoir ou
les récepteurs de textes publicitaires. Jean Molino place au centre
de sa réflexion le débat sur ce* de quoi *et ce* comment *parlent les
textes, restituant à partir de là, les unes par rapport aux autres,
sciences humaines et sciences de la nature. Reprenant sur de
nouvelles bases la question de la littérature — et cherchant à
dépasser celle de la « littérarité » —, je propose moi-même une
perspective axée, elle aussi, sur ce que nous donnent à connaître
les textes dits littéraires. Dans nos six chapitres, une attention
récurrente et significative se manifeste à l'égard de la nature
symbolique de nos connaissances, particulièrement évidente
lorsque celles-ci sont formulées dans des textes et par des textes :
sont ainsi mis en lumière, dans le domaine socio-historique, les
« schèmes générateurs de classification » ; ou, sur le terrain
cognitif, les « schématisations » et « modélisations » ; ou encore,
dans l'essai de Nicole Loraux, les effets singuliers d'un genre
comme la tragédie antique, qui remodèle l'écoute des discours et
impose une disposition physique, puis psychique, à l'acteur, au
spectateur, jusqu'au lecteur ancien et moderne. C'est naturellement dans le chapitre proprement épistémologique, dû à Marie-
Jeanne Borel, qu'est étudié de manière frontale le problème de
la construction d'objets de savoir par des moyens textuels, en
l'occurrence la description ; c'est là aussi que sont rappelées
quelques notions philosophiques et logiques indispensables pour
penser les textes comme un espace où peuvent être formulées
l'appropriation du monde par le sujet et l'effectuation du sujet
vers le monde.*

*On relèvera un second point. Si le souci épistémologique
vient ainsi au premier plan, c'est en étroite corrélation avec une
autre inquiétude, qui porte sur le rôle de l'interprète et qui*

prend évidemment le contre-pied des positions structuralistes. Pourtant cette orientation ne se présente pas ici comme un appel à l'herméneutique ou à la phénoménologie, mais comme le désir d'inscrire l'interprétation dans une perspective anthropologique, au sens le plus général du terme. Ainsi Roger Chartier et Christian Jouhaud font-ils référence à Mauss en proposant, dans leur examen historique des textes et des marquages culturels, économiques et politiques qu'ils y repèrent, les notions de classification et de représentation sociales. Pour ma part, j'invoque une « définition anthropologique » de la littérature, qui permettrait de mettre en lumière la place occupée par celle-ci dans l'ensemble des représentations formant lien entre les individus et le groupe. Nicole Loraux confère aux mots des discours tragiques des effets et des pouvoirs qui excèdent le lieu et les circonstances scéniques pour atteindre un espace d'affectuation proprement anthropologique. Jean Molino développe une conception du symbolique dont certaines sources se trouvent, autant sinon plus que chez un sémiologue comme Peirce, chez Cassirer (La philosophie des formes symboliques) pour une part, chez Piaget et Leroi-Gourhan pour les autres. Autre indice : c'est précisément dans un texte anthropologique que l'épistémologue va chercher un terrain adéquat pour l'étude des descriptions. Il n'est pas ici jusqu'à la linguistique qui n'accepte peu ou prou ce cadre de pensée. L'essai de Jean-Michel Adam est à cet égard fort instructif. Prenant acte de la diversité des disciplines textuelles, et renonçant à maintenir la sienne dans le rôle de « science pilote » qu'on lui avait conféré naguère, il commence par passer en revue les points de vue les mieux autorisés pour parler linguistiquement des textes. Il fraie sa propre voie entre Bakhtine, Foucault, Ricœur et la psycholinguistique récente (pragmatique et cognitiviste). Il reste cependant attaché à la constitution d'un objet théorique autonome, faisant abstraction du sujet et du monde pour constituer comme entité le texte. Il cherche d'abord à le définir négativement, comme privé de contexte et clos sur lui-même, puis dépasse cette position pour réintroduire un contexte, un interprétant et une visée sémantico-référentielle. Il en vient finalement à cette idée que « comprendre un texte, c'est saisir l'intention qui s'y exprime ». Si l'on veut éviter de faire appel aux notions chères à la critique littéraire subjectiviste, seul l'espace large d'une conception anthropologique peut accueillir une « pragmatique textuelle » ainsi orientée.

Le croisement d'un souci épistémologique et d'une interrogation de type anthropologique s'accompagne d'une réévaluation et d'un redéploiement des notions de symbole *et de* dimension symbolique, *auxquelles j'ai déjà fait allusion, et dont les références conceptuelles échappent autant à Jung qu'à Eliade, Lévi-Strauss ou Lacan. Le symbolique apparaît ici comme un dispositif mental — un outillage — apte à construire des représentations ; mais d'un autre côté, étant inséparable du « fait humain », comme le rappelle Molino, il constitue aussi l'ensemble des activités et des productions qu'il s'agit de connaître. C'est d'ailleurs en ce sens tout particulièrement qu'on peut parler d'orientation anthropologique, puisque la fabrication des textes et leur interprétation sont étudiées comme des activités comparables aux autres outils cognitifs et représentationnels (de la formalisation mathématique aux mythes ou aux comportements économiques et sociaux). Ainsi les historiens, rejetant l'idée qu'un texte serait un support neutre apte à conserver les traces du passé, font leur butin des indicateurs génériques et formels des textes, explicitement symboliques, tout autant que de leur confection matérielle et de leur circulation dans le tissu social (pas moins chargées symboliquement, comme l'a montré Pierre Bourdieu). Tout dans les textes peut marquer une variation de sens qui permettra de construire l'historicité des représentations et des appropriations opérées par les lecteurs.*

Cette qualité symbolique, qui imprègne la textualité de son élaboration à sa réception, rend plus clair encore le dernier point qu'il convient de souligner : la présence insistante de la question de la littérature *dans tous les essais de ce volume. Cette constatation suffirait à légitimer la continuation des réflexions sur les rapports entre littérature et sciences humaines, que le retour de la linguistique dans sa sphère étroite n'a pas périmées. Mais il y a plus. La littérature, on le sait, recueille aujourd'hui les interrogations et les débats délaissés dans le reflux du religieux et des entreprises exégétiques. Elle semble ainsi occuper le cœur du croisement entre épistémologie et anthropologie, du moins dans la formulation la plus générale des questions posées par ces disciplines : celles qui portent sur la réalité de nos savoirs, celles qui s'adressent à la nature des liens entre l'individu et ce qui le dépasse, qui sont attentives aux effets de représentation, aux valeurs et croyances, aux identités symboliques. Mais la littérature ainsi portée à une place centrale n'est pas ce jeu de langage des théories d'obédience structurale, ni cette prétendue « fictivité » omniprésente chez les déconstructionnistes. C'est une littérature rendue à un territoire plus exigu, et tendue elle aussi, selon ses moyens propres, comme un lien entre, d'une part, le sujet et les autres, et d'autre part, le monde. On verra ainsi Nicole Loraux développer les implications d'un discours tragique qui, refusant d'être figuré, se donnerait à entendre toujours littéralement et ferait de son interprète sa victime, et moi-même proposer une conception de la littérature elle aussi fondée sur l'identification et la répulsion. Quant aux autres auteurs, ils prennent en compte le « littéraire » d'une façon d'abord négative, pour distinguer les phénomènes symboliques dont ils s'occupent, et leur propre pratique d'écriture, d'une expansion « molle » de la littérature qui leur paraît pernicieuse. Non, l'histoire n'est pas de la littérature, pas plus que l'ethnologie, quand même on a fait de Clifford Geertz et de ses écrits l'exemple de la confusion entre exposé scientifique et fiction littéraire. Marie-Jeanne Borel, prenant pour objet de sa réflexion l'article fondateur de Geertz où sont mises en œuvre la conception généralisée de la culture comme texte et celle de l'« anthropologie interprétative », montre que l'ethnologue produit un ouvrage scientifique et non un roman ethnographique, puisque, dans l'activité de schématisation à laquelle sa méthode de la* thick description *donne lieu, il répond à la double nécessité de rapporter de là-bas une réalité perçue et de lui conférer ici le statut d'un objet de savoir reproductible.*

Mais la littérature, restreinte d'un côté à ne donner forme qu'à un mode de représentation parmi d'autres, acquiert d'un autre point de vue un intérêt considérable, puisque rien n'échappe à sa visée. Alors qu'une distinction nette est établie entre texte littéraire et texte scientifique, les sciences humaines ouvrent à leurs investigations ce champ que l'hypothèse « auto-réflexive » des théories de la littérarité leur avait interdit. Mais elles se donnent un accès au domaine des textes littéraires en respectant leur singularité, mieux même, en la traitant comme un élément majeur dans leur enquête. L'essai de Chartier et Jouhaud, qui récapitule au passage plusieurs autres études, est exemplaire à cet égard. La position de Jean-Michel Adam, venu, lui, de Jakobson et de Greimas, témoigne en revanche de la persistance d'une conception généraliste et rhétoricienne de la textualité, composée de ce qu'il nomme des « types textuels », combinables dans tous les discours.

Il serait présomptueux de vouloir aujourd'hui faire événement dans l'ordre de la pensée, tout comme il le serait de s'intituler porte-parole. Notre lot est la solitude ; notre chance est à ces carrefours qui permettent d'éviter l'éparpillement de la réflexion et de la recherche. On saisit mieux maintenant le paradoxe de ce volume : livre à plusieurs voix, il constitue tout autant un livre que les ouvrages d'un seul auteur, eux aussi voués à une manière d'éclatement intérieur, du moins ceux qui sortent de la mono-graphie. Comme une ville vivante se conçoit autour de ses places et de ses lieux de rencontre (et non selon la manière de passer le plus rapidement d'un point à un autre), un livre d'idées, même savant, peut être une invitation à s'arrêter, à observer en méditant le spectacle des différences qui l'organisent, à se mêler joyeusement au multiple.

JEAN MOLINO

INTERPRETER

1. Quelle métaphysique pour les sciences humaines ?

Y a-t-il un texte dans la classe ? Telle est la question à laquelle nous somme de répondre M. Dertyfish (Derrida-Rorty-Fish). Le paradigme dominant, ou du moins celui dont on parle le plus dans les sciences — sciences de la nature comme sciences humaines — est un paradigme anti-réaliste. Il en existe plusieurs versions, fortes ou faibles, mais, plutôt que de faire un panorama, il vaut mieux s'adresser directement à la version la plus forte, celle de R. Rorty, de Stanley Fish et de certains de leurs disciples extrémistes, parce qu'elle constitue la forme extrême et pure de la métaphysique qui, plus ou moins clairement, plus ou moins directement, inspire les épistémologues d'aujourd'hui. Cette *koinè* philosophique post-analytique et post-moderne, qui ne correspond pas nécessairement à la version du monde implicite des savants, repose sur les thèses suivantes :

1. Anti-réalisme, c'est-à-dire que ni les entités posées par les théories scientifiques ni les propriétés et relations qui leur sont attribuées n'existent indépendamment de notre cadre d'enquête. Il n'y a dans l'expérience ni entités théoriques réelles ni natures ou essences dont l'enquête devrait rendre compte. Nous n'avons jamais à faire qu'à ce que N. Goodman appelle des versions du monde et H. Putnam a proposé récemment un argument d'inspiration logique pour réfuter toute tentative de poser un rapport direct à l'objet.

2. Si nous ne pouvons préciser les contours d'un monde bien défini, c'est que nous percevons et construisons le monde à travers un « schème conceptuel ». Il s'agit là d'une variante parmi d'autres du thème — kantien ! — selon lequel notre expérience repose sur la présence d'un filtre de nature anthro-

pologique au-delà duquel nous ne saurions aller puisqu'il constitue précisément notre seule modalité d'accès à l'expérience : vision du monde, socle épistémologique, tissu de croyances et bien d'autres variantes appartiennent à la même famille de concepts. Dans un article célèbre, D. Davidson a tenté de se débarrasser de la menace relativiste que recèle la dualité schème-réalité, mais il a seulement montré qu'on ne possédait « aucune base intelligible à partir de laquelle on peut dire que les schèmes sont différents » (Davidson, 1985) — ce qui est bien la plus paradoxale confirmation de la présence, au fondement du raisonnement, de l'idée même de schème conceptuel : au sein d'une langue, il est impossible de donner un sens à l'idée de diversité irréductible des langues et la seule conclusion philosophique à en tirer est que, comme on le comprend aisément, l'*affirmation* du relativisme constitue bien une thèse métaphysique.

3. Dans ces conditions, il est impossible de parler de vérité ou d'objectivité au sens d'une adéquation à une réalité dont on ne saurait rien connaître. En dernier ressort, la vérité doit laisser la place à des procédures d'agrément au sein d'une communauté. C'est le grand mérite des relativistes extrêmes que de mettre en évidence la nécessité de substituer à la vérité-adéquation une vérité construite et garantie par la culture : les autres solutions proposées au problème de la vérité ne sont que des solutions illusoires — vérité comme vérification ou acceptabilité rationnelle idéalisée, etc. — car soit elles retiennent implicitement un élément d'objectivité et l'on est ramené à la vérité-adéquation, soit elles sont fidèles à leur refus du réalisme et elles ne reposent alors ultimement que sur l'agrément de la communauté.

4. Les différentes théories qui visent à décrire un aspect de notre expérience sont donc, dans le temps comme dans l'espace, sans communication possible : il y a incommensurabilité des analyses et des modèles.

Ces brèves considérations philosophiques sembleront sans doute à première vue fort éloignées des préoccupations du praticien en sciences humaines et du critique littéraire. Il suffit d'un instant de réflexion pour s'apercevoir que ces thèses sont bien, de façon plus ou moins explicite, la justification dernière des diverses formes de la critique déconstructionniste : elles constituent le credo affiché de notre interlocuteur privilégié, M. Dertyfish, mais exercent leur influence sur l'ensemble des sciences humaines. La tradition européenne du relativisme historiciste et marxiste a rejoint la tradition anglo-saxonne de l'empirisme et du pragmatisme et leurs eaux mêlées conduisent à une métaphysique dont la devise nous répète : « Il n'y a que le dialogue » (Rorty, 1985a). La situation est donc la même dans les diverses disciplines : en physique, en anthropologie comme en critique littéraire, il n'existe pas d'entité objective indépendante de notre perception. Il n'y a pas de texte dans la classe, pas d'ion, de quark, de muon ou de méson dans le monde qui n'est que ma représentation.

Si le relativisme pragmatique est partout présent, c'est que la réflexion philosophique et scientifique baigne, depuis longtemps, dans un idéalisme qui est devenu quelque chose comme le milieu naturel du penseur moderne, et cela depuis Descartes. Il est entendu que l'on part de la pensée ou de notions purement idéelles — la vérité, la référence, la théorie scientifique — pour tenter de retrouver le monde et l'être. Or, comme le montrent les aventures de la philosophie post-cartésienne, de Malebranche à Berkeley, aussi bien que les développements de l'idéalisme post-kantien, de Fichte à Schelling et Hegel, lorsqu'on part de la seule pensée, l'expérience philosophique prouve qu'on ne saurait jamais rejoindre ce qui existe hors de la pensée. Rien n'est plus significatif, à cet égard, que l'évolution de H. Putnam, qui, parti du réalisme scientifique, a été amené, par l'utilisation exclusive de notions idéelles ou symboliques, à ce récent « réalisme interne » qui n'a plus de réalisme que le nom, car il ne saurait y avoir de réalisme interne. Que prouvent les deux longues analyses auxquelles se livre Putnam dans son récent ouvrage *Raison, vérité et histoire* — l'histoire des cerveaux dans la cuve et de la confusion indiscernable des cerises et des chats —, sinon qu'en utilisant les seules notions de vérité et de référence interne, associées au formalisme de la logique des prédicats, on ne peut sortir de la cuve et on ne peut distinguer les cerises des chats ? Ces analyses, comme les développements de Quine sur l'impossibilité de la traduction radicale, oublient une seule chose, c'est que notre rapport au monde n'est pas purement idéel ou symbolique : « Ce n'est pas l'Etre pur qui s'offre à nous dans l'expérience, c'est l'être des substances concrètes dont les qualités sensibles affectent nos sens. On peut donc dire que l'existence accompagne toutes nos perceptions, car nous ne pouvons appréhender directement d'autres existences que celles des qualités sensibles, et nous ne pouvons en appréhender aucune que comme un existant » (Gilson, 1947, p. 226). Notre relation au monde est en même temps théorique et pratique, au double sens de la réceptivité et de l'activité : nous interagissons sans cesse avec les êtres qui nous entourent. Pour reprendre les deux termes que vient de proposer Ian Hacking, nous représentons le monde et nous intervenons dans le réel (Hacking, 1983). Le seul point de départ fondé pour la réflexion philosophique et scientifique est donc le postulat réaliste qui pose l'existence d'un monde et d'hommes qui ont avec ce monde la double relation de représentation symbolique et de participation active. Toutes les notions utilisées dans l'analyse de la connaissance ont une double dimension, symbolique et pratique. Mais il convient de distinguer deux aspects du réalisme, dans lesquels les deux composantes jouent un rôle différent : il y a d'un côté le réalisme des entités et de l'autre le réalisme des théories. Le réalisme des entités affirme l'existence indépendante des objets de notre expérience courante, mais sans ramener cette existence à la connaissance directe que nous en avons (phénoménisme) ni la poser comme correspondant exactement aux modèles scientifiques que nous en construisons (physicalisme). La valeur de ce réalisme n'apparaît nulle part mieux que dans le cas des objets produits par le travail humain : faire une table, écrire un texte, c'est ajouter à l'inventaire du monde un nouvel être dont l'autonomie est garantie par le processus de production qui, comme dans la naissance d'un nouvel organisme, la sépare de son créateur. La présence des œuvres humaines est bien, comme le soulignait Vico, l'expérience irréductible dans laquelle nous ne pouvons mettre en doute le réalisme des objets existant à notre échelle. Par ailleurs, ce réalisme des entités transforme totalement la position du problème, cher à Quine, de l'inscrutabilité de la référence : car notre rapport au lapin de la tribu dont nous ne connaissons pas le langage n'est pas purement symbolique, épuisé par le langage et la *deixis* ; il se construit en même temps dans la chasse, dans la mort du lapin que l'on vide, que l'on pèle, que l'on mange ; et l'on voit ainsi combien le pragmatisme relativiste de Quine est peu pratique, faisant abstraction de l'activité qui nous lie au monde. Il est permis d'adopter le réalisme des entités sans accepter pour autant un réalisme absolu des théories : les théories scientifiques sont bien des constructions symboliques qui ont pour but de représenter des entités, des propriétés et des relations, mais il n'est nullement nécessaire qu'elles soient absolument vraies. Et c'est la notion de vérité qui est ici en question, car la double dimension — symbolique et pratique — de notre rapport à l'objet nous contraint à récuser les deux modèles antithétiques de la vérité, la vérité comme image de l'être et la vérité comme accord d'une communauté humaine (nous laissons de côté la conception tarskienne de la vérité, qui est neutre à cet égard parce que purement formelle : ce n'est donc pas, au sens courant du terme, une théorie de la vérité). La vérité ne saurait être conçue comme accord dans une communauté — selon le projet de M. Dertyfish — que si les êtres humains sont des êtres dont l'essence consiste à parler : tout doit donc commencer et finir, sinon par des chansons, du moins par des conversations. Il faut souligner l'importance de ce modèle dialogique de la vérité, car il est le seul aboutissement logique de toute épistémologie non réaliste : les conceptions vérificationnistes comme les conceptions de la vérité-idéalisation (Putnam) conduisent nécessairement à une légitimation sociale de la connaissance. Si l'on veut échapper à ce réductionnisme sociologique, il n'y a qu'un moyen, c'est de reconnaître la présence d'une composante réaliste dans la connaissance. Le postulat du réalisme s'accompagne d'une ontologie générale et diversifiée : il existe des entités relativement stables, et non seulement les objets de l'expérience courante, mais encore les entités théoriques posées par la physique ou la chimie, à partir du moment où un certain nombre d'expériences convergentes en rendent l'existence assurée. Et sans doute une des difficultés majeures des sciences humaines vient-elle de ce que l'on n'arrive pas à dégager des entités théoriques stables et consistantes. Par ailleurs, ces entités possèdent des propriétés, elles aussi stables ; la réflexion récente sur les espèces naturelles a rappelé qu'il n'est pas scandaleux de parler de propriétés essentielles d'une espèce naturelle — ici encore dans le cadre d'une relative stabilité temporelle : les propriétés de l'or ou de la baleine sont en relation directe avec une structure interne qui n'est pas le résultat arbitraire de notre construction théorique.

Dans cette perspective, la vérité se situe à la rencontre de nos constructions symboliques et de la réalité du monde. C'est ici qu'il faut tenir les deux bouts de la chaîne sans se laisser entraîner à la recherche d'une introuvable définition logique de la vérité. Car la vérité n'est pas une relation logique entre propositions ou entre une proposition et un réel exhaustivement connu ; il faut lui substituer la notion de jugement de vérité, c'est-à-dire que la vérité est le résultat d'une élaboration symbolique complexe, mais qui nous met toujours en relation avec le réel. Quelle que soit la difficulté qu'il y ait à penser cette double nature, elle est le seul moyen de donner un sens constructif à la connaissance et il est clair qu'il faut, ici encore, faire usage du décrochage qu'implique le principe du réalisme ; nous ne pouvons pas penser le rapport de la connaissance au réel en restant enfermé dans le solipsisme où s'est retranchée la tradition philosophique occidentale depuis quatre siècles : penser le rapport de la connaissance au réel oblige à poser un modèle de l'activité humaine — théorique et pratique — qui se place nécessairement en dehors de cette connaissance et fait de la connaissance une réalité naturelle. Mais cette réalité n'est pas justiciable d'une analyse naturaliste, c'est-à-dire d'un réductionnisme qui refuse la spécificité des activités pratiques et symboliques. Seuls les modèles évolutionnistes de la connaissance (Popper, Lakatos) — précisément parce qu'ils pratiquent ce décrochage — donnent une idée de la seule voie dans laquelle, en l'état actuel, se combinent et se concilient les deux composantes réaliste et symbolique de la connaissance.

Pourquoi ce hors-d'œuvre métaphysique ? se demandera peut-être le lecteur. Il s'agit moins de le convaincre que de lui faire prendre conscience de la relativité de ce relativisme qui est devenu comme le bon sens d'aujourd'hui : le relativisme ne va pas de soi. Il n'est pas évident que nous soyons enfermés dans des visions du monde, dans des constructions symboliques, dans des sphères de pensée incommunicables, à travers lesquelles nous n'aurions que des « versions » (N. Goodman) d'un monde inconnu et inconnaissable dans sa vérité. Car ce que nous cherchons, ce n'est pas la vérité du monde, mais sa réalité. Nos constructions symboliques sont distinctes, aussi bien dans l'espace que dans le temps, mais elles ne sont pas incommensurables : il est de fait que, malgré leurs différences, les langues sont traduisibles l'une dans l'autre, comme les successives théories scientifiques. Oui, il y a un texte dans la classe, exactement comme il y a des étudiants, une salle et un professeur, et pourquoi le texte existerait-il moins que ce qui l'entoure ?

2. SCIENCES HUMAINES ET SCIENCES DE LA NATURE

Sur notre longue route, nous rencontrons, après un problème métaphysique, un problème épistémologique : admettons que les textes existent aussi solidement que les chaises, les tables ou les êtres humains ; existent-ils cependant de la même façon ? Il s'agit ici du problème posé par les relations entre les sciences humaines et les sciences de la nature : peut-on, doit-on utiliser les mêmes méthodes si les domaines ont une réalité distincte et sont irréductibles l'un à l'autre ? Il est clair que la question n'est pas résolue et que l'on retrouve constamment, sous des formes diverses, les grands types de solution, que l'on ramènera à trois orientations fondamentales : les réductionnismes d'inspiration naturaliste, la séparation qui vise à marquer les particularités des deux espèces d'enquête scientifique, enfin la réunion des deux démarches au sein d'une épistémologie plus « molle » qui tend à rapprocher les sciences de la nature des sciences humaines.

La solution naturaliste est, bien évidemment, à mettre en relation avec les succès des sciences de la nature depuis le XVIIᵉ siècle : les méthodes de la physique expérimentale sont apparues comme les seules méthodes rigoureusement scientifiques, dont l'application a permis de conquérir sans cesse de nouveaux territoires à la connaissance et à la technique. Dès les premières victoires de la physique nouvelle, des synthèses philosophiques ont, d'une façon plus ou moins claire, annexé le monde humain au territoire des sciences de la nature : la physique cartésienne, comme on le voit chez Hobbes, conduit directement à un mécanisme généralisé qui s'applique aussi bien au psychisme humain qu'aux mouvements de la matière. Ce sont donc les méthodes des sciences de la nature qui peuvent seules conduire à une connaissance effective des faits humains : les sciences humaines sont, en droit sinon en fait, réduites à n'être que des provinces attardées de la Science, que seule l'application des mêmes méthodes mènera au succès. Ce naturalisme s'accompagne souvent de matérialisme, mais la liaison entre les deux n'est pas nécessaire ; par ailleurs, la réduction aux sciences de la nature se fait en prenant comme modèle des disciplines différentes, ici la mécanique, d'un autre côté la chimie, l'électricité, la physiologie ou la théorie de l'évolution. Mais l'essentiel consiste dans l'assimilation des sciences humaines aux sciences de la nature, fondée sur le principe d'une identité fondamentale des deux ordres de réalité : les faits humains ne jouissent d'aucun privilège d'extraterritorialité par rapport aux phénomènes du monde physique et rien n'autorise à concevoir « l'homme dans la Nature comme un empire dans un empire » (Spinoza). Je rappellerai deux versions parmi d'autres du naturalisme réductionniste : la version de Taine et la version plus récente du néo-positivisme. L'œuvre de Taine intéresse particulièrement les spécialistes du texte, car précisément elle est tout entière consacrée à l'étude des formes symboliques que sont l'art et la littérature, et c'est dans l'Introduction à son *Histoire de la littérature anglaise* que l'on trouve une des formulations les plus claires de son programme. Celui-ci se construit en deux étapes : les faits humains sont essentiellement d'ordre psychologique et les sciences morales ont donc comme ultime fondement la psychologie ; en second lieu, la psychologie doit se soumettre au principe du déterminisme universel, selon lequel tout fait a une cause qui suffit à le produire. D'où la déclaration célèbre dans laquelle Taine résume, de manière provocante, son programme : « Que les faits soient physiques ou moraux, il n'importe, ils ont toujours des causes ; il y en a pour l'ambition, pour le courage, pour la véracité, comme pour la digestion, pour le mouvement musculaire, pour la chaleur animale. Le vice et la vertu sont des produits comme le vitriol et le sucre, et toute donnée complexe naît par la rencontre d'autres données plus simples dont elle dépend. » L'analyse des faits humains remonte des causes secondaires aux causes dominantes qui sont, selon Taine, au nombre de trois : la race, le milieu, le moment. Pour rendre compte d'une création littéraire, il suffit, grâce à l'enquête historique, de mettre en évidence la faculté maîtresse de l'écrivain. L'exemple de Taine nous semble significatif, car il témoigne de l'abîme qui sépare, dans les différentes espèces de réductionnisme, le programme théorique des résultats obtenus ; on n'ose guère se réclamer de lui aujourd'hui, alors que tout un pan des recherches en sciences humaines se fonde sur des constructions analogues : les diverses formes de réductionnisme d'inspiration marxiste, sociologique ou psychanalytique reposent sur les mêmes principes a priori qui font disparaître la spécificité des faits humains. Il s'agit là d'une analyse « allégorique » dont on s'aperçoit, à quelques années de distance, qu'elle n'éclaire pas les textes précisément parce qu'elle est toujours restée en dehors d'eux.

Le néo-positivisme constitue une deuxième version du réductionnisme naturaliste ; et cette fois, non dans un sens ontologique comme chez Taine — les faits humains sont des faits physiques en droit comme les autres —, mais dans un sens épistémologique : il n'y a de connaissance proprement dite que celle qui se construit selon le modèle de la théorie néo-positiviste de la signification et de la vérité. Notre propos n'est pas d'exposer les développements du néo-positivisme mais de rappeler ses positions de départ, caractéristiques du réductionnisme en général. On pourrait résumer ces positions sous forme de thèses :

1. Il n'existe que des propositions analytiques et des propositions synthétiques.

2. Les propositions analytiques sont tautologiques.

3. Les propositions synthétiques n'ont de sens et ne sont donc susceptibles de vérité et de fausseté que si elles sont réductibles à des propositions élémentaires exprimant des observations vérifiables (critère de vérification). Nous aurons ainsi un critère de démarcation entre des propositions qui ont un sens et des propositions dénuées de sens : les énoncés moraux, métaphysiques ou littéraires sont ainsi exclus du champ de la signification ; ils peuvent avoir une valeur émotive mais n'ont aucune valeur cognitive. Si l'on veut constituer une authentique science des faits humains, on ne saurait le faire sans se fonder sur des observations vérifiables portant sur des faits du même ordre que les faits étudiés par les sciences de la nature. On comprend alors comment les sciences humaines doivent, de gré ou de force, se situer dans un cadre béhavioriste, comme

cela apparaît clairement dans les tentatives opérées, aux Etats-Unis surtout, pour faire entrer les sciences sociales dans le système néo-positiviste des sciences : c'est le cas de la tentative d'E. Nagel, qui, dans son ouvrage *The Structure of Science* (1961), cherche à montrer qu'aucun obstacle n'empêche, en droit, d'appliquer le même modèle d'analyse aux sciences de la nature et aux sciences sociales. Le retard de ces dernières ne semble s'expliquer que par les difficultés sociales et culturelles qui s'opposeraient à une étude « objective » des faits humains. Mais ce décalage inexplicable est bien la preuve que le modèle est inadéquat — et l'évolution du néo-positivisme a peu à peu montré qu'il était aussi inadéquat pour les sciences de la nature. Cependant, la prégnance du réductionnisme néo-positiviste est si forte qu'on en trouve les traces là où on s'y attendait le moins, dans la théorie littéraire. Lorsque, dans leur manuel classique, R. Wellek et A. Warren définissent la littérature, ils la caractérisent comme l'autre de la science conçue selon le modèle néo-positiviste : son langage s'oppose au langage de la science comme l'émotion à la logique et la connotation à la dénotation, tandis que ses propositions ne sont pas des propositions logiques et ne sont donc pas littéralement vraies. Le trait propre au réductionnisme est de ne concevoir qu'un seul type de démarche scientifique applicable à un seul type de phénomènes : les sciences humaines n'ont qu'à se soumettre ou à se démettre.

C'est précisément l'intérêt majeur de la longue querelle qui s'est développée dans l'Allemagne de la deuxième moitié du XIXᵉ siècle et du début du XXᵉ que d'avoir affronté le problème épistémologique posé par les sciences de l'homme : la spécificité intuitivement apparente des faits humains n'oblige-t-elle pas à poser l'existence d'une méthode différente et indépendante de celle des sciences de la nature ? Sans reprendre les apports de tous ceux qui ont réfléchi à ces questions, de Dilthey à Max Weber en passant par Windelband, Rickert ou Jaspers, nous voudrions seulement rappeler les caractères spécifiques des faits humains qu'ils ont contribué à mettre en évidence et que l'on peut présenter sous la forme de couples de concepts opposés, dont l'un renvoie aux faits physiques et l'autre aux faits humains : individuel/général ; valeur/fait ; intentionalité/absence d'intentionalité ; historicité/stabilité temporelle :

1. Alors que, selon la formule célèbre, il n'y a de science que

du général, les faits humains se présentent à nous d'abord sous leur aspect individuel. Dans tous les domaines, les objets sont singuliers et je m'intéresse d'abord à leur unicité : je veux savoir pourquoi Napoléon a agi de cette façon ou ce qu'est la Renaissance. Même quand il s'agit de phénomènes collectifs ou globaux, c'est la singularité de leur physionomie qui demande explication, alors que je ne tiens compte, en physique ou en chimie, que des propriétés générales de l'or ou du chlore et non de cette pépite qui s'est, ce jour-là, trouvée sous mes pas. L'individualisme méthodologique dans les sciences sociales semble bien répondre au mode même d'existence de leur objet.

2. Cette présence de l'individu et du singulier est aussi à mettre en relation avec l'historicité des faits humains. La physique classique, sous la forme idéalisée qu'elle a prise dans la synthèse de Laplace, décrit un système déterministe dans lequel tous les processus sont, en droit, réversibles tandis que, dans le domaine humain, non seulement les processus apparaissent comme irréversibles mais encore il n'y a pas d'entité stable et bien définie qui puisse servir de point de départ à la description.

3. Le monde physique nous met en face de faits objectivement analysables, tandis que le monde humain fait intervenir des valeurs : non seulement mon activité est orientée par des valeurs, mais encore, lorsque je m'intéresse à un phénomène humain, j'opère une sélection fondée sur les valeurs, et enfin ce sont les valeurs privilégiées par un individu ou une époque qui me permettent de lui donner un sens.

4. A cet égard, le rapport aux valeurs n'est qu'un aspect particulier de cette dimension irréductible de l'activité humaine qu'est l'intentionalité : lorsque je parle, je veux dire quelque chose, même si je ne dis pas toujours exactement ce que je voulais dire, de même que, lorsque j'agis, je veux le plus souvent faire quelque chose, obtenir un résultat prévu. La notion d'intentionalité est ici en partie détournée de son sens philosophique habituel (phénoménologique) : il s'agit de la propriété selon laquelle j'ai l'intention de (cf., pour une discussion récente, J.R. Searle, *L'intentionalité*, 1983). Une conduite, une décision, un discours ne semblent pas pouvoir être correctement décrits si l'on ne fait pas intervenir les intentions de l'acteur.

C'est en se fondant sur l'existence de ces caractéristiques

propres à l'activité humaine que les théoriciens des sciences humaines ont tenté de construire des méthodes qui seraient indépendantes et différentes de celles des sciences de la nature. Il serait inutile de reprendre dans le détail les propositions d'un Dilthey, d'un Windelband, d'un Rickert ou d'un Max Weber, car elles ne sont que des variations particulières autour de ces thèmes : l'individualité, l'historicité, la valeur et l'intentionalité. Or l'important n'est pas dans les théories ou dans l'élaboration à laquelle ont été soumises ces notions, mais dans le champ intuitif qu'elles délimitent : il n'y aura de science des faits humains que si l'on sait, d'une façon ou d'une autre, faire place à l'individu, à l'histoire, à la valeur et à l'intention. L'exemple de la micro-économie et de la théorie des jeux et de la décision montre bien qu'il ne s'agit pas d'intégrer directement le vécu individuel dans une construction théorique : toute la difficulté est précisément de mettre au point une version élaborée de ces notions qui, tout en préservant le noyau intuitif, les soumette à une élaboration qui donne prise à une analyse rigoureuse. En sens inverse, les avatars du structuralisme dans les sciences humaines ont clairement mis en évidence les insuffisances d'une méthode qui ne fait pas leur juste part aux quatre dimensions indiquées du fait humain. Si l'on veut aujourd'hui encore contribuer à l'édification d'une méthode spécifique des sciences humaines, il faut trouver le moyen d'y intégrer ces quatre dimensions.

Par un retour attendu du balancier, les relations entre sciences humaines et sciences de la nature ont, plus récemment, changé de sens : ce ne sont plus les sciences de la nature qui servent de modèle-repoussoir aux sciences sociales, mais au contraire les sciences de la nature qui se sont mises à flirter avec les sciences humaines. Le modèle néo-positiviste de l'enquête scientifique a été soumis à des critiques convergentes qui n'ont à peu près rien laissé intact, et tend à être remplacé par des modèles anti-réalistes et relativistes (Kuhn, Feyerabend). D'une façon à première vue paradoxale, la nouvelle image de l'activité scientifique fait intervenir les dimensions du fait humain dégagées tout à l'heure : l'histoire est là et la succession des grandes théories ou des grands paradigmes est plus proche d'une histoire des styles — styles de pensée ou de raisonnement (Hacking, 1985) — que du progrès continu et linéaire de la tradition positiviste ; la valeur est présente à la racine de l'enquête scientifique et H. Putnam a récemment tenté de montrer que les sciences de la nature ne sauraient faire l'économie des jugements de valeur ; l'individu et ses intentions ont aussi leur place si l'on admet, avec N. Goodman, que nos théories scientifiques ne sont que des moyens parmi d'autres de construire des représentations du monde, versions infinies d'un original inconnaissable ou absent. Que signifie ce renversement des perspectives ? Il manifeste que la science ne peut plus être considérée comme un empire dans un empire, comme un objet transparent dont la finalité — connaître le monde dans sa vérité — épuiserait l'existence. La science ne jouit d'aucun privilège d'extraterritorialité ; c'est une activité humaine parmi d'autres et, en tant que telle, elle ne saurait se soustraire à l'organisation et aux structures de toute activité : c'est une production symbolique au même titre que l'art ou la littérature.

Mais s'agit-il du même type de production symbolique ? R. Rorty a récemment tenté de montrer que l'étude d'un échantillon de matière et l'étude d'un texte littéraire n'étaient pas fondamentalement différentes (Rorty, 1985b). L'étude scientifique d'un morceau de matière comprend les aspects suivants :

I. Apparence sensorielle et situation spatio-temporelle.

II. Essence réelle du point de vue de Dieu.

III. Description dans le secteur de *notre* science « normale » qui est spécialisée dans l'étude de ce genre d'objets.

IV. Description par un scientifique révolutionnaire — au sens de Kuhn — qui entend effectuer un changement de paradigme.

V. Description dans une perspective extérieure à celle de la discipline spécialisée dans l'étude de l'objet.

De la même façon, l'étude d'un texte correspond aux aspects suivants :

I. Traits phonétiques ou graphiques.

II. Ce que répondrait, dans des conditions idéales, l'auteur aux questions de l'interprète formulées dans des termes qu'il pourrait comprendre immédiatement.

III. Ce qu'il répondrait à des questions formulées dans *notre* langage et qu'il lui faudrait apprendre à réinterpréter.

IV. Le rôle du texte dans la conception révolutionnaire que

quelqu'un peut se faire de la séquence à laquelle le texte appartient.

V. Le rôle du texte dans la conception que se fait quelqu'un d'autre chose que le genre auquel appartient le texte.

Il y a donc, dans une conception pragmatique de la science, un parallélisme presque parfait entre les deux pratiques. La seule différence se situe au niveau II : tandis qu'il est légitime, pour un texte, de s'interroger sur le sens voulu par l'auteur, il est impossible d'attribuer à un morceau de matière une essence réelle — qui correspondrait au point de vue de Dieu sur l'univers, car il n'existe que des essences nominales plus ou moins commodes et sur lesquelles s'entend, à un moment donné, la communauté scientifique. Nous avons déjà dit plus haut pourquoi il n'était pas aussi facile qu'on le dit aujourd'hui de se débarrasser du réalisme, mais ce qui nous intéresse ici est précisément la dissymétrie mise en évidence au niveau II : les textes, comme toutes les œuvres humaines, répondent à des intentions. Il apparaît clairement aussi que, quel que soit le choix méthodologique que l'on opère, il est nécessaire de respecter la structure ontologique distincte des faits physiques et des faits humains ; il est vrai que toute construction scientifique, qu'il s'agisse de sciences de la nature ou de sciences de l'homme, fait intervenir intentions et valeurs — ce que nous appelons, en un mot, le symbolique —, mais il demeure une différence essentielle : les sciences de l'homme ont le symbolique pour objet. Différence banale sans doute mais dont l'importance est trop souvent gommée et qu'il faut situer dans le cadre d'une sémiologie des formes symboliques.

3. LE SYMBOLE COMME OUTIL ET COMME OBJET

Les théoriciens allemands des sciences humaines isolaient, à côté de l'historicité et de l'individu, deux propriétés spécifiques du comportement humain, la présence d'intentions et de valeurs. Mais il est essentiel de souligner que, parallèlement ou à peu près, la micro-économie montrait comment une construction théorique au contenu non truistique pouvait intégrer ces deux propriétés sous une forme à la fois explicite et féconde dans la théorie du choix rationnel du consommateur : celui-ci a des croyances — il a une représentation d'un ensemble de produits consommables et de contraintes financières qui limitent ses possibilités — ainsi que des désirs, qui apparaissent sous la forme de préférences. Intentions, valeurs sont donc présents dans une modélisation qui, grâce au critère d'optimisation, permet d'élaborer une théorie de la décision optimale, dont le domaine d'application est beaucoup plus large que le champ strict de la micro-économie classique. L'importance de ce modèle est capitale, bien qu'elle soit largement sous-estimée sinon ignorée en dehors de l'économie et, à un moindre degré, de la sociologie : la seule science humaine qui ait quelque prétention à la rigueur est précisément celle qui a réussi à intégrer dans son formalisme des propriétés spécifiques de la réalité humaine. Un des problèmes devant lesquels elle se trouve est d'étendre ce modèle de rationalité stricte en essayant de faire intervenir le contenu des croyances ainsi que la complexité et les contradictions des préférences.

Ces difficultés d'extension du modèle rejoignent les modifications qui se sont produites dans les autres sciences humaines, en attirant l'attention vers d'autres propriétés du fait humain. Le couple intentions-valeurs, qui est en même temps plus ou moins explicitement associé à une problématique de la liberté et du déterminisme, a peu à peu laissé la place au couple signification-représentation. D'un côté, l'intérêt porté au langage, mais aussi à d'autres systèmes signifiants comme l'art ou la religion, a mis en évidence la diversité et la complexité des processus de signification. De l'autre côté, les développements de l'anthropologie et de l'histoire ont montré la présence irréductible de conceptions du monde, de représentations symboliques spécifiques d'un groupe ou d'une culture. Ce qui apparaît ainsi au premier plan, ce ne sont plus les intentions et les valeurs, mais les systèmes de croyance complexes grâce auxquels l'individu se représente le monde et donne une signification à ses actions. Il ne s'agit pas de reflets d'une réalité mais de constructions symboliques qui sont autant de façon de fabriquer une version du monde (*Ways of Worldmaking*, selon l'expression de N. Goodman).

Quels sont les modes d'existence et d'organisation des systèmes symboliques ? Indiquons les lignes générales d'une sémiologie des formes symboliques qui nous paraît seule capable d'éviter les apories dans lesquelles sont aujourd'hui enfermées les théories de la signification et de la représentation. Le fait symbolique est doté d'une structure spécifique qui est résumée dans le schéma suivant :

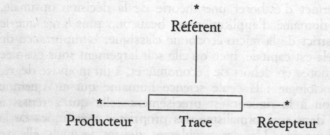

Sous cette forme, le schéma ne fait que reprendre l'analyse de la communication proposée par exemple par K. Bühler. Mais il convient d'en modifier la portée en évitant précisément d'y voir les aspects divers d'une seule réalité qui serait la communication. Un fait symbolique, conduite, parole ou texte, se présente comme phénomène matériel — courbe d'un geste, séquence sonore, signes sur le papier — et c'est cette existence matérielle de données signifiantes qui représente le seul point de départ possible pour l'analyse du symbolique. Mais il ne s'agit pas de les prendre aussitôt comme objet d'une interprétation conçue comme le voulait Dilthey, c'est-à-dire comme « le processus par lequel nous connaissons la vie psychique à l'aide de signes sensibles qui en sont la manifestation ». C'est ici que le psychologisme régnant à la fin du siècle dernier faisait obstacle à la constitution d'une méthode des sciences humaines, car l'interprète serait alors réduit aux cheminements incertains d'une empathie qui devrait lui assurer la coïncidence avec une autre conscience. L'existence matérielle des traces est ce qui garantit la possibilité d'un premier mode d'approche du symbolique : elles constituent des objets dotés de stabilité, et qui donnent prise à l'étude de leurs propriétés et de leurs régularités d'organisation.

Ces traces, qui correspondent à la face matérielle des signes, renvoient à un référent ainsi qu'à une chaîne indéfinie d'autres signes. C'est pourquoi il ne faut pas analyser la signification comme simple association ou correspondance d'un signifiant et d'un signifié : la signification est un processus. En même temps, le fait symbolique est le résultat d'une production : c'est un homme qui a parlé, qui s'est incliné pour prier, qui a écrit ses Mémoires. Cet homme a voulu dire quelque chose, et c'est ici qu'interviennent les dimensions mises en évidence par les théories des sciences humaines, intentions et valeurs. Si l'on prend au sérieux les différents modes d'existence du fait symbolique global en récusant le modèle de la communication qui aplatit l'un sur l'autre ses diverses composantes, on est conduit à reconnaître la relative autonomie de ses composantes : pourquoi les traces matérielles du processus symbolique garderaient-elles l'empreinte exacte de mon intention de signifier ? Pourquoi, si nous passons maintenant de l'autre côté de notre schéma, le récepteur comprendrait-il la signification de ces traces de la façon dont le producteur l'a lui-même voulue ? La communication est la simplification idéalisée, indue, du processus symbolique, qui efface sa structure constitutive en la réduisant à la technique trompeuse du codage et du décodage d'une information déjà là de tout temps et qui n'attend plus que d'être transmise. La signification n'est pas un être, elle est travail de production symbolique : il est donc incorrect d'isoler les traces sous forme d'un texte par exemple qui correspondrait à un message univoque qui devrait être transmis du producteur A au récepteur B. Le texte n'est que la trace visible du processus, le sommet de l'iceberg qui doit être relié aux autres dimensions du phénomène symbolique. Les stratégies de production et de réception — ou, mieux, de reproduction — font partie du processus symbolique au même titre que le texte. La description adéquate d'un phénomène symbolique comprend donc les trois dimensions de la trace, de la production et de la réception dans leur rapport avec le référent et l'ensemble des signes auxquels ils renvoient.

Nous avons dit tout à l'heure que ce modèle permettait de se débarrasser des apories qui bloquent l'analyse cohérente des faits symboliques. Prenons l'exemple de la signification dans son usage linguistique — ce qui n'est qu'un aspect particulier de la signification au sens large ou symbolisation. La définition la plus courante en linguistique correspond à peu près au modèle proposé par Grice : vouloir dire quelque chose, c'est, pour un locuteur, produire une énonciation avec l'intention de produire des effets déterminés sur ses auditeurs. L'avantage du modèle est qu'il semble unir de façon simple et cohérente les différentes dimensions du fait symbolique, production, traces et réception : le locuteur a l'intention de produire un effet ; il ne s'agit plus que de s'assurer que cette donnée irréductible sera correctement exprimée, transmise et reconnue. Ce qui sert de paradigme à l'analyse, c'est l'ordre : lorsque A dit à B « Ferme la porte », il énonce une phrase avec l'intention de conduire son interlocuteur à fermer la porte. Mais ce cas peut-il être considéré comme typique ? Il est trompeur en ce que la représentation de l'interlocuteur et de l'acte que l'on cherche à produire est incluse dans le contenu de l'énoncé ; or c'est précisément ce qui met en évidence le caractère représentatif et symbolique — et non purement pragmatique et communicatif — du langage. Un énoncé est une construction symbolique produite par un locuteur et interprétée de façon elle aussi constructive par un récepteur. La signification que donne un locuteur à un énoncé n'est ni transparente ni simple ou univoque. Y aurait-il au moins un sens propre et littéral qui serait comme le plus grand commun diviseur de toutes les significations attribuables à un énoncé ? Rien n'est moins sûr, car nous rencontrons alors toutes les significations « indirectes » — ironie, allusion, sous-entendu, etc. —, dans lesquelles il semble y avoir une distance plus ou moins grande entre ce qui est explicitement dit et ce que le locuteur veut dire, ainsi que tout le champ de l'expression figurée et en particulier métaphorique. Il ne s'agit pas d'en tirer la conclusion qu'un énoncé peut signifier tout et n'importe quoi, mais de constater que le sens littéral, comme la communication d'un message défini, ne sont que des cas limites, des constructions idéales qui peuvent servir de points de référence pour une enquête mais non de modèles pour une analyse. On comprend la portée des distinctions que nous avons proposées : au lieu d'un sens unique, miraculeusement donné, transmis et retrouvé, nous avons autant de stratégies complexes de signification qu'il y a de dimensions dans le fait symbolique total. Je parle et je produis un énoncé qu'entend mon interlocuteur, l'énoncé peut être analysé comme ensemble de configurations renvoyant à des référents et à d'autres signes ; si je veux retrouver le complexe écheveau de significations que lui donnait son producteur, je dois mettre en relation l'énoncé avec la situation et l'activité symbolique de ce producteur, et il en est de même pour le sens que mon interlocuteur donnera à mon énoncé. Tout produit symbolique, et le langage comme les autres, est constitué de ces trois dimensions — niveau matériel ou neutre des traces, dimension poïétique de la production, dimension esthésique de la réception — dont seule la prise en compte globale conduit à la construction du sens.

Nous avons pris l'exemple du langage, mais le modèle est valable pour les autres réalités symboliques. Soit une décision : j'achète une voiture, je tue mon rival, je change de travail et de lieu de résidence. La décision apparaît comme trace : je donne un chèque au vendeur et je repars en voiture, je tire un coup de revolver et voici qu'un homme mort tombe à mes pieds, je quitte Marseille pour Paris et mon bureau pour un nouveau bureau. Que signifient ces actes ? La seule chose qui reste, ce sont les marques matérielles qu'ont laissées mes décisions — un chèque, une voiture, un cadavre, un camion de déménagement et un changement de décor... La décision, une fois réalisée, est irréductible à ses intentions ou à ses motivations, irréductible en ce que ces intentions n'arrivent jamais à épuiser le sens de la décision, à en expliquer la réalisation. Il faut généraliser ici la notion psychiatrique et psychanalytique de « passage à l'acte » (acting out) : toute décision, toute action implique nécessairement passage à l'acte, c'est-à-dire rupture, non avec les systèmes de motivation habituels du sujet, mais avec tout système de motivation. Une décision, un texte sont opaques et rien ne saurait en déterminer absolument le surgissement, qui fait advenir à l'être quelque chose qui n'existait pas auparavant. Il ne s'agit pas ici de liberté ou de déterminisme, d'explication ou de compréhension, mais de cette observation dont il est impossible de se débarrasser : le texte et la décision ne sont pas des reflets d'une intention — intention de dire ou d'agir — préalable, mais le résultat d'une construction, d'une production. Et si je puis proposer des modèles économiques d'une décision, c'est en intégrant l'acte — l'achat et ses traces matérielles — en tant que tel dans le modèle : la théorie de la décision ou une praxéologie économique généralisée découpent un champ homogène qui isole certains aspects du fait symbolique total, mais j'ai toujours à tenir compte des stratégies de l'acheteur aussi bien que des répercussions de l'achat effectué sur les membres

du groupe. Le même modèle s'applique à l'événement historique tel que tente de le décrire l'historien : quand il a eu lieu,
je chercherai à rendre compte de l'événement par la rencontre
des stratégies symboliques des acteurs mais en prenant garde
que l'événement, par son inscription dans le tissu historique, le
configure d'une manière originale ; l'événement n'est jamais
perçu comme il est agi et l'analyse adéquate devrait faire
intervenir niveau neutre — les traces matérielles —, niveau
poïétique — les stratégies symboliques de production — et
niveau esthésique — les stratégies symboliques de perception et
d'intégration de l'événement.

Il importe maintenant de revenir aux relations entre les
sciences de la nature et les sciences de l'homme telles qu'elles
apparaissent dans le modèle que nous venons de présenter.
Elles peuvent se résumer en deux formules qui expriment l'une
les ressemblances et l'autre les différences des deux champs de
recherche : dans les deux domaines, l'enquête scientifique est
une construction symbolique ; les sciences humaines, qui ont
aussi le symbolique comme instrument, l'ont aussi comme objet.
Développons d'abord la première thèse : elle signifie que les
sciences de la nature, comme les sciences de l'homme, sont des
œuvres humaines, le résultat d'un double rapport au monde, le
rapport technique du travail et de l'outil, le rapport théorique
de la représentation et du concept. La science n'est pas l'enre-
gistrement passif d'un donné déjà là, comme l'ont pensé les
épistémologues empiristes, mais une construction complexe.
C'est ce qui explique qu'il n'y ait pas de science de la science
et que l'on puisse soumettre le travail scientifique aux enquêtes
qui caractérisent les sciences humaines : la science a une
histoire, où l'on retrouve le même jeu de contraintes et de
rythmes que dans toutes les histoires ; elle est produite par des
communautés qui ont des intérêts particuliers et qui sont situées
dans des cultures particulières ; ses méthodes ne sont en aucun
cas réductibles à une logique rigoureuse et formelle (ou formali-
sable). Les nouveaux thèmes de l'épistémologie qui ont ruiné
l'édifice constitué par la conception néo-positive de la science
— révolutions scientifiques, sociologie de la science, critique des
théories de l'induction — ne sont guère que la reconnaissance
et l'acceptation d'un état de choses après tout banal : nous
construisons nos représentations du monde. C'est pourquoi

nous préférons interpréter cette situation en termes constructivistes plutôt qu'en termes grossièrement kantiens : la question n'est pas de savoir s'il existe par exemple des formes a priori de notre sensibilité qui obligent à séparer absolument noumènes et phénomènes, objets en soi et objets connus, elle est de reconnaître que la connaissance est une production symbolique qui se sert d'outils. Dirait-on que le bâton ou le levier met une barrière infranchissable entre l'objet et le sujet ? Le concept aussi est un outil : il ne nous sépare pas du monde, il est le seul moyen d'y accéder. Les sciences de la nature n'ont pas de privilège d'extraterritorialité : s'il est légitime de construire des modèles plus ou moins explicites, plus ou moins rigoureux, plus ou moins formalisés de certains aspects du travail scientifique, c'est en sachant bien qu'ils ne sauraient en aucun cas donner une connaissance adéquate de ce travail ; de même que la langue naturelle est le métalangage ultime de toute formalisation, de même la logique de la science est en dernier ressort justiciable des méthodes des sciences humaines.

Mais cela veut-il dire que les sciences de la nature sont identiques aux sciences humaines ? C'est une assimilation avec laquelle ont flirté critiques idéologiques de la science et anarchistes méthodologiques et qui sert souvent, *mezzo voce,* à justifier le n'importe quoi, le « laissez faire, laissez passer » qu'il est de bon ton de défendre dans ces disciplines que l'on n'appelle plus sciences humaines que par oxymore. C'est ici qu'apparaît la portée de notre deuxième thèse : les sciences humaines, à la différence des sciences de la nature, ont le symbolique pour objet. Ce qui marque leur spécificité, ce n'est ni le problème de la liberté et du déterminisme, ni le problème de l'âme et du corps ou, si l'on veut, de l'idéal et du matériel, du cerveau et de la pensée, ni le problème de l'intériorité et de l'extériorité, du public et du privé, ni le problème des infra- et superstructures, de l'idéologie et des relations entre la connaissance et les intérêts. Ces thèmes récurrents ne sont que l'ombre portée de mauvaises querelles philosophiques, qui empêchent d'affronter la difficulté centrale des sciences humaines : qu'est-ce que le symbolique et comment l'étudier ? Si les sciences de la nature ont réussi à constituer un édifice relativement cohérent et stable, c'est précisément parce qu'elles ont isolé dans l'existant des îlots qu'elles ont purifiés de toute adhérence symbolique, sans pouvoir s'en débarrasser complètement puisqu'elles sont elles-mêmes œuvre symbolique. Le défi que lancent les sciences humaines, c'est de dégager dans les pratiques symboliques des territoires restreints où le symbolique puisse être circonscrit, organisé et maîtrisé.

4. Symboles, signes, textes

Le spécialiste en sciences humaines s'occupe de significations et on pourrait lui appliquer exactement ce que L. von Mises dit de l'histoire et de l'historien : « Ce qui compte pour l'histoire, c'est toujours ce qu'ont dans l'esprit les acteurs : le sens attaché par eux à l'état des choses qu'ils veulent modifier, le sens qu'ils attachent à leurs actions, et le sens qu'ils attachent aux effets produits par leurs actions. L'aspect en fonction duquel l'histoire ordonne et assortit l'infinie multiplicité des événements, c'est leur signification » (von Mises, 1985, p. 64-65). Il convient donc de rappeler ce que nous entendons par signification et par symbolique (Molino, 1975 ; 1984 ; 1985a ; 1985b ; 1988). A la suite de spécialistes de l'aphasie comme Head, Piaget a proposé d'appeler fonction symbolique (ou sémiotique) cette « fonction fondamentale pour l'évolution des conduites ultérieures et qui consiste à pouvoir représenter quelque chose (un "signifié" quelconque : objet, événement, schème conceptuel, etc.) au moyen d'un "signifiant" différencié et ne servant qu'à cette représentation : langage, image mentale, geste symbolique, etc. » (Piaget et Inhelder, 1966, p. 40). Cette fonction apparaît chez l'enfant vers un an et demi à deux ans et se manifeste dans des conduites diverses : imitation différée, jeu symbolique, dessin, image mentale et langage. Peu à peu se développent alors les deux grandes familles de substituts symboliques, les substituts motivés (icônes et symboles) et les substituts conventionnels et arbitraires (signes proprement dits). Si l'on passe de l'ontogenèse à la phylogenèse, on ne peut manquer d'être frappé par les convergences qui apparaissent entre les deux développements. Que nous dit aujourd'hui le spécialiste de paléontologie humaine ? Il est tenté de situer dans l'*Homo habilis* les transformations fondamentales qui caractérisent l'hominisation : « On pourrait dire de manière schématique que ce premier homme apparaît comme un Primate supérieur des savanes sèches, bipède, omnivore opportuniste, artisan et social, malin et prudent, conscient et bavard. L'Homme, dans toutes ses caractéristiques fonctionnelles et comportementales, est là » (Coppens, 1983, p. 120). Même si l'on n'interprète pas littéralement le principe de Haeckel, selon lequel l'ontogenèse est la récapitulation abrégée de la phylogenèse, il n'en demeure pas moins que le parallélisme des deux évolutions est clair. Pourquoi alors ne pas parler, ici aussi, de l'émergence de la fonction symbolique ? Ce point nous paraît essentiel, car il permet — et il est le seul à permettre — la constitution d'une sémiologie, ou analyse des formes symboliques, scientifiquement fondée. Cette discipline, dont on a tant parlé, est encore largement hypothétique et l'on n'a guère réussi jusqu'à présent à lui donner un statut satisfaisant ; linguistique, théorie de la communication ou sémantique structurale n'offrent que des modèles partiels, inadéquats, si l'on entend travailler à une sémiologie authentiquement générale. D'où l'importance des leçons convergentes que l'on peut tirer de la psychologie génétique et de la paléontologie humaine ; il est alors légitime de faire l'hypothèse d'une fonction symbolique commune, qui est à l'œuvre aussi bien dans le développement de l'espèce que dans le développement de l'individu. Son existence assure l'ancrage anthropologique des phénomènes symboliques et permet ainsi de se débarrasser des faux problèmes concernant les rapports du réel et du symbolique : la symbolisation est une propriété essentielle de l'espèce humaine, aussi sérieuse, aussi solide, aussi réelle que les fonctions de nutrition ou de reproduction. Cet ancrage ne garantit pas que la sémiologie soit ou devienne un jour une discipline autonome, mais il fournit une présomption de légitimité et un point de départ. La fonction symbolique n'a rien de mystérieux, même si nous sommes loin d'en comprendre l'organisation, et les « objets mentaux » de J.-P. Changeux nous fournissent une esquisse et un modèle de ce qui pourrait être une neurologie de la fonction symbolique (Changeux, 1983).

Le symbolique est donc un domaine autonome de l'existant, auquel il serait ridicule de refuser *a priori* l'indépendance que l'on accorde plus volontiers à la technique ou à l'organisation économique et sociale. Car aussi bien la technique et la société n'existent que grâce à la présence du symbolique. Le symbole est un instrument aussi autonome, aussi productif que l'outil. Telle est l'évidence à partir de laquelle seulement peut se construire une théorie générale des processus symboliques. Symbole et outil possèdent en effet de nombreuses propriétés communes, et d'abord en ce qu'ils constituent tous deux une victoire du détour par rapport au réel, comme l'a naguère souligné P. Janet. L'homme, au lieu d'affronter directement le réel, s'en détourne pour mieux en triompher. Qu'est-ce que l'outil, sinon une conduite de détour ? Nous retrouvons la même configuration dans le symbole. Au lieu d'être perdu dans l'instant, de baigner dans l'immédiateté de l'ici et du maintenant dans un monde qui n'a ni horizon, ni passé, ni futur, l'homme, dans et par le symbole, organise son expérience en prenant ses distances par rapport au monde : comme l'outil est une distance prise par rapport à l'objet, le symbole est une distance prise par rapport à la réalité. Il y a détour, il y a écart et ainsi il y a possibilité de projection vers le passé (la mémoire) et vers le futur (la rêverie, l'imagination, la création technique, artistique et scientifique). L'animal attaque le réel avec ses griffes : l'homme prend le détour du bâton pour mieux agir sur le réel. Il en est de même pour le symbole : l'homme ne reflète pas le monde, il le construit par le moyen du symbole.

Il n'est pas de notre propos de reprendre la discussion concernant les différentes espèces de substituts représentatifs, signes et symboles. Dans le cadre de la fonction symbolique, ils apparaissent tous comme les différentes espèces d'un même genre et la définition la plus exacte du signe en général est sans doute celle qu'en donnaient déjà les scolastiques : *stat aliquid pro aliquo,* c'est-à-dire : quelque chose est à la place de quelque autre chose, joue le rôle d'autre chose, renvoie à autre chose que lui-même. Le point de départ d'une authentique sémiologie ne peut se trouver que dans une conception du signe qui s'inspire de Peirce : un signe est quelque chose qui représente à quelqu'un quelque chose sous quelque rapport ou à quelque titre que ce soit. Il s'adresse à quelqu'un, c'est-à-dire crée dans l'esprit de cette personne un signe équivalent ou peut-être plus développé. Ce signe qu'il crée, c'est ce que Peirce appelle l'interprétant du premier. Un objet, une réalité quelconque ne peuvent être évoqués que par le recours à d'autres signes, qui sont les interprétants du signe originel. Il convient de retenir de cette conception les deux principes suivants :

1. Le signe représente son objet, renvoie à un objet, mais seulement par l'intermédiaire d'autres signes, qui en sont les interprétants.

2. Le renvoi d'un signe à d'autres signes est infini. La signification au sens le plus général apparaît alors comme le processus dynamique et indéfini des renvois symboliques. Substituts et renvois symboliques n'existent pas isolés, ils s'organisent en constellations, en ensembles plus ou moins cohérents, que nous appelons, en empruntant l'expression à Cassirer, des formes symboliques.

Le spécialiste de sciences humaines a donc affaire à la signification, aux substituts représentatifs et aux formes symboliques. Comment en rendre compte ? L'analyse ne peut se fonder que sur le mode d'existence et d'organisation du symbolique que nous avons présenté plus haut : le symbolique existe en même temps comme stratégies poïétiques — c'est un homme qui a parlé, qui a chanté, qui a écrit —, comme stratégies esthésiques — c'est aussi un homme qui entend, qui lit ou qui regarde ce qui a été produit — et enfin comme traces. C'est la présence de ces traces — ce que nous avons appelé niveau neutre ou matériel d'existence du symbolique — qui permet seule à l'analyse de mordre sur le symbolique. Il existe en effet un véritable dilemme des sciences humaines, que l'on résumera de la façon suivante : le seul objet solide et consistant est représenté par les traces de l'activité symbolique — gestes, phrases, écriture, œuvres d'art —, mais ces traces n'ont de sens que si elles sont rapportées aux stratégies de production et de réception qui en constituent l'indispensable complément. Or ces stratégies sont d'ordre privé et ne sont pas susceptibles d'analyse naturaliste tant que nos connaissances en neurologie sont aussi rudimentaires qu'elles le sont à présent par rapport à la complexité des phénomènes symboliques (et nous laissons ici de côté le problème au fond secondaire du dualisme et de la réduction du symbolique au physiologique). Ce dilemme conduit aux deux directions opposées des méthodes en sciences humaines qui ne sont plus tellement l'explication et la compréhension que l'analyse structurale et l'herméneutique. Pour prendre l'exemple du texte, il s'agit d'un côté d'en chercher la signification dans ses principes d'organisation, dans les configurations dont il est constitué ; on trouvera de ce côté les analyses linguistiques du texte, les différentes tentatives d'analyse du discours, d'analyse du récit, mais aussi les critiques inspirées par les théories de la déconstruction qui, dans leur recherche des failles, des lacunes, des contradictions d'un texte, ne sont que l'envers d'un structuralisme pur et dur. De l'autre côté, il s'agit soit de retrouver par empathie les intentions de celui qui a produit le texte, soit de laisser s'établir entre le texte et soi un rapport nouveau, irréductiblement enraciné dans la subjectivité de chaque lecteur. La distinction que nous avons proposée entre niveau neutre, stratégies de production et stratégies de réception du symbolique vise précisément à dépasser ce dilemme. L'objet symbolique n'existe que dans sa triple organisation et aucun de ses aspects n'est réductible à l'autre : les configurations internes du texte ne me permettent pas plus de prévoir le sens que lui donnera un lecteur ou celui que lui avait donné son producteur que l'étude des stratégies de réception ne permet de décrire les configurations internes du texte.

Ce triple mode d'existence du symbolique implique-t-il une méthode unique d'analyse pour tous les phénomènes symboliques en dehors précisément de la nécessité de ne laisser en dehors aucun des trois aspects mentionnés ? Certainement pas, car nous retrouvons au sein des sciences humaines la structure d'un savoir ramifié et de domaines hétérogènes : un texte, une œuvre d'art, une maison, un cimetière, une conduite, un rite sont les traces d'une production symbolique et participent ainsi de la structure tripartite que nous avons dégagée, mais n'appartiennent pas à la même espèce de symbolique. Un point en particulier est essentiel : ces différents objets ne signifient pas de la même façon, n'ont pas le même type de signification. Une confusion fréquente consiste à assimiler toute signification à la signification linguistique, et c'est cette confusion qui se trouvait au point de départ des structuralismes et des sémiologies pour lesquels la linguistique était le modèle des sciences humaines : on a ainsi vu soutenir que l'art, la mode ou la culture dans son ensemble étaient des langages ou — réduction plus arbitraire encore — des codes. Or, d'une part la langue n'est pas un code si l'on prend au sérieux la définition stricte du code comme correspondance bi-univoque entre symboles de deux systèmes de signes, et les œuvres humaines ne sont ni des codes ni des langues (cf. la discussion de la sémiologie d'Umberto Eco dans Nattiez, 1987). Il est donc illégitime de voir partout à l'œuvre le langage et de considérer tout objet signifiant, toute réalité symbolique comme un texte. Il arrive encore souvent en effet que l'on pose, au début d'une enquête, le principe selon lequel le spécialiste d'une science humaine a affaire, dans son domaine, à une espèce de texte : l'historien d'art devant son tableau, l'archéologue devant un monument, le géographe devant un paysage, le sociologue devant un mouvement social sont-ils dans la même position qu'un interprète devant un texte ? On pourrait, pour faire bonne mesure, ajouter que le physicien est devant la nature comme devant un livre écrit — selon la formule de Galilée — en signes mathématiques. Sans nous arrêter à discuter ce dernier exemple, nous pouvons cependant l'utiliser pour dégager deux fonctions possibles de ce que nous appellerons le modèle du texte. Soit il est utilisé de façon métaphorique et heuristique et rien alors ne s'oppose à son utilisation, car on sait bien que les chemins de la recherche passent par des rapprochements nouveaux et féconds entre domaines éloignés. Lorsque André Leroi-Gourhan écrit : « La terre est un livre merveilleux ; malheureusement, le temps l'a écorné, rongé, et il est écrit dans une langue difficile, bien plus difficile que celle des vieux parchemins. Mais les parchemins ne racontent qu'une toute petite partie de l'histoire de notre espèce. Pour connaître le reste, nous n'avons d'autre ressource que de nous pencher sur les archives du sous-sol et de tenter de les lire » (1983, p. 17), il se sert consciemment d'une métaphore à valeur didactique (« Complétons notre comparaison... », *ibid.*, p. 24) ; il sait bien et nous montre dans le détail que ce livre est écrit dans une langue spéciale qui n'est précisément pas une langue au sens strict du terme. Ne donnons qu'un seul exemple, emprunté au champ de recherches du même Leroi-Gourhan : les œuvres d'art pariétal de l'époque néolithique ne parlent pas comme un livre et c'est pourquoi elles ne nous permettront jamais de savoir, à elles seules, ce qu'elles signifiaient pour les hommes du néolithique ; il est inutile de chercher à reconstituer les rites et les mythes qui ont pu leur correspondre, car elles n'ont pas de signification comparable à celle d'une langue et tout ce que l'on peut faire, c'est — sur la voie qu'a frayée

Leroi-Gourhan — dégager des traces qui nous restent des modes spécifiques de fonctionnement d'un autre type de signification. Ce qui apparaît avec cet exemple, c'est la différence fondamentale qui sépare la signification du texte et la signification du monument, œuvre d'art figurative, ville ou temple. Et c'est pourquoi il n'est pas légitime d'utiliser le paradigme du texte de façon littérale et non métaphorique : le champ du symbolique s'organise en processus distincts de signification.

Le paradigme du texte peut être justifié dans une perspective différente. C'est le cas lorsque Paul Ricœur (1986) présente « l'action sensée considérée comme texte ». Pour lui, le texte s'oppose au discours comme la langue parlée à la langue écrite et le modèle du texte comme trace fixée du discours peut légitimement être étendu à l'ensemble des sciences humaines. Le paradigme du texte est caractérisé par

« 1. la fixation de la signification,

2. sa dissociation d'avec l'intention mentale de l'auteur,

3. le déploiement de références non ostensives, et

4. l'éventail universel de ses destinataires » (op. cit., p. 199). Or on ne peut accepter ici cette caractérisation du texte écrit ni son application à l'action. D'un côté en effet il existe des formes capitales de langage oral qui ont précisément les propriétés données : il s'agit de ces discours qui sont l'objet d'une transcription grâce à la mémorisation et à la transmission orale. Les traditions, les proverbes, les mythes, les récits ont une signification fixée, dissociée des intentions de l'auteur et ouverte à l'éventail indéfini de ses destinataires. Par ailleurs, on ne voit pas en quoi l'action a sa signification fixée ; la comparaison et l'analogie que pose Ricœur entre l'action et l'acte de langage n'ont rien qui justifie la thèse et il est contraint d'utiliser des métaphores reconnues comme telles : « Dans quelle mesure pouvons-nous déclarer que ce qui est *fait* est *inscrit* ? Certaines métaphores peuvent nous aider en ce point. Nous disons que tel et tel événement a *laissé sa marque* sur son temps. Nous parlons d'événement *marquant...* » (op. cit., p. 193). Deux aspects nous semblent abusivement confondus dans cette analyse : d'un côté il s'agit de traits qui caractérisent tout processus symbolique — distinction des intentions, des significations perçues et de la trace dans son opacité — et pas seulement le texte ; de l'autre côté il s'agit de propriétés nouvelles qui sont

la conséquence de l'écriture ou, plus généralement, de toute
transcription graphique (on ne transcrit pas seulement le langage, mais aussi des nombres, des diagrammes, des équations —
qui ne sont pas du langage au sens strict du terme).

Ce qui nous conduit à une nouvelle façon de concevoir le
paradigme du texte : le texte n'est plus seulement l'objet de
l'analyse mais le processus et le résultat du travail scientifique.
C'est sans doute la version la plus courante aujourd'hui : un
livre d'historien, de sociologue, de politologue ou de critique
littéraire sont des textes au même titre que les textes qui leur
servent de point de départ. Par un double glissement vers le
« mou » — opposé à la science pure et dure —, tout texte se
ramène à la littérature et toute production de sciences humaines n'est que littérature, la littérature apparaissant ici avec les
deux qualités d'irresponsabilité épistémologique — tout est
permis — et d'expressivité esthétique — quel beau style !
Essayons de débrouiller cet écheveau de confusions, qui appartient à la catégorie chère à Paul Veyne du « même pas faux ».
En premier lieu, il convient de reprendre un point de l'analyse
proposée par P. Ricœur en lui donnant un sens différent : il
semble bien que la connaissance scientifique doive passer par
la représentation de ses objets et que cette représentation se
fasse en particulier par l'intermédiaire de représentations graphiques. Il faut reprendre les profondes analyses de Leroi-
Gourhan, selon qui « l'émergence du symbole graphique à la
fin du règne des Paléanthropes suppose l'établissement de
rapports nouveaux entre les deux pôles opératoires [main-outil
et face-langage], rapports exclusivement caractéristiques de
l'humanité au sens étroit du terme » : « On peut dire que si,
dans la technique et le langage de la totalité des Anthropiens,
la motricité conditionne l'expression, dans le langage figuré des
Anthropiens les plus récents, la réflexion détermine le graphisme » (1964, p. 262). Dans cette perspective, le problème
de l'écriture est totalement transformé : ce qui importe, ce n'est
pas l'écriture en tant que transposition plus ou moins exacte du
langage oral, c'est l'intrusion du graphisme en général, qui
marque une nouvelle étape dans l'équipement intellectuel de
l'humanité. Il s'agit de ce que K. Boulding a appelé une
« transcription dissociée », « une transcription qui est en quelque sorte indépendante du transcripteur, une communication

indépendante de celui qui communique » (1961, p. 65). L'écriture est un nouvel instrument cognitif, qui ouvre à l'homme la maîtrise de nouvelles techniques intellectuelles, que J. Goody (1979 et 1986) a si bien analysées : la liste, le tableau, la matrice, la logique de l'argumentation et de la preuve, etc. Et ces techniques ont des conséquences essentielles aussi bien en ce qui concerne la vie sociale (bureaucratie, livres et religions de l'écriture, définition de la loi) que dans le domaine de la connaissance : comme l'a montré G.G. Granger (1960), il n'y a pas de science possible sans systèmes graphiques, systèmes de représentation, de notation ainsi que systèmes opératoires d'analyse et de traitement des données. On comprend comment le graphisme est bien plus large que l'écriture au sens strict, qui n'en est qu'un aspect. Les sciences formelles (logique et mathématique) ainsi que les sciences de la nature se sont constituées en élaborant des systèmes graphiques qui ne sont pas des langues analogues à la langue naturelle, mais des systèmes symboliques mixtes où la langue naturelle ne joue que le rôle de métalangage, de commentaire qui prolonge le système en le reliant aux adhérences non explicites du système et à l'ensemble de l'expérience.

Qu'en est-il alors pour les sciences humaines ? Gardons-nous d'abord de généralisations hâtives. Si la majorité des sciences humaines n'ont pas réussi jusqu'à présent à construire des systèmes symboliques cohérents et acceptés de tous, la situation est très différente selon les cas, comme le prouvent les deux exemples de la critique littéraire et de l'économie. Il faut ajouter que l'élaboration d'un système symbolique en tant que tel n'est en rien la preuve de la rigueur d'une discipline : les sciences humaines ont récemment connu beaucoup d'exemples de « formalisations » — qui étaient en réalité de simples représentations par des symboles — qui ne correspondaient en rien à l'état réel de la discipline. Car ce qui importe, c'est le *modèle d'analyse* sur lequel se fonde le chercheur et nous croyons, avec J.-Cl. Gardin, que nous sommes ici à la veille d'une importante mutation dans le domaine des sciences humaines. Trop souvent, en effet, un article de sociologie, d'anthropologie ou de critique littéraire n'explicite pas clairement et — oserai-je le dire ? — honnêtement sa stratégie d'analyse, ses principes, ses étapes, soit grâce à une fuite vers le « haut » — construction d'un

système abstrait loin de l'analyse présentée —, soit grâce à une
fuite vers le « bas », dans laquelle l'accumulation des détails
empêche de dégager une vue d'ensemble. C'est précisément le
but de l'*analyse logiciste* proposée par J.-Cl. Gardin (1987) que
de mettre en évidence les opérations par lesquelles l'ethnologue,
l'historien ou le critique littéraire en arrivent à leurs conclusions.

Et l'on comprend alors pourquoi les textes de sciences
humaines ne sont pas des textes, au sens d'une incarnation du
Texte en soi, d'une Textualité absolue qui aurait ses propres
règles de validité générale ; il s'agit d'une espèce particulière de
textes — ici encore, la distinction est le début de la sagesse —,
qui diffère des autres à la fois par son objet et par sa visée : ces
textes entendent rendre compte, par quelque méthode que ce
soit, de faits humains. Un livre d'histoire, un article d'anthropologie peuvent avoir des qualités littéraires — au sens banal du
mot, beauté du style, richesse de l'expérience —, mais ils
proposent, plus ou moins explicite, un ensemble de stratégies
et de modèles. Il faudra de plus en plus que l'on accepte
d'annoncer la couleur, c'est-à-dire d'indiquer, de la façon la plus
précise et le plus près possible des opérations effectivement
utilisées dans le travail, les principes et les moments de l'analyse. Cet effort d'explicitation aura, croyons-nous, une conséquence immédiate et heureuse : elle conduira à rendre plus
complexes et mieux articulés les modèles réels couramment
utilisés, qui frappent — du point de vue logique — par leur
simplicité presque rustique. Mais cela ne signifie pas que le
modèle doive être formel ; l'analyse des faits humains en termes
de la langue naturelle ou en termes d'un langage mixte, où les
concepts ne sont pas encore dégagés de leurs adhérences à la
langue naturelle, a encore de beaux jours devant soi ; encore
faut-il qu'elle se fonde sur des raisonnements, sur une argumentation qui, même floue, donne prise à la discussion et à la
validation. Concluons qu'un paradigme du texte n'a de sens ni
comme objet ni comme processus ou résultat de l'analyse des
faits humains : un paysage, bien qu'il signifie, n'est pas un texte
et un article de critique littéraire n'est pas de la littérature —
précisons aussitôt : n'est pas du moins le même genre de
littérature que les autres, si l'on tient à élargir le sens du terme.
Je puis apprécier comme littérature un article de Proust mais,
en tant que texte critique, il ne m'intéresse que par le modèle

d'interprétation qu'il propose de l'œuvre de Baudelaire ou de Sainte-Beuve.

5. IL N'Y A PAS DE MODÈLE DU TEXTE

Qu'est-ce que le texte — dans l'acception restreinte d'œuvre de langage écrit — et peut-on en donner une définition générale ? Nous venons de distinguer au moins deux espèces de textes, les textes objets d'analyse et les textes qui visent à rendre compte des faits humains et, parmi eux, d'autres textes. C'est l'indice du caractère hétérogène des textes, pour lesquels nous ne croyons pas — et c'est la thèse que nous allons développer — qu'il existe de science unique. Nous éprouvons d'abord une difficulté de vocabulaire. On oppose assez naturellement le texte, écrit, au discours, oral ; mais où mettre alors, comme nous l'avons vu, ces productions orales qui, transmises par la tradition, ont la fixité du texte religieux ou la variabilité systématiquement réglée des œuvres de style formulaire ? Le vide entre le discours et le texte révèle une lacune, non seulement dans le vocabulaire, mais aussi dans la réflexion, et qui a des conséquences importantes dans le champ en particulier de la littérature : on ne définit aujourd'hui la littérature et on ne l'étudie que par rapport à l'écrit ; mais comment prétendre à l'édification d'une théorie littéraire ou d'une littérature vraiment générale si l'on ne met pas sur le même plan littératures orales et littératures écrites ? Il est vrai que l'écriture a transformé la littérature, mais il faut garder les deux bouts de la chaîne et ne pas oublier l'extraordinaire continuité qui relie les genres littéraires écrits aux genres littéraires oraux : peut-on interpréter l'épopée en la séparant de ses sources orales ? Le texte ne s'oppose pas clairement au discours et l'on devine que, pour les partisans d'une Science Magnifique du Texte, il faudrait intégrer dans le domaine de la discipline tout le champ du discours : science du texte et science du discours se fondraient au sein d'une connaissance globale des productions linguistiques, qui ne serait plus limitée comme la linguistique aux énoncés ne dépassant pas la taille de la phrase. Si l'on veut absolument séparer le texte écrit du discours oral, il faut faire la preuve que les propriétés essentielles des deux formes sont distinctes ; or il

suffit de réfléchir un instant pour constater que l'hypothèse est
sans fondement : quelle différence essentielle y a-t-il entre un
proverbe oral et un proverbe écrit, entre un slogan politique
écrit et un slogan publicitaire ou politique oral — pendant le
triomphe de César ou dans une manifestation contemporaine —, entre une fable dogon et une fable de Phèdre ou
d'Aviénus ? Ce qui apparaît aussitôt à l'observateur rigoureux,
c'est précisément le besoin de noter ressemblances et différences, ce qui nous conduit encore une fois au constat de l'hétérogénéité.

En admettant même que l'on soit arrivé à résoudre les
problèmes concernant les liens entre le texte et le discours,
quelle définition pourrait-on donner du texte ? Quelle définition serait à la fois applicable et féconde pour embrasser des
textes aussi différents qu'une tragédie de Racine, un article de
journal sportif, un traité d'anatomie humaine ou de biochimie,
un éditorial politique, un mémoire paru aux comptes rendus de
l'Académie des sciences, un roman et une thèse d'histoire ? Je
crois qu'il suffit de poser la question pour comprendre que la
réponse ne saurait être que négative et qu'il ne peut y avoir de
définition intéressante du texte en général. C'est pourquoi les
définitions proposées sont abstraites, générales — ce qui n'est
pas un mal en soi —, mais aussi vagues et inutilisables dans
l'analyse effective des textes ; elles ne font que broder, de façon
plus ou moins brillante, autour de l'idée de totalité organisée :
le texte forme un tout, il est cohérent, il a une direction, etc.
Mais ce qui intéresse l'interprète, c'est précisément son type
spécifique d'organisation : si je veux rendre compte d'un poème
de Mallarmé, je ne m'attends pas à trouver la même construction que dans un roman de Zola et cela vient de ce que — pour
employer une formule banale mais profondément juste — ils ne
parlent pas de la même chose. Et nous en arrivons ainsi à
l'erreur initiale des théories dans lesquelles la cohérence du
texte se fonde sur sa nature linguistique. C'est se tromper en
même temps sur le texte et sur le langage : le langage est un
instrument de connaissance et de communication, mais il est
utilisé dans des stratégies de connaissance et de communication
qui ne sont pas de nature linguistique. La logique d'un théo-
rème n'est pas linguistique, pas plus que l'argumentation d'un
discours ou l'intrigue d'un roman. On s'excuse de rappeler ces

banalités que les partisans d'un impérialisme linguistique s'ingénient à oublier : le langage et le texte parlent du monde et, à travers eux, s'expriment toutes nos stratégies cognitives. Une des grandes leçons de la documentation automatique naguère et de l'intelligence artificielle aujourd'hui est dans la nécessité où nous nous trouvons de passer à une conception inférentielle de l'utilisation du langage. On sait que, si l'on veut enseigner à un ordinateur à « comprendre » une histoire, il faut lui fournir des « scripts » qui lui permettent d'« interpréter » une phrase aussi simple que : il est parti du restaurant sans payer (Schank et Abelson, 1977). Or il s'agit là de connaissance du monde et de logiques des situations et cela n'a que peu à voir avec l'organisation proprement linguistique : le langage ne présente que les traces de ces opérations et de ces logiques et, pour rendre compte de la distribution et de l'organisation de ces traces, il faut sortir du langage et de la linguistique. Et qu'on ne dise pas qu'il s'agit d'étendre le champ de la linguistique, car on aboutirait ainsi à l'idée absurde que cette discipline se confond avec la Science Universelle.

Il faut donc prendre acte de l'hétérogénéité des textes et de la diversité des façons dont ils sont organisés. Ce qu'ils ont en commun, c'est d'être œuvre de langage, et c'est en ce sens — et en ce sens seulement — que la linguistique, servante et non maîtresse, peut aider à décrire les traces que laissent ces différents types d'organisation. Par ailleurs, comme toute œuvre symbolique, les textes sont analysables selon les trois dimensions que nous avons distinguées plus haut, dimension de production, dimension de réception et niveau neutre. Nous reviendrons tout à l'heure sur la portée de ce triple mode d'existence en ce qui concerne l'analyse du texte littéraire, mais nous voudrions pour l'instant montrer qu'il concerne aussi les logiques textuelles. Nous prenons un exemple extrême, et particulièrement intéressant à cause de cela, celui de la démonstration mathématique. Si l'on peut dire, selon la formule des Bourbaki, que la notion de démonstration n'a pas changé depuis les Grecs, ce n'est sans doute vrai qu'avec les réserves et les nuances qu'implique ce triple mode d'existence : si la notion de méthode déductive est fondamentalement la même chez les Grecs et aujourd'hui, ce n'est qu'en tant qu'idée régulatrice, puisque nous ne nous satisfaisons plus des évidences ou des étapes qui fondent une démonstration d'Euclide ou, plus près de nous, des premiers praticiens du calcul infinitésimal ; et c'est pourquoi nous « interprétons » autrement les démonstrations d'Euclide ou de Leibniz. De même, nous pouvons interpréter la logique d'Aristote soit en la retraduisant — et en la déformant — dans les termes de la logique contemporaine (Lukasiewicz, 1957), soit en essayant, par une complexe reconstruction philologique et philosophique, de « comprendre le *sens* aristotélicien de cette théorie », les concepts modernes n'étant utilisés que « comme *outils* pour décrire le système d'Aristote » (Granger, 1976, p. 107). Nous retrouvons bien, dans le cas de la logique et des mathématiques, la structure tripartite que nous avons dégagée.

S'il y a plusieurs espèces de textes dont les modes d'organisation sont différents, on comprend que le travail d'analyse doit partir du bas, c'est-à-dire de la variété des textes pour les classer en familles plus homogènes dans lesquelles l'interprète pourra mettre en évidence des logiques analogues. D'où l'importance de ces deux moments de toute enquête scientifique que les sciences humaines ont trop souvent ignorés ou sous-estimés, la description et la classification. Nous allons maintenant voir comment se posent les divers problèmes de l'analyse et de l'interprétation dans le cas d'un type de texte particulier, le texte littéraire. Mais on ne peut échapper à une difficulté préliminaire, celle de son existence même : car, pour parler du texte littéraire, il faut être sûr qu'il existe quelque chose comme la littérature. Or le concept de littérature est flou, variable selon les cultures ; il mériterait à lui seul une analyse comparative et rien ne garantit que cette notion vécue soit un point de départ satisfaisant pour l'étude d'un texte. Restreignons encore notre corpus : nous sommes devant un poème, devant un conte. Qu'est-ce donc qu'interpréter ces textes ? Je lis les premières phrases de *Sarrasine,* la nouvelle maintenant célèbre de Balzac :

> J'étais plongé dans une de ces rêveries profondes qui saisissent tout le monde, même un homme frivole, au sein des fêtes les plus tumultueuses. Minuit venait de sonner à l'horloge de l'Elysée-Bourbon. Assis dans l'embrasure d'une fenêtre, et caché sous les plis onduleux d'un rideau de moire, je pouvais contempler à mon aise le jardin de l'hôtel où je passais la soirée.

Je me pose maintenant la question : que signifient ces lignes ? Une constatation s'impose : je peux poser à ce petit texte une infinité de questions, issues des diverses disciplines qui s'intéressent aux textes de leur point de vue particulier. L'historien de la langue s'interrogera sur l'état de langue dans lequel s'inscrit le texte, le stylisticien sur l'utilisation personnelle que Balzac fait de la langue de son temps, l'historien sur la géographie sociale qui est implicite dans l'évocation d'un bal situé en 1830 dans le quartier de l'Elysée-Bourbon (Barbéris, 1971), etc. Ce qui apparaît ici, c'est la stratification complexe du texte ; il ne constitue pas une unité, un système cohérent qui devrait correspondre à un sens bien déterminé, mais un ensemble hétérogène de données appartenant à des couches elles aussi diverses. En utilisant un langage métaphorique, on dira que le texte ressemble à un terrain où les couches géologiques se sont inextricablement mêlées. Les historiens, à la suite de F. Braudel, ont mis en évidence la temporalité multiple de l'histoire : il n'y a pas un temps unique, mais un rythme enchevêtré de plusieurs temporalités distinctes. On aboutit ainsi à l'hypothèse fondamentale selon laquelle un texte, pas plus qu'une autre réalité empirique, n'est un objet simple dont il faudrait découvrir *la* signification. La première méthode proprement scientifique d'analyse de texte, la philologie, si l'on prend ses leçons au sérieux, manifeste bien son caractère éclaté. Prenons un des chefs-d'œuvre de la philologie classique, l'édition du livre VI de l'*Enéide* par Eduard Norden ou celle de l'*Héraklès* d'Euripide par Wilamowitz-Moellendorf ; comme on le sait, à chaque vers du texte correspondent plusieurs lignes, plusieurs notes, et même plusieurs pages, qui posent aux mots du texte toutes sortes de questions : authenticité ou inauthenticité, variantes des manuscrits, modèles et sources, parallèles, éclaircissements divers portant sur la versification, la forme et le sens des mots, les tournures syntaxiques, les thèmes, etc. On saisit alors l'erreur de perspective qui conduit le plus souvent le linguiste à discuter de la signification et de l'interprétation à partir d'un exemple trompeur, celui d'une phrase isolée de son contexte, du genre cher aux logiciens : *le chat est sur le paillasson*. Il semblerait dans ce cas que les problèmes d'interprétation soient simples, pouvant ainsi rapidement conduire aux questions qui intéressent particulièrement le logicien et qui sont les questions concernant la vérité ou la fausseté de l'énoncé. Les premières lignes du récit de Balzac que nous avons citées nous mettent en face de problèmes beaucoup plus redoutables, d'abord parce qu'il s'agit d'un texte et non d'une phrase, et ensuite parce que la signification en apparaît comme irréductiblement complexe. Car, lorsqu'il s'agit d'un texte, la question de la signification change de sens. Les phrases du texte appartiennent à un genre particulier, le récit de fiction, et, lorsque nous les lisons, nous nous fondons sur une propriété essentielle du langage : il a une portée « ontologique », c'est-à-dire qu'il fait surgir des êtres et des relations (Molino, à paraître). En lisant ces lignes, je pose — selon une modalité particulière, celle de la fiction « réaliste » du XIXᵉ siècle — l'existence d'un narrateur à la première personne qui se situe et me fait entrer dans un bal vraisemblable, possible, qui aurait pu avoir lieu dans le Paris de 1830 et dans le quartier de l'Elysée-Bourbon. Le récit, selon la formule profonde d'Aristote, représente des hommes en action. Lire un récit, c'est donc entrer, selon les directives d'ordre scénographique que nous donne le romancier, dans un quasi-monde, analogue de notre monde pour lequel nous complétons, grâce à notre savoir, les indications lacunaires du narrateur.

Y aurait-il alors quelque chose comme une signification littérale qui constituerait le point de départ et le point de référence de toute signification ? Il est possible d'en poser l'existence, mais en précisant aussitôt que cette signification littérale n'est jamais donnée, c'est quelque chose comme un idéal régulateur et qu'il faut construire. C'est un modèle complexe, une théorie de la signification et, en tant que telle, soumise à un processus constant d'hypothèses et de révisions. Et cela parce que les mots ont plusieurs sens, changent de sens et, par ailleurs, correspondent à des entités que nous ne connaissons pas ou que nous ne connaissons plus. Quel est le sens propre de la phrase « Minuit venait de sonner à l'horloge de l'Elysée-Bourbon » ? La linguistique seule ne saurait l'établir, car le langage renvoie au monde, à un ensemble de mondes possibles. Si une note philologique ne précise pas ce qu'était l'Elysée-Bourbon dans le Paris de 1830, je comprends le texte d'une façon totalement nouvelle, car la référence risque de ne plus être la même. Pas plus qu'il n'y a de sens littéral donné, il n'y a de liste établie une fois pour toutes de « codes » qui constitueraient, comme le soutenait R. Barthes dans *S/Z,* les dimensions d'un réseau de significations valable pour tout récit. Si l'on veut décrire la situation en termes pathétiques, on dira que le texte est disséminé, brisé, ou étoilé. La conclusion plus prosaïque que nous préférons en tirer est que le texte est complexe : il faut donc élaborer des modèles descriptifs qui soient adéquats pour décrire cette complexité.

Pour la tradition de la philologie et de l'histoire littéraire, il y a un sens littéral qui l'emporte sur les autres et qui est, en fait, le seul à mériter proprement ce nom, c'est le sens de l'auteur et de son époque. C'est ce sens que E.D. Hirsch a récemment proposé comme norme d'interprétation d'un texte (Hirsch, 1967). Mais est-il sûr que l'on puisse reconstruire de façon fondée le sens intentionnel du texte littéraire ? C'est toujours l'analyse linguistique des énoncés simples qui est un mauvais guide. Lorsque je dis « Ferme la fenêtre », je suis naturellement porté à croire que j'ai voulu dire quelque chose de précis. Mais lorsque Balzac écrit *Sarrasine,* veut-il dire quelque chose ? Il faut faire éclater la notion de signification et, par ailleurs, se souvenir que le langage, surtout dans ses usages littéraires mais sans doute aussi dans son usage courant, est moins communication que production. La recherche de la ou plutôt des significations intentionnelles doit se faire dans le cadre de ce que nous appelons une « poïétique » (Molino, 1988b) : lorsque j'écris un conte, un poème, est-ce que je veux signifier quelque chose comme je veux signifier lorsque je dis « Ferme la porte » ? Avec des lectures, des expériences personnelles, des réminiscences de tout ordre, je *fabrique* un texte. Le rapport entre intentions et résultat est un problème, ce n'est pas une solution. Prenons un des cas à première vue les plus favorables, celui du roman à thèse. Zola, rédigeant l'Ebauche de *Germinal,* donne bien à son œuvre une signification globale : « Ce roman est le soulèvement des salariés, le coup d'épaule donné à la Société, qui craque un instant : en un mot la lutte du capital et du travail » (Zola, 1964, p. 1825). Mais est-ce bien *la* signification intentionnelle du livre ? Certainement pas, car la mise en intrigue, la création des personnages, leur présentation, leurs rapports, leur évolution apportent des éléments irréductiblement nouveaux : comme la plume échappe à celui qui écrit et lui fait écrire autre chose que ce qu'il voulait, le personnage — selon une remarque souvent faite par les romanciers — échappe à son créateur. Les études de genèse — ou de poïétique littéraire, comme nous préférons dire — visent donc moins à dégager la ou les significations du texte qu'à reconstituer les « décisions poïétiques » qui lui ont donné naissance. Comme l'a admirablement montré E. Gilson, toute production est opaque en ce qu'elle est irréductible à une signification ou à un ensemble déterminé de significations : « Il n'y a d'art que là où, pour l'essentiel, et comme dans sa substance même, l'opération ne consiste ni à connaître ni à agir, mais à produire et fabriquer » (Gilson, 1963, p. 32). La production n'est pas transparente à elle-même, parce que, « dans l'ordre du faire, savoir est pouvoir » (op. cit., p. 81). La poïétique littéraire doit donc élaborer des modèles de création qui ne nous révéleront pas la signification du texte mais des stratégies de production dans lesquelles des significations diverses et partielles accompagnent les étapes de la fabrication. Ces significations lacunaires attachées à la genèse peuvent d'autant moins servir de norme d'interprétation qu'elles ne sont pas nécessairement conscientes ; si l'on met en évidence des organisations psychiques inconscientes dont la trace se perçoit dans l'œuvre, comment et à quel titre pourraient-elles s'imposer comme norme ? La poïétique est une branche de l'étude des significations, elle ne peut à elle seule servir de règle d'interprétation.

On entend souvent par sens intentionnel ou sens de l'auteur quelque chose d'un peu différent : ce sera l'ensemble des significations perçues et exprimées par les contemporains du créateur. En faire l'inventaire est un but légitime et une entreprise nécessaire, mais il faut dès l'abord reconnaître que l'on est passé à une autre dimension d'existence de l'œuvre symbolique, la dimension de la réception (esthésique). Il s'agit ici d'un simple constat, mais dont on ne mesure pas toujours la portée : c'est un fait que toute œuvre littéraire, comme tout texte, est interprétée de façon différente par des lecteurs distincts, et cela non seulement à des moments différents de l'histoire mais aussi à une même époque. Il suffit de se souvenir des grandes querelles dont a gardé trace l'histoire littéraire pour en être persuadé et notre expérience de lecteur d'aujourd'hui conduit à la même observation : le texte n'est pas accompagné d'un mode d'emploi qui imposerait une interprétation et chaque lecteur prélève un certain nombre d'éléments à partir desquels il en construit une représentation. Rappelons à cet égard l'expérience extraordinaire d'I.A. Richards qui proposait à ses étudiants de commenter une série de poèmes sans indication d'auteur ni de date : le buissonnement sans garde-fou des commentaires montre bien la liberté dont jouit l'interprète dans ses lectures (Molino, 1984). Rien n'est encore aussi mystérieux que cette conduite si courante — et à première vue si simple — qu'est la lecture avec son cortège d'interprétations. C'est sans doute parce que la théorie littéraire répugne à se soumettre aux contraintes de l'enquête expérimentale : le psychologue, le psycho-sociologue, l'historien des mentalités ont à faire entendre leur voix pour nous aider à comprendre ce qu'un lecteur voit, comprend et retient dans un texte. Et il est certain qu'il existe une grande variété de stratégies de réception, qui se distribuent selon le temps, selon les dimensions de l'espace social et des personnalités individuelles. Les œuvres changent sans cesse de sens, mais faut-il alors dire que c'est la réception sociale qui constitue le sens du texte ? Pas plus que les stratégies de fabrication, les stratégies de réception ne sauraient servir de norme d'interprétation. Nous avons ainsi, aux deux pôles de la production et de la réception du texte, deux voies d'enquête descriptive sans valeur prescriptive. Pour faire apparaître la situation sous la forme la plus claire, il faut ajouter que, du côté de l'interprète, aucune barrière ne saurait être mise pour limiter la liberté du commentaire. Interpréter, c'est toujours, selon la formule de Heidegger, faire violence au texte et rien ne fixe les bornes de cette violence : des exemples aussi divers que l'interprétation des oracles, des textes religieux révélés, des textes juridiques montrent comment se constituent de véritables pratiques institutionnelles de l'interprétation qui ont chacune des principes et des règles dont il est impossible *a priori* de préciser les contraintes et la latitude qu'elles laissent au jeu de l'exégèse. Il est intéressant de noter la possibilité d'une pratique, qui, à certains égards, apparaît comme une procédure générale d'interprétation : il s'agit de mettre en correspondance systématique un texte quelconque avec un autre texte quelconque et, comme l'a fait par exemple J. Derrida, de lire l'un avec l'autre, l'un par l'autre, un texte de Hegel et un texte de J. Genet. Exemple extrême à première vue, mais, lorsque nous cherchons à appliquer un texte juridique à un cas concret, un texte religieux ou traditionnel à une situation vécue (lecture de la Bible ou *sortes virgilianae*), nous nous livrons en fait à la même opération d'*application,* au sens de mise en correspondance de deux configurations — textuelles ou vécues — distinctes. C'est là, croyons-nous, une démarche fondamentale de l'esprit, que l'on retrouve aussi bien dans la métaphore que dans la construction de modèles ou dans la pensée analogique. Il n'y a pas de limite à l'interprétation.

Alors, peut-on dire tout ou n'importe quoi ? L'interprétation n'est-elle soumise à aucune contrainte ? Il est vrai que l'interprète peut dire ce qui nous apparaît comme n'importe quoi, mais c'est ici qu'apparaît un nouveau personnage, l'analyste. Fondamentalement, ce dernier est du même côté que l'interprète, du côté de la réception — de l'esthésique —, mais son attitude est différente : il cherche non à interpréter le texte mais à en rendre compte. Se produit alors le décrochage entre interprétation et analyse que se sont souvent acharnés à faire oublier les partisans d'une confusion irrémédiable entre critique et littérature. Le géologue aime se promener et voir affleurer les couches de terrain qu'il étudie, il n'analyse pas ses échantillons avec le seul motif de l'amour ou du plaisir de la pierre ; avec les instruments dont il dispose, il observe, décrit, fait des hypothèses, théorise et expérimente. Qu'est-ce qui empêche le critique littéraire d'agir de la même façon ? Je puis, comme lecteur, aimer Racine, Voltaire ou Proust, cela ne suffit pas pour faire de moi un critique, pas plus que la rédaction d'un article critique ne fait de moi un écrivain : j'observe, je construis des modèles et j'écris pour rendre compte de ce que j'ai voulu faire et des résultats que j'ai obtenus. Et ce décrochage se manifeste en ce que j'ai non seulement à étudier le texte, mais aussi les stratégies de production qui lui ont donné naissance et la diversité des interprétations auxquelles il a donné lieu. Le texte est bien constitué par les trois niveaux d'existence que nous avons distingués : traces noires du niveau neutre, stratégies de réception et stratégies de production. Analyser le texte, c'est étudier chacune des trois dimensions et les confronter sans cesse l'une à l'autre. Il ne s'agit pas de privilégier le sens intentionnel de l'auteur, les significations qu'ont données au texte ses contemporains ou l'application que nous en faisons aujourd'hui, mais de penser à la fois le texte, sa production et sa réception.

Le texte pur, dans sa matérialité nue, n'a pas non plus de privilège, car il n'a pas de structure simple, et c'est l'erreur de tous les structuralismes d'avoir voulu réduire la complexité de l'objet à une organisation plus ou moins formelle qui en épuiserait la signification. Le texte, dans l'état actuel de nos connaissances et de nos méthodes, n'est ni unilinéaire ni transparent : l'analyste peut y mettre en évidence un nombre indéfini de configurations. Le texte est complexe et hétérogène : il faut s'y résigner et le travail sérieux peut alors commencer. L'interprète-analyste pose des questions au texte ; à lui de construire et de proposer des modèles précis et validables pour y répondre.

RÉFÉRENCES

Barbéris, P., 1971 : « A propos du *S/Z* de Roland Barthes », *Année balzacienne*.

Barthes, R., 1970 : *S/Z,* Paris, Seuil.

Boulding, K., 1961 : *The Image,* The University of Michigan Press.

Changeux, J.-P., 1983 : *L'homme neuronal,* Paris, Fayard.

Coppens, Y., 1983 : *Le singe, l'Afrique et l'homme,* Paris, Fayard.

Davidson, D., 1985 : « On the Very Idea of a Conceptual Scheme », in J. Rajchman et C. West, *Post-Analytic Philosophy,* Columbia University Press.

Derrida, J., 1974 : *Glas,* Paris, Galilée.

Fish, St., 1980 : *Is There a Text in This Class ?,* Cambridge, Harvard University Press.

Gardin, J.-C. (J.-C. Gardin, M.-S. Lagrange, J.-M. Martin, J. Molino, J. Natali-Smit), 1987 : *La logique du plausible,* Paris, Ed. de la Maison des sciences de l'homme.

Gilson, E., 1947 : *Réalisme thomiste et critique de la connaissance,* Paris, Vrin.

— 1963 : *Introduction aux arts du Beau,* Paris, Vrin.

Goodman, N., 1978 : *Ways of Worldmaking,* Indianapolis, Hackett.

Goody, J., 1979 : *La raison graphique,* Paris, Minuit.

— 1986 : *La logique de l'écriture,* Paris, A. Colin.

Granger, G.G., 1960 : *Pensée formelle et sciences de l'homme,* Paris, Aubier.

— 1976 : *La théorie aristotélicienne de la science,* Paris, Aubier.

Grice, H.P., 1957 : « Meaning », *Philosophical Review,* LXVI.

Hacking, I., 1983 : *Representing and Intervening,* Cambridge University Press.

— 1985 : I. Hacking, « Styles of Scientific Reasoning », in J. Rajchman et C. West, *Post-Analytic Philosophy,* Columbia University press.

Hirsch, E.D., 1967 : *Validity in Interpretation,* New Haven-Londres.

Leroi-Gourhan, A., 1964 : *Le geste et la parole. I. Techniques et langage,* Paris, A. Michel.

— 1983 : A. Leroi-Gourhan, *Les chasseurs de la préhistoire,* Paris, A.-M. Métailié.

Lukasiewicz, J., 1957 : *Aristotle's Syllogistic,* Oxford University Press (2ᵉ édition).

Molino, J., 1975 : « Fait musical et sémiologie de la musique », *Musique en jeu,* n° 17.

— 1984 : « L'expérience d'I.A. Richards. De la critique nue au mode d'existence de l'œuvre littéraire », *Poétique,* 59.

— 1985a : « Per una semiologia come teoria delle forme simboliche », *Materiali filosofici,* 15.

— 1985b : « Pour une histoire de l'interprétation : les étapes de l'herméneutique », *Philosophiques,* XII, 1 et 2.

— 1988a : « André Leroi-Gourhan, le langage et le symbolique », in *André Leroi-Gourhan ou les Voies de l'homme,* Paris, A. Michel.

— 1988b : « Pour la Poïétique », *Texte.*

— à paraître : « L'ontologie naturelle de la poésie ».

Nagel, E., 1961 : *The Structure of Science,* Londres, Routledge et Kegan Paul.

Nattiez, J.-J., 1987 : *Musicologie générale et sémiologie,* Paris, Bourgois.

Norden, E., 1984 : *Vergilius, Aeneis Buch VI,* Darmstadt, Wissenschaftliche Buchgèsellschaft.

Piaget-Inhelder (J. Piaget et B. Inhelder), 1966, *La psychologie de l'enfant,* Paris, P.U.F.

Putnam, H., 1984 : *Raison, vérité et histoire,* Paris, Minuit.

Ricœur, P., 1986 : *Du texte à l'action. Essais d'herméneutique II,* Paris, Seuil.

Rorty, R., 1985a : « Solidarity or Objectivity ? », in J. Rajchman et C. West, *Post-Analytic Philosophy,* Columbia University Press.

— 1985 b : « Texts and Lumps », *New Literary History,* XVII, 1.

Schank-Abelson (R. Schank et R. Abelson), 1977, *Scripts, Plans, Goals and Understanding,* Hillsdale, Erlbaum.

Searle, J.R., 1983 : *L'intentionalité,* Paris, Minuit.

Taine, H., 1864 : *Histoire de la littérature anglaise.*
Von Mises, L., 1985 : *L'action humaine,* Paris, P.U.F.
Wellek-Warren (R. Wellek et A. Warren), 1963, *Theory of Literature,* 3ᵉ édit., Penguin Books.
Wilamowitz-Moellendorff, U. von, 1959 : *Euripides' Herakles,* Darmstadt, Wissenschaftliche Buchgesellschaft.
Zola, E., 1964 : *Germinal,* in *Les Rougon-Macquart,* Gallimard, Bibliothèque de la Pléiade, t. III.

ROGER CHARTIER ET CHRISTIAN JOUHAUD

PRATIQUES HISTORIENNES DES TEXTES *

Longtemps l'historien est resté persuadé de l'innocence de ses lectures. Ce qu'il déchiffrait répondait docilement aux questions informées qu'il posait : les textes étaient pour lui des sources, une forme spécifique de *document* offert aux « explications de textes » historiques. Aujourd'hui, le texte, dans la complexité de ses enracinements, de ses fonctionnements et de ses séductions, fait retour là où on ne l'attendait guère : « Fiction dans les archives [1]. » Tout texte serait-il finalement littéraire ?

Seule la tentative de construire l'historicité, et des objets — surtout quand il s'agit de textes consacrés par l'appellation canonique de « littéraires » —, et des opérations produites sur ces objets, à commencer par la première de toutes, la lecture, peut permettre réponse. L'historien lecteur n'échappe pas à la question de l'histoire de la pratique qu'il est en train d'accomplir.

L'histoire de la lecture, conçue désormais non seulement en termes de compétence, mais surtout de modalités spécifiques de déchiffrement et d'appropriation, s'attache à la reconstruction des contraintes, des circonstances, qui installent dans le temps l'acte de lire. Elle croise ces données avec les particularités des objets lus, dont la production est elle-même commandée par des déterminations spécifiques. Objets, car on ne peut prétendre

---

* Ce texte, nourri des recherches propres à chacun de ses auteurs, est le résultat d'une réflexion menée au fil des années dans le cadre d'un séminaire de l'Ecole des hautes études et sciences sociales. Il appartient donc aussi à tous ceux qui nous ont aidés à construire ces hypothèses et ces questions.

1. Voir le dernier livre de Natalie Z. Davis, *Fiction in the Archives*, Stanford, Stanford University Press, 1987.

atteindre l'historicité d'un texte sans prendre en compte le support qui le donne à lire.

Les pratiques historiennes du texte produites sur le socle de cette histoire de la lecture sont traversées par plusieurs tensions, les unes du côté du passé, dont on postule qu'il est autre chose qu'un artefact, les autres du côté de l'action d'interpréter. Tension, dans le premier cas, entre l'individuel et le collectif, les appropriations solitaires et celles que l'on rapportera à la réalité et à la logique d'un groupe social (professionnel, politique, religieux, etc.), tension aussi entre le texte unique, producteur de sens en sa complétude, et celui dont la signification ne saurait être construite que par son inscription dans une série. Tension parallèle, dans le second cas, entre la « pure » analyse textuelle — endogène, arrimée à l'étude de formes dont l'organisation singulière dans le texte serait seule productrice de sens — et l'analyse contextualisante qui raisonne en termes de *pratiques d'écriture* dont la raison est construite à travers des ensembles plus vastes de pratiques sociales.

Le travail de quelques cas que nous proposons ici, entre déchiffrements et réflexion méthodologique, voudrait porter la trace de ces tensions, constituées comme le lieu même du travail de l'interprétation.

Dans le *Prologo* qu'il donne à la *Celestina* telle qu'elle est publiée à Saragosse en 1507, Fernando de Rojas s'interroge sur les raisons qui peuvent expliquer pourquoi l'œuvre a été si diversement entendue, appréciée, utilisée, depuis sa première parution en 1499 à Burgos[2]. La question est simple : comment un texte qui est le même pour tous ceux qui le lisent peut-il devenir un « *instrumento de lid o contienda a sus lectores para ponerlos en differencias, dando cada una sentencia sobre ella a sabor de su voluntad* (un instrument de discorde et bataille entre ses lecteurs, suscitant divergences entre eux, chacun donnant son avis sur elle au gré de sa volonté) » ?

Pour Rojas, les contrastes dans la réception du texte qu'il a proposé au public tiennent, d'abord, aux lecteurs eux-mêmes, dont les jugements contradictoires sont à inscrire dans la

---

2. Nous citons le texte de Rojas d'après l'édition bilingue *La Celestina. Tragicomedia de Calisto y Melibea/La Célestine ou Tragicomédie de Calixte et Mélibée,* attribuée à Fernando Rojas, Paris, Aubier-Flammarion, 1980, p. 116-119.

diversité des caractères et des humeurs (« *tantas y tan differentes condiciones* ») mais aussi dans la pluralité des aptitudes et des attentes. Celles-ci se différencient selon le degré des âges : *niños* (enfants), *mozos* (adolescents), *mancebos* (jeunes gens), *viejos* (vieillards) ne manient pas l'écrit de même façon, les uns ne sachant le lire, les autres ne le voulant pas ou ne le pouvant plus. Elles se différencient, aussi, selon les usages fort distincts faits du même texte. De la *tragicomedia*, Rojas repère au moins trois lectures. La première ne porte pas attention à l'histoire en son entier mais seulement à certains de ses épisodes, détachés les uns des autres, et elle réduit le texte au statut d'un *cuento de camino*, d'un récit bon à dire et fait pour passer le temps, tout semblable à celui que Sancho raconte à son maître au chapitre XX de la première partie du *Quijote*. Une autre attitude ne retient de la tragicomédie que les formules aisément mémorisables, ces *donaires y refranes* (bons mots et proverbes communs) qui fournissent clichés et expressions toutes faites, collectés au fil d'une lecture qui n'établit aucune relation intime, aucun rapport individué entre le lecteur et ce qu'il lit. A ces usages qui mutilent l'œuvre et en manquent la véritable signification, son auteur oppose ce qui en est la lecture correcte, profitable, celle qui saisit le texte en sa totalité complexe sans le réduire aux épisodes de son intrigue ou à un recueil de sentences impersonnelles. Les bons lecteurs de la comédie « *coligen la suma para su provecho, rien lo donoso, las sentencias y dichos de filosofos guardan en su memoria para trasponer en lugares convenibles a sus actos y propositos* (en retiennent la somme pour leur profit, rient aux joyeux propos et gardent en mémoire sentences et dits des philosophes pour les adapter au bon moment à leurs actes et à leurs desseins) ». Ils mettent donc en œuvre une lecture plurielle, qui sait distinguer le comique d'avec le sérieux, qui extrait les moralités utiles d'une histoire capable d'éclairer la vie de chacun, qui entend à la première personne ce qui est proposé à tous.

A sa manière, le prologue de Rojas indique bien la tension centrale de toute histoire de la lecture, et c'est pourquoi il peut porter notre réflexion. Faut-il placer au centre d'une telle histoire le texte donné à lire ou bien le lecteur qui s'en empare ? Celui-ci, en effet, est toujours pensé par l'auteur (ou le commentateur) comme devant être assujetti à un sens unique, à une interprétation correcte, à une lecture autorisée. Comprendre la lecture serait donc, avant tout, identifier les agencements discursifs qui la contraignent et qui lui imposent une signification, tenue pour présente dans le texte indépendamment de toute saisie de celui-ci. Mais postuler ainsi l'absolue efficace du texte, qui tyranniquement dicterait au lecteur le sens de l'œuvre, n'est-ce pas, en fait, refuser toute autonomie à l'acte de lecture ? Celui-ci est comme absorbé, annulé dans les protocoles explicites qui entendent le régler ou l'obliger. Ainsi la lecture est pensée comme inscrite dans le texte, comme un effet automatiquement produit par la stratégie d'écriture propre à l'œuvre ou au genre.

Pourtant, l'expérience enseigne que lire n'est pas simplement se soumettre aux machineries textuelles. Quelle qu'elle soit, la lecture est pratique créatrice, inventant des sens singuliers et des significations aucunement réductibles aux intentions des auteurs de textes ou des faiseurs de livres. Elle est une réponse, un travail ou, pour dire comme Michel de Certeau, un « braconnage » [3]. Mais de cette expérience vive, personnelle, éclatée, comment rendre raison ? Si chaque lecture de chaque lecteur est bien une création secrète, à nulle autre pareille, est-il encore possible d'organiser selon des régularités partagées cette pluralité insaisissable d'actes individuels ? Est-il même envisageable de la dire sur le mode de la connaissance ? Comment donc considérer, ensemble, l'irréductible liberté des lecteurs et les contraintes qui entendent la brider ?

Cette tension fondamentale traverse la critique littéraire, écartelée entre les approches qui déduisent la lecture ou le lecteur des structures mêmes du texte et celles qui, telles la phénoménologie de l'acte de lecture [4] ou l'esthétique de la réception [5], s'efforcent de repérer les déterminations individuelles ou partagées qui, hors le texte, commandent les modalités de l'interprétation. La question est centrale, aussi, dans le projet philosophique qui, comme celui développé par Ricœur, entend

3. M. de Certeau, « Lire : un braconnage », L'invention du quotidien. I. Arts de faire, Paris, U.G.E., 10/18, 1980, p. 279-296.
4. W. Iser, Der Akt des Lesens. Theorie ästhetischer Wirkung, Münich, Wilhelm Fink, 1976.
5. H.R. Jauss, Literaturgeschichte als Provokation, Francfort/Main, Suhrkamp Verlag, 1974. Pour une herméneutique littéraire, trad. de l'allemand par M. Jacob, Paris, Gallimard, Bibliothèque des Idées, 1988.

penser comment les configurations narratives qui articulent les récits (de fiction ou d'histoire) remodèlent la conscience intime et l'expérience temporelle des sujets.

En quoi la perspective historique peut-elle aider à résoudre les contradictions de la théorie littéraire ou les difficultés de la philosophie phénoménologique qui, tout en définissant la lecture comme un acte concret, ne considère pas comme pertinentes les variations multiples qui, selon les temps et les lieux, organisent ses modalités contrastées ? En ceci, sans doute, qu'elle propose deux démarches nécessairement liées : repérer la diversité des lectures anciennes à partir de leurs traces éparses et multiples ; reconnaître les stratégies par lesquelles auteurs et éditeurs tentaient d'imposer une orthodoxie du texte, une lecture obligée. De ces stratégies, les unes sont explicites, recourant au discours (dans les préfaces, les avertissements, les gloses, les notes), et les autres implicites, faisant du texte une machinerie qui, nécessairement, doit imposer la compréhension tenue pour légitime. Guidé ou piégé, le lecteur, toujours, se trouve inscrit dans le texte, mais, à son tour, celui-ci s'inscrit diversement en ses lecteurs divers. De là la nécessité de réunir deux perspectives, souvent disjointes : d'un côté l'étude de la façon dont les textes, et les imprimés qui les portent, organisent la lecture qui doit en être faite, et de l'autre la collecte des lectures effectives, traquées dans les confessions individuelles ou reconstruites à l'échelle des communautés de lecteurs, de ces *interpretative communities* dont les membres partagent les mêmes manières de lire et les mêmes stratégies d'interprétation [6].

Revenons à notre maître espagnol. Pour Rojas, les opinions diverses sur la *Celestina* sont donc à rapporter d'abord à la pluralité des compétences, des attentes, des dispositions de ses lecteurs. Mais elles dépendent également des manières dont ceux-ci « lisent » le texte. Il est clair que Rojas s'adresse à un lecteur qui lit le prologue pour lui-même, en silence, dans la retraite de l'intimité. Cependant, toutes les lectures de la tragicomédie ne sont pas de cette nature : « *Asi que cuando diez personas se juntaren a oir esta comedia, en quien quepa esta*

---

6. S. Fish, *Is there a Text in this Class ? The Authority of Interpretative Communities,* Cambridge et Londres, Harvard University Press, 1980, p. 167-173.

diferencia de condiciones, como suele acaecer, quién negarà que haya contienda en cosa que de tantas maneras se entienda (aussi, que dix personnes viennent à se réunir pour entendre cette comédie, en lesquelles il y a tant d'humeurs différentes comme il arrive toujours, niera-t-on qu'il n'y ait motifs de discussion sur des choses qui de tant de façons différentes se peuvent entendre) ? » Dix auditeurs rassemblés autour du texte lu à haute voix : la « lecture » est ici écoute d'une parole lectrice. La pratique paraît fréquente puisque, dans l'édition de 1650, le *corrector de la impression* dit comment le texte doit être oralisé. L'un des huitains qu'il ajoute à l'œuvre s'intitule « *Dice el modo que se ha de tener leyendo esta tragicomedia* (il indique de quelle manière doit se lire cette tragicomédie) ». Le *lector* qu'il vise doit savoir varier le ton, incarner tous les personnages, rendre les apartés en parlant entre les dents, mobiliser « *mil artes y modos* » de lire afin de capter l'attention de ceux qui l'écoutent, « *los oyentes* ». Avec la *Celestina,* d'autres textes comme les pastorales ou les romans de chevalerie sont les textes privilégiés de ces lectures où, pour le petit nombre, une parole propose l'écrit à ceux-là mêmes qui le pourraient lire.

La notation de Rojas ouvre plusieurs pistes d'enquête. Et, d'abord, sur les sociabilités de la lecture, contrepoint fondamental de la privatisation du lire, de son retrait dans l'intimité solitaire. Du XVIe au XVIIIe siècle subsistent les lectures à haute voix, dans la taverne ou le coche, le salon ou le café, la société choisie ou l'assemblée domestique. Il faut en faire l'histoire [7].

Mais, pour Rojas, il est une autre raison qui a pu brouiller la compréhension du texte qu'il a proposé aux lecteurs : l'intervention malencontreuse des imprimeurs eux-mêmes. Il déplore en effet les ajouts qu'ils ont cru pouvoir faire, contre sa volonté et contre les recommandations des Anciens : « *Que aun los impresores han dado sus pinturas, poniendo rubricas o sumarios al principio de cada acto, narrando en breve lo que dentro contenia : una cosa bien escusada, segun lo que los antiguos escritores usaron* (les imprimeurs eux-mêmes y ont mis leurs

---

7. Cf. R. Chartier, « Les pratiques de l'écrit », *Histoire de la vie privée,* sous la direction de Ph. Aries et G. Duby, t. III, *De la Renaissance aux Lumières,* volume dirigé par R. Chartier, Paris, Seuil, 1986, p. 113-161, et « Leisure and Sociability. Reading Aloud in Modern Europe », *Urban Life in the Renaissance,* S. Zimmerman and R. Weissman éd., Londres, Associated University Press, 1988.

cachets en plaçant des rubriques ou sommaires au début de chaque acte et narrant en bref ce qu'il contient, chose bien inutile selon l'usage des Anciens). »

La remarque peut fonder une distinction fondamentale entre texte et imprimé, entre le travail d'écriture et la fabrication du livre. Comme l'écrit justement un bibliographe américain, « *Whatever they may do, authors do not write books. Books are not written at all. They are manufactured by scribes and other artisans, by mechanics and other engineers, and by printing presses and other machines* (quoi qu'ils fassent, les auteurs n'écrivent pas les livres. D'ailleurs, les livres ne sont pas *écrits*. Ils sont fabriqués par des scribes ou d'autres artisans, par des ouvriers ou d'autres techniciens, et par des presses à imprimer ou d'autres machines » [8]. Contre la représentation, élaborée par la littérature elle-même, du texte idéal, abstrait, stable parce que détaché de toute matérialité, il faut rappeler avec force qu'il n'est pas de texte hors le support qui le donne à lire, pas de compréhension d'un écrit, quel qu'il soit, qui ne dépende des formes dans lesquelles il atteint son lecteur. De là le tri néces- saire entre deux types de dispositifs : ceux qui relèvent de la mise en texte, des stratégies d'écriture, des intentions de l'« au- teur » ; ceux qui résultent de la mise en livre ou en imprimé, produits par la décision éditoriale ou le travail de l'atelier, visant des lecteurs ou des lectures qui peuvent n'être point conformes à ceux voulus par l'auteur. Cet écart, qui est l'espace dans lequel se construit le sens, a trop souvent été oublié, non seulement par les approches classiques qui pensent l'œuvre en elle-même, comme un texte pur dont les formes typographiques n'impor- tent pas, mais aussi par la théorie de la réception qui postule une relation directe, immédiate, entre le « texte » et le lecteur, entre les « signaux textuels » maniés par l'auteur et l'« horizon d'attente » de ceux auxquels il s'adresse.

Il y a là, semble-t-il, une simplification illégitime du processus par lequel les œuvres prennent sens. Le restituer exige de considérer les relations nouées entre trois pôles : le texte, l'objet qui le porte et la pratique qui s'en empare. Des variations de ce rapport triangulaire dépendent, en effet, des mutations de

---

8. R.E. Stoddard, « Morphology and the Book from an American Perspective », *Printing History*, 17, 1987.

signification que l'on peut organiser en quelques figures. Soit, d'abord, le cas d'un texte stable donné à lire en des formes imprimées qui, elles, changent. En étudiant les variations des mises en imprimé des pièces de William Congreve entre XVIIe et XVIIIe siècle, D.F. Mac Kenzie a pu montrer comment des transformations typographiques apparemment menues et limitées (le passage du quarto à l'octavo, la séparation des scènes par la présence d'un ornement, leur numérotation en chiffres romains, le rappel des noms des personnages au commencement de chacune d'elles, la mention de qui entre et qui sort, l'indication du nom de celui qui parle) ont eu des effets majeurs sur le statut donné à l'œuvre, sur les manières de la lire, voire sur la façon dont l'auteur lui-même l'a considérée. Une nouvelle visibilité était créée par le format qui rendait le livre plus aisément portable et par la typographie qui restituait dans l'imprimé quelque chose du mouvement et de la durée dramaturgiques. Nouvelle visibilité, mais aussi nouvel horizon de réception, puisque les formes utilisées dans l'édition octavo de 1710 ont comme « classicisé » le texte — ce qui a pu amener Congreve à en épurer ici ou là l'écriture, afin de le rendre conforme à la nouvelle légitimité qui était la sienne[9].

De la même façon, l'histoire éditoriale des comédies de Molière importe grandement pour la reconstruction de leur compréhension. Pour *George Dandin,* par exemple, quatre mutations sont à prendre en compte : 1° le passage des éditions séparées de la pièce, sous forme de livrets étroitement liés aux représentations, à sa publication au sein d'éditions collectives, factices ou à pagination continue, qui l'inscrivent dans un corpus et où son sens se trouve contaminé par la proximité d'autres comédies ; 2° la théâtralisation de l'imprimé, qui progressivement, à partir de 1682, multiplie les indications scéniques, en particulier à l'intérieur des répliques, ce qui permet de conserver la mémoire des jeux de scène voulus par Molière dans une lecture détachée de l'immédiateté de la

---

9. D.F. Mac Kenzie, « Typography and Meaning : the Case of William Congreve », *Buch und Buchhandel in Europa in achtzehnten Jahrhundert,* Vorträge herausgegeben von G. Barber und B. Fabian, Hambourg, Dr Ernst Hauswedell and Co., 1981, p. 80-126. Cf. aussi « The Book as an Expressive Form », *Bibliography and the Sociology of Texts,* The Panizzi Lectures 1985, Londres, The British Library, 1986, p. 1-21.

représentation; 3° l'introduction de l'image, dans l'édition de 1682 également, qui oblige à une série de choix (quant à la scène à illustrer, quant à la représentation des personnages, quant au respect des indications scéniques) et constitue un protocole de lecture pour le texte qu'elle accompagne; 4° l'édition conjointe, après 1734, de la comédie, du texte de la pastorale dans laquelle elle était enchâssée et de la relation de la fête de Versailles où toutes deux étaient inscrites en 1668, lors de la première représentation, comme si au début du XVIIIᵉ siècle la pièce, située à distance historique, devait être restituée dans le contexte de sa création. Le texte, stable depuis ses premières éditions de 1669, change donc parce que changent les dispositifs qui le donnent à lire [10].

Seconde figure : lorsque le passage d'un texte d'une mise en imprimé à une autre commande des transformations dans sa lettre même. C'est le cas, par exemple, des titres qui constituent le catalogue de la Bibliothèque bleue. Celle-ci doit être, en effet, définie comme une formule éditoriale visant à gagner les lecteurs les plus nombreux et les plus populaires entre les commencements du XVIIᵉ siècle et la mi-XIXᵉ siècle. Les caractéristiques communes aux éditions qu'elle propose sont, avant tout, matérielles et commerciales. Matérielles : il s'agit de livres brochés, couverts de papier bleu (mais aussi rouge ou marbré), imprimés avec des caractères défraîchis et mal assortis, illustrés avec des bois de réemploi et où, en page de titre, l'image prend souvent la place de la marque de l'imprimeur. Commerciales : même si la longueur des ouvrages est variable, leurs prix demeurent toujours faibles, très inférieurs à ceux produits pour un autre marché du livre, plus soigné donc plus cher. La Bibliothèque bleue exige donc des coûts de revient calculés au plus juste afin de permettre un prix de vente fort bas.

Les textes qui composent son fonds n'ont pas été écrits pour une telle fin éditoriale. La politique des inventeurs de la formule, à savoir les imprimeurs de Troyes, ensuite imités à Rouen, Caen, Limoges ou Avignon, consiste à puiser dans le répertoire des textes déjà édités ceux qui leur paraissent convenir aux attentes et compétences du large public qu'ils cherchent à

---

10. R. Chartier, *Le social en représentation. Lectures de « George Dandin »*, Paris, Editions Odile Jacob, à paraître.

atteindre. De là deux corollaires essentiels : les textes mis en livres bleus ne sont pas « populaires » en eux-mêmes mais appartiennent à tous les genres, à toutes les époques, à toutes les littératures ; et tous ont eu, avant leur édition bleue, une première vie éditoriale, plus ou moins longue, dans les formes classiques de la librairie. Il en va ainsi de la littérature de dévotion et d'exercices religieux, des romans et contes de fées, des livres de pratique. Entre la mise en texte et la mise en imprimé bleu, l'écart peut être grand, et toujours jalonné par une série d'éditions en rien « populaires ».

La spécificité culturelle des matériaux édités dans le corpus bleu tient donc, non pas aux textes eux-mêmes, lettrés et divers, mais à l'intervention éditoriale qui vise à les rendre conformes aux capacités de lecture des acheteurs qu'ils doivent gagner. Ce travail d'adaptation modifie le texte tel qu'il est donné par l'édition antérieure qui sert de copie aux imprimeurs de livres « populaires », et il est guidé par la représentation qu'ont ceux-ci des compétences et des attentes culturelles de lecteurs qui ne sont pas des familiers du livre. Ces transformations sont de trois ordres. Elles raccourcissent les textes, ôtent les chapitres, épisodes ou digressions jugés superflus, simplifient les énoncés en dépouillant les phrases de leurs relatives et incises. Elles découpent les textes en créant de nouveaux chapitres, en multipliant les paragraphes, en ajoutant titres et résumés. Elles censurent les allusions tenues pour blasphématoires ou sacrilèges, les descriptions considérées comme licencieuses, les termes scatologiques ou inconvenants. La logique de ce travail adaptateur est donc double : il vise à contrôler les textes en les soumettant aux exigences de la religion et de la morale contre-réformée, il entend les rendre plus aisément déchiffrables par des lecteurs malhabiles.

La lecture implicite que suppose ou vise un tel travail peut être caractérisée comme une lecture qui exige des repères visibles (ainsi les titres anticipateurs ou les résumés récapitulatifs, ou encore les bois gravés qui fonctionnent comme protocoles de lecture ou lieux de mémoire de texte), une lecture qui n'est à l'aise qu'avec des séquences brèves et closes, disjointes les unes des autres, une lecture qui paraît se satisfaire d'une cohérence globale minimale. Il y a là une manière

de lire qui n'est point celle des élites lettrées, familières du
livre, habiles au déchiffrement, maîtrisant les textes en leur
entier. Plus que la savante, cette lecture rudimentaire peut
supporter les scories laissées dans les textes par leurs conditions de fabrication, hâtives et bon marché (par exemple les
innombrables coquilles, les coupes mal venues, les confusions
de noms et de mots, les erreurs multiples). La lecture des
lecteurs de livres bleus (du moins de la majorité d'entre eux,
puisque les notables ne dédaignent pas leur achat, pour le
plaisir, la curiosité ou la collection) semble une lecture dis-
continue, hachée, qui s'accommode des ruptures et des inco-
hérences.

Elle est, aussi, retrouvailles dans le livre manié avec des
textes déjà connus, au moins partiellement, au moins ap-
proximativement. Souvent lus à haute voix par un lecteur
oralisateur — mais pas seulement ou peut-être pas du tout
lors des veillées —, les textes bleus peuvent être mis en
mémoire par des auditeurs qui, ensuite confrontés au livre,
les reconnaissent plus qu'ils ne les découvrent. Et plus généralement, même hors de cette écoute directe, par la récur-
rence de leurs formes très codées, par la répétition de leurs
motifs, par les suggestions de leurs images (même si celles-ci
sont originairement sans rapport avec le texte qu'elles illustrent), les livres pour le plus grand nombre renvoient à un
pré-savoir facilement mis en œuvre dans l'acte de lecture,
mobilisé pour produire la compréhension de ce qui est déchiffré — une compréhension qui, bien sûr, n'est point nécessairement conforme à celle voulue par le producteur du texte
ou le fabricant du livre, ni à celle qu'une autre lecture, autrement habile et informée, pourrait construire. C'est donc
dans les particularités formelles, typographiques au sens large
du terme (tel qu'on le trouve chez D.F. Mac Kenzie, par
exemple) des éditions bleues et dans les modifications qu'elles imposent aux textes dont elles s'emparent qu'il faut reconnaître la lecture « populaire », entendue comme un rapport au texte qui n'est pas celui de la culture lettrée.

De cette relation entre texte, livre et compréhension, une
autre figure est donnée lorsqu'un texte, stable dans sa lettre et
fixe dans sa forme, est l'objet de lectures contrastées. « Un livre
change par le fait qu'il ne change pas alors que le monde

change », déclare Pierre Bourdieu [11] — disons, pour rendre la proposition compatible avec l'échelle plus menue qui est celle de notre travail, « alors que son mode de lecture change ». De là, l'indispensable repérage des partages majeurs qui peuvent articuler une histoire des pratiques de lecture (donc des usages des textes, voire des emplois du *même* texte) : par exemple entre lecture à haute voix, pour soi ou pour les autres, et lecture en silence, entre lecture du for privé et lecture de la place publique, entre lecture sacralisée et lecture laïcisée, entre lecture « intensive » et lecture « extensive » pour reprendre la terminologie de R. Engelsing [12]. Au-delà de ces clivages macroscopiques, le travail historien doit viser à reconnaître les paradigmes de lecture, dominants dans une communauté de lecteurs, en un temps et en un lieu donné — ainsi la lecture puritaine aux XVIIᵉ et XVIIIᵉ siècles, ou la lecture « rousseauiste » à l'âge des Lumières, ou encore la lecture « magique » des sociétés paysannes traditionnelles. Chacune de ces « manières de lire » comporte ses gestes spécifiques, ses usages propres du livre, son texte de référence (la Bible, la *Nouvelle Héloïse,* le Grand et le Petit Albert) dont la modalité de lecture, dictée par le livre lui-même ou ses interprètes, fournit l'archétype de toute lecture, quelle qu'elle soit [13]. Leur caractérisation est donc indispensable à toute approche qui vise à reconstituer comment les textes pouvaient être appréhendés, compris, maniés.

Les dernières remarques de Rojas dans le prologue de la *Celestina* concernent le genre même du texte : « *Otros han litigado sobre el nombre, diciendo que no se habia de llamar comedia, pues acababa en tristeza, sino que se llamase tragedia. El primer auctor quiso dar denominacion del principio, que fué*

11. P. Bourdieu et R. Chartier, « La lecture : une pratique culturelle », *Pratiques de la lecture,* sous la direction de R. Chartier, Marseille, Rivages, 1985, p. 217-239.
12. R. Engelsing, « Die Perioden der Lesergeschichte in der Neuzeit. Das statistische Ausmass und die soziokulturelle Bedeutung der Lektüre », *Archiv für Geschichte des Buchlesens,* X, 1969, p. 946-1002.
13. D. Hall, « Introduction : The Uses of Literacy in New-England 1600-1850 », *Printing and Society in Early Modern America,* éd. by W.L. Joyce, D.D. Hall, R.D. Brown and J.B. Hench, Worcester, American Antiquarian Society, 1983, p. 1-47. R. Darnton, « Readers Respond to Rousseau : the Fabrication of Romantic Sensitivity », *The Great Cat Massacre and Other Episodes in French Cultural History,* New York, Basic Books, 1984, p. 214-256 (trad. française *Le grand massacre des chats. Attitudes et croyances dans l'ancienne France,* Paris, Robert Laffont, 1985, p. 201-234. D. Fabre, « Le livre et sa magie », *Pratiques de la lecture, op. cit.,* p. 182-206.

placer, y llamola comedia. Yo, viendo estas discordias, entre estos estremos parti agora por medio la porfia, y llaméla tragicomedia (pour d'autres, le litige a porté sur le titre et ils ont dit qu'on ne devait point l'appeler comédie puisqu'elle s'achève en tristesse, mais tragédie. Le premier auteur voulut la désigner d'après le début, qui fut le plaisir, et l'appela comédie. Moi, voyant ces désaccords, j'ai tranché la querelle entre les deux extrêmes et je l'ai appelée tragi-comédie) ». La notation peut conduire à deux séries de réflexions. Tout d'abord, elle rappelle que les repères explicites qui désignent et classent les textes créent par rapport à eux des attentes de lecture, des anticipations de compréhension. Il en va ainsi de l'indication du genre, qui rapproche le texte à lire d'autres, déjà lus, et qui signale au lecteur dans quel pré-savoir l'inscrire. Mais c'est le cas également d'indicateurs purement formels ou matériels : par exemple le format et l'image. Du folio aux petits formats, une hiérarchie existe qui lie le format du livre, le genre du texte, le moment et le mode de lecture. Au XVIIIe siècle, lord Chesterfield s'en fait le témoin : « *Solid folios are the people of business with whom I converse in the morning. Quartos are the easier mixed company with whom I seat after dinner ; and I pass my evenings in the light, and often frivolous chit-chat of small octavos and duodecimos* (les solides folios sont les gens d'affaires avec qui je m'entretiens le matin. Les quartos sont une compagnie plus mêlée et plus accommodante avec laquelle je m'assois après le déjeuner ; et je passe mes soirées avec les légers et souvent frivoles papotages des menus octavos et duodecimos) »[14]. Une telle hiérarchie est d'ailleurs directement héritée du temps du livre copié à la main, lequel distingue le livre de banque, qui doit être posé pour être lu et qui est livre d'université et d'étude, le livre humaniste, plus maniable en son format moyen, qui donne à lire textes classiques et nouveautés, et le livre portable, le *libellus,* livre de poche et de chevet, aux utilisations multiples, aux lecteurs plus nombreux[15]. L'image, elle aussi, en frontispice ou page de titre, à l'orée du texte ou sur sa dernière page, classe

---

14. Cité d'après R.E. Stoddard, *art. cité.*
15. A. Petrucci, « Alle origine del libro moderno : libri da banco, libri da bisaccia, libretti da mano », *Libri, scrittura e pubblico nel Rinascimento. Guida storica e critica,* a cura di A. Petrucci, Rome-Bari, Laterza, 1979, p. 137-156. « Il libro manoscritto », *Letteratura italiana,* 2, Produzione e consumo, Turin, Einaudi, 1983, p. 499-524.

le texte, suggère une lecture, construit de la signification. Elle est protocole de lecture, indice identificateur.

Mais Rojas conduit aussi à penser que l'histoire des genres, textuels mais aussi typographiques, pourrait donner ancrage au projet d'histoire des discours tel que Foucault l'a formulé [16]. Comprendre les séries de discours dans leur discontinuité, démonter les principes de leur régularité, identifier leurs rationalités particulières, suppose que soient prises en compte les contraintes et exigences qui leur viennent des formes mêmes dans lesquelles ils sont donnés à lire. D'où l'attention nécessaire aux lois de production et aux dispositifs obligés qui gouvernent chaque classe ou série de textes devenus des livres, les vies de saints comme les livres d'heures, les occasionnels comme les livres bleus, les *folhetos de cordel* comme les *chapbooks,* les livres d'emblèmes comme les livres d'entrées... D'où, également, le repérage indispensable des migrations d'un genre à l'autre, lorsqu'une forme donnée se trouve investie par des enjeux qui lui sont ordinairement étrangers ou par des thèmes qui généralement se disent ailleurs et autrement. Ainsi au XVIIe siècle, au temps d'une crise aiguë comme l'est la Fronde, la politisation générale de l'imprimé met au service des partis affrontés tous les genres textuels et typographiques de large circulation et de lecture publique (de la lettre à la gazette, de la chanson à la relation) [17].

Pour peu qu'elles en respectent la logique, les stratégies de mise en texte tirent efficacité et pugnacité de cette floraison de formes et de modèles. Mais elles ne se donnent à lire — dans la réalité de leur fonctionnement — que si l'on situe l'analyse à l'échelle du cas (un texte), pris dans sa singularité et sa globalité. Tentons d'en apporter la preuve avec le cardinal de Retz.

Dans un libelle de la Fronde finissante, il s'emploie à faire croire pour, peut-être, faire agir. Afin de produire de la vraisemblance persuasive, il recourt au concept même de *vraisemblable* emprunté à la poétique d'Aristote. Il le met soigneusement en scène, dès le titre (*Le vraisemblable sur la conduite de*

---

16. M. Foucault, *L'ordre du discours,* Paris, Gallimard, 1970.

17. Ch. Jouhaud, *Mazarinades. La Fronde des mots,* Paris, Aubier, 1985, et la note critique de M. de Certeau, « L'expérimentation d'une méthode : les mazarinades de Christian Jouhaud », *Annales E.S.C.,* 1986, p. 507-512.

Monseigneur le cardinal de Retz [18]), provoquant ainsi la politisation d'une catégorie poétique par un jeu subtil sur le sens trivial du terme et son sens technique (que l'abbé d'Aubignac devait longuement développer dans sa *Pratique du théâtre,* publiée en 1657 mais conçue dès les dernières années de Richelieu [19]). Le concept aristotélicien a été remis à l'honneur au XVIIe siècle dans les réflexions sur le théâtre. Retz le mobilise au service du court terme des luttes politiques : il l'exhibe comme thème afin de mieux utiliser son efficacité comme pratique d'écriture.

Ce texte est écrit à la première personne. L'ostentation systématique de ce *je* lui confère un statut de parole tenue et même claironnée. Pour d'Aubignac, le « vraisemblable » est « l'essence du poème dramatique sans laquelle il ne peut rien se faire ni se dire de raisonnable sur la scène », car la première qualité d'une représentation, c'est d'assurer la vraisemblance du représenté. En retour, celle-ci légitimera l'art de la représentation (et dissimulera que le représenté n'est qu'un leurre).

Dans cette perspective, on dira que le *je* qui parle dans le pamphlet de Retz se situe du côté de l'art de la représentation. Mais *qui* parle ? Une dénégation est mise en spectacle : « je » n'est pas celui dont il parle (Retz). Il s'agirait plutôt de la voix d'autrui, voix du « vraisemblable », du bon sens pris à témoin (et donc, finalement, du lecteur). Autre aspect : le mime d'un raisonnement radical, de l'engagement total de celui qui raisonne dans son raisonnement, un peu comme le Descartes des *Méditations* en proie au malin génie (« J'ai essayé de démêler..., je me suis proposé de ne plus chercher..., J'ai voulu juger », etc.). Cette fiction permet de jouer sur ce qui est montré et sur ce qui est caché, de produire de l'ostentation et, en même temps, de la dissimulation. Le sujet de l'énonciation se pose comme extérieur au parti qu'il défend et *de là* il met en avant sa subjectivité pour suggérer la bonne interprétation de la conduite du cardinal, celle, bien sûr, qui sert ses objectifs du moment. Cette subjectivité, c'est bien, d'évidence, ce qui est

---

18. Cardinal de Retz, *Œuvres*, édition établie par Marie-Thérèse Hipp et Michel Pernot, Paris, Gallimard, Pléiade, 1984, p. 95-102.

19. Fr. Hédelin abbé d'Aubignac, *La pratique du théâtre, œuvre très nécessaire à tous ceux qui veulent s'appliquer à la composition des poèmes dramatiques, qui font profession de les réciter en public, ou qui prennent plaisir d'en voir les représentations,* Paris, 1657.

partagé avec le lecteur. Un sujet parle à un sujet : illusion qui dissimule que, dans cette opération, le lecteur n'est pas un sujet mais un objet, le destinataire d'un « coup » immergé dans la masse informe du « public ».

Il n'y a pas si longtemps ce mot de « public » n'était que l'antonyme de particulier. Puis, de plus en plus, il s'est mis à désigner les spectateurs d'une *représentation* (théâtrale) : naissance *du* public. La première vertu de ce mot, c'est qu'il permet de désigner une assemblée — ou un groupe — socialement hétérogène et seulement unie par le partage de ce qui la constitue : un spectacle, un objet lu ou contemplé, etc. Mais ce partage la *popularise* : les modes de persuasion — ou de manipulation — initialement destinés à la « populace » peuvent être étendus à l'ensemble du *public,* dans le cadre même de sa diversité.

Quant au « représenté » du *Vraisemblable sur la conduite de Monseigneur le cardinal de Retz,* c'est le jeu politique frondeur. Avec cette première proposition : tout est tellement compliqué, tellement dissimulé, qu'on ne peut rien savoir de la vérité des actions et des positions. On ne peut que les rapporter à la « vraisemblance ». L'auteur pose ensuite une série de maximes qui tracent les contours d'un espace de crédibilité, procédure à vrai dire familière à la littérature politique. Par exemple : un homme politique n'agit pas contre ses intérêts (si vous voulez comprendre les actions, rapportez-les aux intérêts). Ou bien : il n'y a pas d'actions sans traces, toutes portent la marque de celui qui les accomplit, l'absence de marque n'est rien d'autre que la marque organisée de son absence, etc. Derrière tout cela, un postulat reste implicite : la stabilité des positions des différents acteurs politiques. Or ce postulat entre en contradiction avec les règles de l'art de la politique et l'image d'eux-mêmes à laquelle adhèrent ces acteurs (et au premier rang Retz, comme le montre toute son œuvre). Tous pensent alors, au contraire, que l'instabilité et le mouvement sont à la source de toute action réussie[20]. Dès lors coexistent deux niveaux de

---

20. L. Marin, « Pour une théorie baroque de l'action politique », G. Naudé, *Considérations politiques sur les coups d'Etat,* éd. par L. Marin, Paris, Editions de Paris, 1989, à paraître. Ch. Jouhaud, « Le duc et l'archevêque : actions politiques, représentations et pouvoir au temps de Richelieu », *Annales E.S.C.,* 1986, p. 1017-1039.

« vraisemblance », celui des maximes mises en avant et celui de la « science des grands », implicite et tue. En même temps se trouve postulée l'existence de deux catégories de lecteurs que différencient la qualité de leur information, la capacité d'accéder ou non à la liberté — aristocratique — du jugement, le degré de familiarité avec les règles du jeu politique. D'un côté la masse hétérogène de ceux que l'action de représentation doit piéger dans les illusions du représenté, de l'autre le petit nombre de ceux qui sauront lire dans ce texte un signal vraisemblable sur la nature de l'opération réalisée par sa publication, sur sa position *réelle* dans la lutte des camps affrontés : contrairement à ce qu'il affirme explicitement depuis plusieurs semaines, Retz ne se retire pas de l'action en cours, il ne fait que se mettre en représentation comme s'en retirant, afin de mieux agir.

La pluralité des réceptions, l'éventail des lectures et des hiérarchies sont pensés par Retz à partir d'une polarisation. L'espace de réception de ce pamphlet était probablement mouvant et ouvert [21] ; force est pourtant de constater que cette polarisation correspond à ce que nous savons par ailleurs des mutations en cours dans les villes du royaume entre la fin du XVIe siècle et la Fronde [22]. Piste ouverte vers une analyse de l'« idéologie » de l'auteur perçue à travers des pratiques (d'écriture) et non plus par le repérage de ses « idées ». Historicité et littérarité paraissent alors inséparables.

L'histoire peut donc s'écrire avec des textes « littéraires ». Mais cet adjectif a besoin d'un répondant. Et *la* littérature prise comme une activité sociale s'inscrit à plein dans une histoire des pratiques culturelles. De ce point de vue, elle sera tour à tour définie comme un métier, un ensemble d'institutions, un corpus de textes établi par des systèmes de valeur et des jugements dont les principes classificatoires reposent sur des critères esthétiques mais aussi moraux, idéologiques, voire théologiques, etc. A partir du XVIIe siècle, elle se taille une place de choix à côté ou contre d'autres productions symboliques. Alain Viala

---

21. Ch. Jouhaud, *Mazarinades, op. cit.*

22. Roger Chartier et Hugues Neveu, « La ville dominante et soumise » dans *Histoire de la France urbaine* (sous la direction de Georges Duby), tome 3, Paris, 1981, 1re partie, p. 16-287. Robert Descimon et Christian Jouhaud, « La Fronde en mouvement : le développement de la crise politique entre 1648 et 1652 », *XVIIe siècle*, 145 (oct.-déc. 1984), p. 305-322.

a étudié cette émergence de la littérature comme qualification sociale et comme valeur[23]. A ses yeux, le « premier *champ littéraire* » — le terme *champ* est pris dans l'acception que lui a donné Pierre Bourdieu : un espace social cohérent et relativement autonome à l'intérieur duquel s'élaborent les œuvres, se trament les carrières, et se discute « ce que c'est que d'être écrivain » — constitue le cadre adéquat pour analyser les comportements sociaux de ceux qu'on commence à nommer *écrivains* et leurs pratiques d'écriture[24].

Des années trente aux années quatre-vingts du XVIIe siècle s'affirme un purisme littéraire dont les normes sont peu à peu codifiées et sacralisées par l'Académie et qui ouvre seul la voie royale du succès. Voie royale : il ne s'agit pas ici d'une image ; le champ littéraire naissant se construit d'abord dans la sphère du pouvoir. Ceux qui tiennent aux solidarités anciennes de la « république des lettres » ou des sociabilités lettrées à l'échelle de leur province ou de leur ville, ceux qui refusent de tourner leur écriture vers les valeurs qui conduisent au succès, sont bientôt rejetés dans l'enfer du pédantisme et de l'archaïsme. L'enjeu n'était pas mince. Ce sont les conditions mêmes de « l'usage public de leurs raisons par les personnes privées », pour reprendre la formule de J. Habermas citant lui-même Kant, que le pouvoir absolutiste s'employait de la sorte à contrôler[25].

Un écart entre l'écriture et « le monde » se trouvait ainsi creusé par les valeurs nouvelles et les diverses attentes pourvoyeuses de consécration : contrairement à ce que croyaient ceux qui en écrivant pensaient contribuer à faire advenir l'ordre dont ils rêvaient, la littérature ne pouvait plus servir à agir directement sur le monde. La vision et les pratiques théologico-politiques de la littérature, qui confiaient à une écriture le soin de manifester un ordre du monde désormais caché, étaient

---

23. A. Viala, *Naissance de l'écrivain. Sociologie de la littérature à l'âge classique,* Paris, Minuit, 1985.

24. P. Bourdieu, « Champ culturel et projet créateur », *Les Temps modernes,* 256, nov. 1966, p. 865-906, et aussi *Questions de sociologie,* Paris, Minuit, 1980.

25. J. Habermas, *L'espace public ; archéologie de la publicité comme dimension constitutive de la société bourgeoise,* Paris, Payot, 1978 (rééd. 1987). E. Kant, « Qu'est-ce que les Lumières », texte de 1784.

condamnées par la « naissance de l'écrivain », par l'autonomie nouvelle de la fonction de produire des textes[26].

Considérer la littérature comme une activité sociale qui peut être abordée par les outils conceptuels mis au point pour d'autres types d'activités, se persuader que l'histoire sociale n'est pas seulement celle des niveaux de fortune, des stratifications, des hiérarchies, ne pas traiter les textes comme les « supports » d'autre chose, ces trois commandements ne résolvent pas tous les problèmes de l'historien en face de la littérature.

Qu'est-ce qui constitue un texte comme littéraire ? Sa littérarité peut-elle être construite comme un objet historique (dans l'histoire et relevant d'une approche historique), ou bien demeure-t-elle le point aveugle d'une démarche qui pourtant l'intègre ? Faute de pouvoir répondre de manière satisfaisante à ces questions, il ne reste guère qu'à se replier sur le classement des produits.

Quatre ensembles peuvent être définis comme littéraires par l'historien (leur repérage n'ayant guère ici qu'une valeur programmatique). Il y a d'abord ceux que leur époque a consacrés et accueillis au sein de ce qu'elle nommait littérature[27]. Viennent ensuite, parmi les textes du passé, ceux que la tradition, l'enseignement, l'édition ont désigné et désignent encore comme littéraires. Bien que les critères de l'appartenance et de la consécration divergent, ces deux ensembles se recoupent assez largement. Dans un cas comme dans l'autre, le tri est déjà fait et c'est le succès qu'il convient d'interroger *historiquement* en construisant comme objet la capacité à survivre, à renaître parfois[28].

---

26. Voir par exemple le cas de Jean de Gaufreteau, auteur de *La digue, ou le siège et prinse de La Rochelle, Livre premier*, Bordeaux 1629 (Bibl. nat. Lb36 2674) : Ch. Jouhaud, « Histoire et Histoire littéraire », *L'histoire littéraire aujourd'hui*, à paraître.

27. Sur cette question voir D. Milo, « Le phénix culturel : de la résurrection dans l'histoire de l'art. L'exemple des peintres français 1650-1750 », *Revue française de sociologie*, vol. 27 (juill.-sept. 1986), p. 481-504.

28. Et il faut évidemment en tenir compte dans l'analyse des textes, comme dans l'analyse des stratégies des auteurs à l'égard des différentes instances de consécration. Notons par exemple que, pour le dictionnaire de Furetière, la littérature, c'est « la connaissance profonde des lettres : Scaliger, Lipse et autres critiques modernes étaient

Troisième ensemble, la masse des textes d'imagination et de persuasion, apparemment sans autre rendement qu'économique pour ceux qui les diffusent, et les diffusent largement (des éditeurs aux colporteurs). Cette « littérature populaire »[29] fonctionne principalement à partir de réemplois (et déclassements) d'œuvres consacrées, parfois démodées.

Enfin, comment ignorer la foule sans limites et sans règles des textes qui confient leur argumentation, leur efficacité, leurs postulations de lecture à une *poétique* ? Milliers de récits forgés au sein, ou sur les marges, des institutions judiciaires, policières, religieuses, militaires, etc. A leur égard, le seul inventaire envisageable est celui des « formes », des modèles narratifs, quand il reste possible de mettre en évidence les liens qu'ils entretenaient avec la littérature de leur temps et tout spécialement la fiction (ce qui suppose que la littérature, en ce temps, avait déjà un territoire reconnu, valorisé, protégé, dans le champ des productions symboliques). Avec ces deux derniers groupes, l'historien, désertant le confort relatif de l'histoire des classements, prend, d'un objet à l'autre, le risque d'émietter ses analyses à l'échelle d'agencements scripturaires souvent uniques, toujours spécifiques.

Chacun des éléments de ces quatre ensembles porte, à divers niveaux, les marques de la relation qu'il entendait établir avec ses lecteurs. Cependant, dans les cas où elle semble spectaculairement mise en scène par la littérature, la vie sociale ne peut se donner à lire ailleurs que dans l'élucidation des pratiques d'écriture. La transparence et l'immédiateté sont des pièges que les historiens n'ont pas toujours évités. Longtemps le texte littéraire a été considéré comme un document parmi d'autres dont la spécificité était plutôt un handicap ou une gêne. On y cherchait une confirmation des résultats obtenus par les longues investigations de l'histoire économique ou démographique, et on pensait y trouver la fraîcheur des témoignages sans malice,

des gens de grande littérature, d'une érudition surprenante », au moment même où l'identité sociale des écrivains s'affirme, en partie, contre les « gens de grande littérature » (cf. A. Viala, *op. cit.*).

29. M. de Certeau, D. Julia, J. Revel, « La beauté du mort », dans M. de Certeau, *La culture au pluriel,* Paris, Bourgois, 1974, p. 49-80. G. Bollème, *Le peuple par écrit,* Paris, Seuil, 1986.

comme si l'écrivain avait enchâssé du social « brut » dans la fantaisie de ses récits.

Un narrateur se souvient d'un temps révolu : combien de scènes de lecture, à la chandelle, lors des veillées campagnardes ? Ces récits renvoient, en fait, non pas à *la* réalité mais à un ensemble de représentations qui permettent de reconstruire *littérairement* la réalité. Ainsi telle séquence de *La vie de mon père* de Rétif de la Bretonne (lecture de la Bible par le maître de la maisonnée) doit-elle d'abord être considérée comme « l'équivalent littéraire d'un tableau de Greuze exposé au salon de 1755 », commenté par Diderot, massivement diffusé par la gravure[30]. De la même manière, au XIXᵉ siècle, dans les récits autobiographiques qui sont la seule source disponible pour étudier le phénomène complexe de l'autodidaxie, l'apprentissage de la lecture fait figure de séquence obligée. Jean Hébrard a montré comment l'autodidacte se met en scène lisant devant un groupe, familial, professionnel ou amical, et comment il faut alors déplacer le questionnaire, de l'histoire propre de l'individu (le détail biographique et ses enchaînements de causes) à l'inventaire des modèles de relation entre l'individu et le groupe tels que les restitue une écriture[31]. Un renversement est ainsi opéré : de l'histoire d'un destin personnel présenté comme exceptionnel au trajet commun du groupe social qui entoure l'individu — ainsi, dans le cadre particulier de l'alphabétisation des campagnes françaises au XIXᵉ siècle.

Au théâtre, la mise en scène de personnages rendus comiques par leurs déboires, leurs défauts d'analyse du jeu social, leurs illusions, revient à une mise au jour des règles implicites du fonctionnement social. Elle est peut-être imaginaire, mais en tout cas partagée, puisque le succès ou l'échec d'un spectacle la sanctionne, qu'elle est produite directement, et comme le texte politique, dans la postulation d'une réception. Telle est l'hypothèse de départ d'une lecture historique de *George Dandin* qui s'efforce de croiser le texte de Molière et les conditions de sa

---

30. R. Chartier, « Du livre au lire », dans *Pratiques de la lecture, op. cit.*, p. 61-82.
31. J. Hébrard, « Les nouveaux lecteurs » dans *Histoire de l'édition française*, sous la direction d'Henri-Jean Martin et Roger Chartier, tome 3, p. 471-509, et « L'autodidaxie exemplaire. Comment Jamerey-Duval apprit-il à lire ? » dans *Pratiques de la lecture, op. cit.*, p. 23-60.

réception à la cour (la fête royale de 1668 donnée à Versailles) comme à la ville[32]. La « vérité » de la comédie est là : non dans une identité entre les intrigues de théâtre et les situations du monde, mais dans la *compatibilité* entre les classements en actes produits par les personnages et les actes de classement qui leur donneront sens dans les réceptions différenciées des divers publics. Les « classements en actes » produits par l'écriture théâtrale à travers des mises en situation n'ont pas la cohérence des hiérarchies proposées par les traités des juristes ou les nomenclatures fiscales, ils « n'impliquent ni explication, ni légitimation des catégories investies dans la spontanéité de leur exercice », mais ouvrent à l'approche concrète des stratégies, des réussites et des échecs des personnages mis en scène dans les situations de leur vie quotidienne. Il s'agit là d'une spécificité de la comédie, genre construit sur le postulat de la représentation « réaliste ». Dorante le proclame dans *La Critique de l'Ecole des femmes* : « Lorsque vous peignez des héros, vous faites ce que vous voulez ; ce sont des portraits à plaisir où l'on ne cherche point de ressemblance ; et vous n'avez qu'à suivre les traits d'une imagination qui se donne l'essor, et qui souvent laisse le vrai pour attraper le merveilleux. Mais, lorsque vous peignez les hommes, il faut peindre d'après nature. On veut que ces portraits ressemblent et vous n'avez rien fait, si vous n'y faites reconnaître les gens de votre siècle. » Les déboires du malheureux George Dandin sont donc à rapporter aux canons d'un genre qu'ils actualisent et qui se trouve lui-même à la source d'une attente. A commencer par celle du monarque qui a passé commande. Quant aux « réceptions différenciées », elles se saisissent par la juxtaposition des dispositifs de représentation inscrits dans le texte et des conditions spécifiques des réceptions (l'organisation de la fête de 1668, les caractéristiques du spectacle donné à la ville, restituées par l'analyse d'une série de relations et par l'étude des archives de la troupe). C'est de cette rencontre même que surgissent les significations plurielles, possiblement contradictoires, d'un texte unique en sa lettre, et c'est à ce prix qu'on peut parler d'une lecture historique de *George Dandin*.

32. Cf. *supra* et n. 10.

Les luttes de représentations nouées dans ces interprétations affrontées importent tout autant que les luttes économiques pour comprendre les mécanismes par lesquels un groupe impose, ou tente d'imposer, sa conception du monde social, les valeurs qui sont les siennes et sa domination. S'attacher aux conflits de classements ou de découpages n'est donc pas s'éloigner du social, comme l'a cru longtemps une histoire à trop courte vue, mais, tout au contraire, localiser des lieux d'affrontements d'autant plus décisifs qu'ils sont moins immédiatement matériels [33].

Par là on espère lever les faux débats engagés autour du partage, donné comme irréductible, entre l'objectivité des structures (qui serait le territoire de l'histoire la plus sûre, celle qui, en maniant des documents massifs, quantifiables, reconstruit les sociétés telles qu'elles auraient été véritablement) et la subjectivité des représentations (à laquelle s'attacherait une autre histoire, vouée aux illusions de discours à distance du réel). Un tel clivage a profondément traversé l'histoire, mais aussi d'autres sciences sociales comme la sociologie ou l'ethnologie, opposant approches structuralistes et démarches phénoménologiques, les premières travaillant à grande échelle sur les positions et relations des différents groupes, souvent identifiés à des classes, les secondes privilégiant l'étude des valeurs et des comportements de communautés plus restreintes, souvent tenues pour homogènes. Les débats récents entre les tenants de la *microstoria* ou des *case studies* et ceux de l'histoire socioculturelle sérielle, directe héritière de l'histoire sociale, illustrent bien cette polarisation constitutive du champ des sciences sociales. Tenter de la surmonter exige d'abord de tenir les schèmes générateurs des classifications et des perceptions, propres à chaque groupe ou milieu, comme de véritables institutions sociales, incorporant sous la forme de catégories mentales et de représentations collectives les découpages de l'organisation sociale elle-même : « Les premières catégories logiques ont été des catégories sociales ; les premières classes de choses ont été des classes d'hommes dans lesquelles ces choses ont été

---

33. Nous prenons largement appui pour formuler ces choix méthodologiques sur le travail de Pierre Bourdieu, en particulier *La distinction. Critique sociale du jugement,* Paris, Minuit, 1979.

intégrées [34] ». Ce qui amène à considérer ensuite ces représentations comme les matrices de discours et de pratiques différenciées — « même les représentations collectives les plus élevées n'ont d'existence, ne sont vraiment telles que dans la mesure où elles commandent des actes » [35] — qui ont pour enjeu la construction du monde social, et par là la définition contradictoire des identités, celle des autres comme la sienne propre.

Faire retour à Marcel Mauss et Emile Durkheim autorise peut-être, paradoxalement, à penser ce que l'outillage conceptuel de l'histoire des mentalités a manqué. La notion de « représentation collective », entendue dans le sens qu'ils lui donnaient, permet en effet d'articuler les images mentales claires — ce que Lucien Febvre nommait les « matériaux d'idées » — sur les schèmes intériorisés, les catégories incorporées, qui les engendrent et structurent. Elle oblige aussi à rapporter le façonnement de ces schèmes et catégories, non à des processus psychologiques, qu'ils soient singuliers ou partagés, mais aux divisions mêmes du monde social. Par là elle peut porter une histoire culturelle du social qui se donne pour objet la compréhension des figures et des motifs — ou, pour dire autrement, des représentations du monde social — qui, à l'insu des acteurs sociaux, traduisent leurs positions et intérêts objectivement affrontés et qui, en même temps, décrivent la société telle qu'ils la pensent être, ou telle qu'ils voudraient qu'elle soit.

La problématique du « monde comme représentation », façonné à travers les séries de discours qui l'appréhendent et le structurent, conduit obligatoirement à une réflexion sur la manière dont les lecteurs des textes (ou des images) qui donnent le réel à voir ou à penser, s'approprient une telle figuration. De là, dans ce travail et dans d'autres, plus précisément consacrés aux pratiques de lecture [36], l'intérêt porté au processus par lequel un sens est historiquement produit et une

---

34. E. Durkheim et M. Mauss, « De quelques formes primitives de classification. Contribution à l'étude des représentations collectives », *Année sociologique*, 6 (1903). Repris dans M. Mauss, *Œuvres, 2. Représentations collectives et diversité des civilisations*, Paris, Minuit, 1969, p. 13-89, citation p. 83.

35. M. Mauss, « Divisions et proportions de la sociologie », *Année sociologique*, nouvelle série, 2 (1927), repris dans M. Mauss, *Œuvres, 3. Cohésion sociale et divisions de la sociologie*, Paris, Minuit, 1969, p. 178-245, citation p. 210.

36. R. Chartier, *The Cultural Uses of Print in Early Modern France*, Princeton, Princeton University Press, 1987.

signification différentiellement construite. Une telle démarche, à l'évidence, croise celle de l'herméneutique lorsqu'elle s'efforce de comprendre comment un texte peut « s'appliquer » à la situation du lecteur, donc comment une configuration narrative peut porter une refiguration de l'expérience propre. Au point d'articulation entre le monde du texte et le monde du sujet se place nécessairement une théorie de la lecture capable de comprendre l'appropriation des discours, c'est-à-dire la manière dont ils affectent le lecteur et l'amènent à une nouvelle forme de compréhension de soi et du monde. On sait comment Paul Ricœur a voulu bâtir cette théorie de la lecture en prenant appui, d'un côté, sur la phénoménologie de l'acte de lire, de l'autre sur l'esthétique de la réception[37]. La visée est double : penser l'effectuation du texte dans sa lecture comme la condition pour que viennent à l'acte ses possibilités sémantiques et que s'opère le travail de refiguration de l'expérience ; comprendre l'appropriation du texte comme une médiation nécessaire à la constitution et à la compréhension du soi[38]. Tout travail qui entend repérer comment les configurations inscrites dans des textes qui font séries ont construit des représentations acceptées ou imposées du monde social, ne peut que souscrire au projet et poser la question, essentielle, des modalités de leur réception.

C'est dans la réponse, sans doute, qu'un écart doit être marqué par rapport à la perspective herméneutique. Comprendre dans leur historicité les appropriations qui s'emparent des configurations textuelles exige de rompre avec le concept du sujet universel et abstrait tel que le manient la phénoménologie et, malgré les apparences, l'esthétique de la réception. Toutes deux le construisent soit à partir d'une invariance transhistorique de l'individualité, supposée identique à travers les temps, soit par la projection à l'universel d'une singularité qui est celle d'un « je » ou d'un « nous » contemporain. Là se situe, à l'évidence, le point de discordance avec une autre manière de penser qui, avec Norbert Elias, pose la discontinuité fondamentale des formations sociales et culturelles, et par là celle des catégories philosophiques, des économies psychiques, des for-

---

37. P. Ricœur, *Temps et récit,* tome III, « Le temps raconté », Paris, Seuil, 1985, p. 243-259.
38. P. Ricœur, « La fonction herméneutique de la distanciation », *Du texte à l'action. Essais d'herméneutique II,* Paris, Seuil, 1986, p. 101-117.

mes de l'expérience. Les modalités de l'agir et du pâtir, comme écrit Paul Ricœur, doivent toujours être rapportées aux liens d'interdépendance qui règlent les rapports entre les individus et qui sont façonnées, différemment dans différentes situations, par les structures de pouvoir. Penser ainsi l'individualité dans ses variations historiques est non seulement rompre avec le concept du sujet universel, mais aussi inscrire dans un processus à long terme, caractérisé par la transformation de l'Etat et celle des relations entre les hommes, les mutations des structures de la personnalité. Par là peut-être enracinée dans l'histoire de longue durée des sociétés européennes l'intuition de Lucien Febvre et de l'histoire des mentalités quant à la disparité des outillages mentaux.

Appliquée à la théorie de la lecture, une telle perspective conduit à dire combien insatisfaisantes sont les approches qui considèrent le lire comme relation transparente entre le « texte » — donné comme une abstraction, réduit à son contenu sémantique, comme s'il existait hors des objets écrits qui le donnent à déchiffrer — et le « lecteur » — lui aussi abstrait, comme si les pratiques par lesquelles il s'approprie le texte n'étaient pas historiquement et socialement variables. Les textes ne sont pas déposés dans les objets, manuscrits ou imprimés, qui les portent comme dans des réceptacles, et ils ne s'inscrivent pas dans leur lecteur comme sur une cire molle.

La notion d'appropriation peut dès lors être reformulée et placée au centre d'une approche d'histoire culturelle qui s'attache aux pratiques différenciées, aux usages contrastés. Cette reformulation, qui met l'accent sur la pluralité des emplois et la diversité des lectures, s'écarte du sens que Michel Foucault donnait au concept en tenant « l'appropriation sociale des discours » comme l'une des procédures majeures par lesquelles ceux-ci étaient confisqués et assujettis, mis hors de portée de tous ceux à qui leur compétence ou leur position en interdisait l'accès [39]. Elle s'éloigne également du sens que l'herméneutique donne à l'appropriation entendue comme le moment du travail de refiguration de l'expérience phénoménologique, postulée comme universelle, à partir de configurations textuelles particu-

---

39. M. Foucault, *L'ordre du discours, op. cit.*, p. 45-47.

lières [40]. L'appropriation telle que nous l'entendons vise en effet une histoire sociale des interprétations, rapportées à leurs déterminations fondamentales (qui sont sociales, institutionnelles, culturelles) et inscrites dans les pratiques spécifiques qui les produisent. Donner ainsi attention aux conditions et aux processus qui, très concrètement, portent les opérations de construction du sens (dans la relation de lecture mais dans bien d'autres également) est reconnaître, contre l'ancienne histoire intellectuelle, que les intelligences ne sont pas désincarnées et, contre les pensées de l'universel, que les catégories apparemment les plus invariantes sont à construire dans la discontinuité des trajectoires historiques.

---

40. P. Ricœur, *Temps et récit, op. cit.*, tome III, p. 229.

LA LITTERATURE
COMME INTERPRETATION SYMBOLIQUE

Dans les années soixante, l'étude des textes littéraires constituait un centre d'intérêt fondamental, dont la valeur heuristique et didactique ne faisait de doute pour personne. Les réflexions et les recherches se multipliaient dans un foisonnement et une qualité d'écriture qui firent du commentaire un genre majeur. Plus récemment, notre discipline est apparue comme un champ ravagé. Histoire littéraire, critique, sociologie ou sociocritique, psychanalyse, psychocritique, sémiologie... —, tout cela avait cessé d'être conçu comme les ramifications d'un vaste territoire de la pensée, et ne constituait plus que les parcelles d'un domaine imprécis et mal défendu. Aujourd'hui, les manifestations d'un renouveau d'intérêt pour la littérature et les lettres sont constantes. Pourtant, impossible de revenir simplement aux triomphes de naguère, marqués par une fausse autonomie du littéraire et par une hypertrophie du linguistique ; impossible tout autant d'en appeler aux recettes d'une culture humaniste ou historienne. C'est à partir d'autres besoins qu'on a recours à la littérature, c'est pour lui faire jouer d'autres rôles qu'on invoque ses pouvoirs et ses vertus.

Comment cerner les difficultés que rencontre le praticien des textes ? Comment lui rendre à la fois la conscience du caractère irremplaçable de son objet, et la confiance dans l'aspect complexe et mouvant de ses études ? Peut-on prendre, des divers problèmes qui se posent aux métiers littéraires, une vision qui leur donne un sens, qui permette de les situer réciproquement, de les comparer, et finalement de construire une perspective unifiante ? C'est ce que je voudrais tenter ici, dans une démarche à la fois spéculative et toute concrète. Je partirai de quelques difficultés auxquelles les travaux récents se sont heurtés, pour esquisser ensuite une réflexion sur la question de la représentation, en particulier symbolique : cadre anthropologique large, qui invite à situer les textes littéraires dans l'ensemble des productions par lesquelles l'homme se donne à connaître le monde, les autres et lui-même. Les propositions théoriques seront précédées et accompagnées par la discussion de deux textes : le premier, tiré de *L'Afrique fantôme* de Michel Leiris ; le second venu des *Mémoires* de Saint-Simon. Tous deux rendent mobile l'espace du littéraire, une fois vers l'ethnographie, et l'autre vers l'histoire[1].

1. BREF REGARD SUR LA RÉFLEXION LITTÉRAIRE RÉCENTE

L'histoire récente des réflexions sur la littérature offre une complexité de démarches qu'on peut chercher à schématiser. Je le ferai en tenant compte de trois éléments : le rôle attribué à l'interprète, la place faite aux sciences humaines, la définition de la littérature et de la nature de la représentation littéraire. Ces trois aspects du travail sur les textes, abondamment discutés, permettent de dégager quelques positions représentatives. Nous passerons vite sur deux d'entre elles, qui ne paraissent plus guère fécondes aujourd'hui. Trois autres nous retiendront plus longuement.

Une partie de la « nouvelle critique » des années soixante a fortement, et parfois exclusivement, mis en lumière le rôle de la relation subjective établie entre le lecteur et l'auteur d'un texte littéraire. Cette relation apporte le sens même des œuvres, pour cette critique qui cherche à saisir l'« âme » de l'œuvre, son essence prise dans une forme adéquate. Georges Poulet, chevalier du subjectivisme, offre l'exemple d'une position que les représentants de l'« Ecole de Genève » ont illustrée, et qui présente des affinités avec l'herméneutique allemande.

Une autre partie de cette nouvelle critique s'est inspirée des sciences humaines « positives » (historiques, philologiques, psychologiques ou sociales). Le texte littéraire tend à devenir un

1. Je voudrais remercier les collègues et ami(e)s auxquels les pages qui suivent doivent l'appui d'une lecture, d'une écoute, d'une discussion : Ivan Almeida, Ora Avni, Marie-Jeanne Borel, Claude Calame, Mijo Reichler-Béguelin.

document parmi d'autres ; réciproquement, ce qu'on souhaite mettre en évidence, ce sont ces éléments que viennent expliquer ou vérifier des documents extérieurs (biographie, statuts sociaux...). On voit le risque de circularité que court la démarche, comme d'ailleurs la précédente, qui trouvait dans l'interprétation effectuée par un lecteur particulier une authentification du sens exprimé dans un texte.

Dans *La relation critique,* Jean Starobinski a rendu compte des effets de ces deux parcours circulaires, dans la combinaison desquels il voit une garantie de justesse et une justification du travail interprétatif[2]. Son œuvre entière témoigne d'une situation mixte, cherchant à concilier les deux tendances de la nouvelle critique. Il serait faux pourtant de restreindre à une psychologie de la lecture la fameuse opposition *fusion/distance* qu'on a proposée pour rendre compte de sa démarche : celle-ci met en lumière surtout le caractère symbolique des textes littéraires, de leur genèse et du rapport qu'ils établissent entre le langage et le monde, et par conséquent la prégnance du déchiffrement « emblématique » dans la compréhension qu'on en recherche[3]. Le mouvement d'identification qu'effectue l'interprète, après l'avoir reconnu dans le travail de l'artiste, est en corrélation avec la poursuite d'une intelligibilité analytique. Il y a pourtant, chez le critique qui voudrait se tenir à la fois dans l'herméneutique et dans la science (du moins dans cette sorte de science), une contradiction virtuelle que je voudrais tenter de rendre féconde.

Le travail de Starobinski se distingue par un recours fréquent à des procédures heuristiques et descriptives venues des sciences médicales et humaines. Pourtant, le critique a toujours soigneusement limité les ambitions et les effets des descriptions scientifiques en littérature. Elles constituent à son avis une base de travail, jamais un but, et ne servent qu'à asseoir sur des faits vérifiables l'essor de l'interprétation, nécessairement subjective et risquée.

Il se produit là un étrange renversement. Pour mieux appuyer le travail de l'interprète et son engagement personnel, pour mieux assurer sa valeur contre les facilités et les laxismes

---

2. V. « L'interprète et son cercle », in *La relation critique,* Paris, Gallimard, 1970.
3. Cf. mon étude « Jean Starobinski et la critique genevoise », in *Critique,* 481-482, 1987. On reviendra plus loin sur cette question.

intellectuels, Starobinski, en même temps qu'il a restreint le rôle des procédures scientifiques, a été contraint de faire du relevé des phénomènes langagiers et historiques l'unique critère d'évaluation objective. En d'autres termes, sa théorie de la critique fait reposer l'acte libre et singulier de l'interprète sur le socle d'une science positive, et entre ainsi en contradiction avec un aspect essentiel de sa pratique : la reconnaissance et la « sollicitation » du caractère symbolique de tous les éléments du texte littéraire.

Si l'interprétation possède bien la place décisive que Starobinski lui donne, alors elle commande le travail du relevé « objectif », la sélection des données significatives, tout le tissu des relations qu'on peut établir entre elles. L'œuvre critique est d'un bout à l'autre la *construction* d'une intelligibilité, selon un ordre qui échappe par nature au mode de pensée d'une science positive. La philologie, à laquelle le critique fait appel [4], pour ensuite l'abandonner à la généralité insuffisante des méthodes dès qu'il s'agit de produire le sens, paraît ici d'un secours problématique. La rigueur intellectuelle et l'exactitude du travail textuel ne lui sont pas attachées par essence. Ce qui manque aujourd'hui dans les études littéraires, on ne le trouvera pas simplement dans la philologie, mais du côté d'une épistémologie des représentations.

Il me semble qu'on touche à une aporie proprement théorique, que la pratique textuelle et l'analyse historique elles-mêmes de Starobinski ont dépassée. Le critique s'efforce de justifier dans les termes d'une philosophie positive de la connaissance une activité qui dément cette philosophie. Cette situation est connue en épistémologie, mais il reste à se demander si celui qui l'énonce pour sa propre légitimation n'en retire pas une sorte de « bénéfice secondaire ». Mais alors, en l'occurrence, lequel ? Il me paraît que la figure du rationalisme ici pressentie agit moins comme caution que comme garde-fou. Pour que l'aventure de l'esprit échappe à la dispersion angoissante, pour que la quête reste quête de *quelque chose,* pour que le lien de

---

4. V. l'entretien avec J.-C. Bonnet dans « Jean Starobinski, Cahiers pour un temps », Centre Georges-Pompidou, 1985 : « La philologie ! Un mot à peu près oublié. Un mot qui, bien avant la "nouvelle critique", semblait avoir perdu tout attrait. — ... Mais en qui se résume tout ce qu'il peut y avoir de méthode en critique. [...] Il y a une tâche préliminaire de lecture qui ne peut être éludée » (p. 11).

l'homme au monde et de l'homme à l'homme soit véritablement un ancrage, il faut affirmer en même temps la valeur fondatrice de l'interprétation et la réalité « positive » des faits interprétés. Si cette hypothèse est juste, le bénéfice obtenu par la posture mixte n'est pas secondaire, mais tout à fait primordial : il commande l'aporie théorique et la limitation imposée à l'interprétation. Il apparaît, selon une formule inspirée de Paul de Man, comme le corrélat d'un désir de clarté si violent qu'il menace de s'aveugler lui-même.

Il y a une « génération parallèle » dans l'histoire de l'usage des sciences humaines en littérature : s'y regroupent les études qui prennent appui sur le concept de *texte* et celles qu'inspire la problématique structurale de l'inconscient. Une ambition scientifique demeure, mais dans une épistémologie différente, comme construction précisément, et non pas comme révélation obtenue de l'objet. Le sens n'est plus un contenu qu'il faudrait découvrir et expliquer ; il est la résultante d'un « jeu » de rapports dont il s'agit de mettre en lumière les règles de fonctionnement, ou de montrer les modulations.

Le structuralisme littéraire est ici le compagnon momentané de la pan-textualité venue des essais philosophiques de Derrida (il n'y a ni réel ni sujet, il n'y a que des effets de texte ; les concepts mêmes de « réel » et de « sujet » sont des effets de texte) et de la doctrine lacanienne du signifiant. Pour découvrir les « lois » du fonctionnement textuel, on fait appel à des modèles élaborés par les sciences, linguistiques ou psychanalytiques essentiellement, ou empruntés par ces disciplines elles-mêmes à d'autres sciences (modèles topologiques ou cybernétiques par exemple). Ainsi Roland Barthes, dans « L'introduction à l'analyse structurale des récits » utilise, pour décrire les mécanismes narratifs, les concepts et les opérations de la linguistique fonctionnelle ; ailleurs, on aura recours à des catégories générativistes, ou à des schémas exportés des *Écrits* de Jacques Lacan... On a présenté à ces démarches une objection commune, portant sur l'usage purement analogique des modèles scientifiques mis en œuvre dans les commentaires littéraires qui prétendent trouver en eux un fondement : ils constituent des métaphores, au même titre que les anciennes « source » ou

« unité organique ». En fait, ces modèles sont déjà des métaphores en anthropologie, en linguistique ou en psychanalyse, où précisément ce rôle les rend féconds. Les problèmes soulevés par les théories du « signifiant » ou de la « structure textuelle » ne résident pas dans un usage plus ou moins métaphorique de concepts empruntés : au contraire, c'est grâce à cet usage qu'on a pu réévaluer l'importance de l'auteur et de sa biographie, ou qu'on a pu faire justice de la confusion entre le réel et la représentation. Ce sont là des résultats heureux, même si les théories qui les ont entraînés demandent à être révisées.

Les difficultés soulevées me paraissent relever d'une question plus essentielle : celle de la spécificité du *littéraire,* que tous ces travaux s'accordent à placer dans l'usage particulier qui y serait fait des propriétés du langage. Le texte littéraire aurait la capacité de se représenter lui-même ou, autre formulation, de faire apparaître en lui la structure signifiante de la langue elle-même. La littérature est à elle-même sa propre fin, sa nature fait d'elle un langage qui se reflète en ses opérations. Tels étaient les attributs essentiels du Dieu des théologiens, qui revient hanter les manifestations de la parole littéraire.

La poétique structurale, ou « théorie littéraire », offre l'exemple le plus intéressant des difficultés que soulève aujourd'hui la doctrine de l'auto-réflexivité. Avant tout dépendante de la linguistique jakobsonienne, elle lui emprunte sa définition de la *littérarité* : « l'accent mis sur le message pour son propre compte ». Pour Jakobson, il s'agit d'une *fonction,* dominante dans un ensemble, mais non exclusive. La différence entre ce qui, dans le langage, est poétique et ce qui ne l'est pas devient une affaire de degré, non de nature. A partir de là, les poéticiens ont emprunté deux voies, qu'on ne distingue pas toujours l'une de l'autre, quoiqu'elles soient tout à fait opposées : soit renoncer à la poétique au profit d'une rhétorique générale, soit radicaliser la position en sens inverse, et définir le littéraire comme un discours absolument et uniquement autotélique. On a souvent fait appel à Mallarmé pour donner du lustre à cette idée, mais en déplaçant passablement sa pensée : dans l'*initiative* cédée aux mots, dans la *virtualité* du langage, ce qui fascine Mallarmé, ce ne sont pas simplement les combinaisons verbales, mais le néant (*Rien !*) que celles-ci permettent de faire venir au jour. La perspective de Mallarmé est métaphysique, et non simplement

« poétique ». De même, l'inspiration « romantique allemande »
présente dans la théorie de l'auto-réflexivité, et sur laquelle on
a beaucoup insisté, demande à être correctement appréciée :
lorsqu'on oppose, au début du XIXᵉ siècle, dans le groupe
d'Iéna, la langue poétique à la langue quotidienne comme
l'absolu à l'utilitaire, c'est pour rendre compte de l'essence de
la Beauté et du pouvoir que possède le langage de dire, de
manière éparse et fragmentaire, la présence au monde, et non
pour limiter la poésie à un fonctionnement linguistique.

La poétique structurale a conjugué les programmes formaliste
et structuraliste : après avoir posé que les entités régulières dans
les textes étaient les *formes,* on a ajouté qu'il n'y avait de formes
que linguistiques. Il s'agit alors d'analyser leurs composantes et
leurs relations, d'établir des classements à partir desquels on
puisse calculer les types possibles et se prononcer sur leur raison
d'être. Les textes qu'on se donne l'illusion d'*engendrer* par ce
calcul apparaissent ainsi comme prédéterminés par le jeu de
relations linguistiques et structurales, qu'on est souvent porté à
croire substantielles — alors qu'elles ne font jamais que rendre
explicite une manière d'analyser et de décrire un objet. On voit
quelle circularité menace cette démarche : un modèle d'analyse
emprunté produit des catégories à l'aide desquelles on classe les
faits littéraires ; mais la qualité de « fait littéraire » elle-même est
déterminée par l'appartenance à ces catégories, c'est-à-dire par
les pertinences et les hiérarchies qu'elles établissent. Il y a
sélection parmi les propriétés de l'objet ; cette sélection ne
« prouve » qu'elle-même, puisque les particularités qu'on entend définir sont déjà contenues dans les instruments au moyen
desquels on les isole. La « théorie littéraire » vérifie ainsi le
fonctionnement de son appareil conceptuel, dans lequel elle voit
la garantie de sa scientificité. Mais ce qu'elle a dû mettre à
l'écart pour obtenir ses résultats apparaît maintenant d'un prix
très lourd, et pose au chercheur les questions les plus pressan-
tes.

Quel que soit l'élargissement qu'on donne au langage, en y
incluant les instances du discours et l'étude de l'énonciation, le
programme « poétique » garde pour but de catégoriser le texte
littéraire et vise à lui conférer la transparence d'un appareil
formel. Dans son *Introduction aux genres du discours* (Seuil,
1978), Todorov, après avoir montré l'insuffisance des critères

de définition sur lesquels il s'était fondé auparavant (fiction et autotélisme), conclut au rejet de la notion de « littérature », qui ne lui paraît constituer que le « genre proche » de l'« espèce discours ». Il n'y aurait plus d'études littéraires, mais seulement des linguistiques, générales et particulières. Au lieu de changer de point de vue, on supprime l'objet : mais il résiste, heureusement ! Gérard Genette reste fidèle à l'idée que l'établissement de catégories formelles, qu'il nuance avec ironie jusqu'au byzantinisme, relève d'une connaissance scientifique de la littérature. Mais ce qui est en cause, c'est précisément l'hypothèse que le niveau de généralité que constituent les formes, par exemple narratives, puisse devenir l'objet d'une rationalité prospective. Comme tous les discours, les textes littéraires passent par des catégories générales (non nécessairement formelles, mais aussi historiques) ; pourtant ils ne s'y spécifient pas entièrement, ni n'élaborent uniquement par leur moyen leur mode propre de représentation.

Les éléments d'où nous sommes partis proposent ainsi un parcours de dépassements en même temps qu'un champ de tensions toujours actuel. La position de la poétique structurale est celle de la plus grande négativité : on n'y reconnaît ni la primauté d'un sujet ni l'expression d'un sens ou d'un réel antérieurs. On peut dégager une autre position encore, qui paraît diagonalement opposée à celle de Starobinski. On y retrouve une subjectivité, allégée de la plénitude ontologique ou des ancrages positifs ; mais on y perd l'assurance des modèles scientifiques, la force d'insertion qui s'y trouvait. Il n'y a pas ici de sens préétabli, mais il y a quelqu'un pour le regretter indéfiniment. Telles s'offrent, d'un seul tenant, la littérature et la critique dans les essais de Maurice Blanchot. Telle est à peu près la situation du dernier Barthes, après un trajet qui l'a mené d'un point à l'autre dans le champ de la réflexion littéraire.

L'empire des signes propose à plusieurs reprises l'image du maître zen apprenant à ses élèves, par des exercices appropriés, à « arrêter le langage », à créer un « vide de parole », à périmer la « mécanique du sens ». Barthes rapproche ce magistère du fonctionnement de l'écriture, vouée à l'« exemption de tout sens », à la défection du signifié. Par ce rapprochement il place l'écrivain — de fiction et de critique — dans la position d'une maîtrise qui refuse d'être un pouvoir, d'un maître qui n'oriente pas mais désoriente celui qui cherche ses leçons. Position paradoxale pour l'élève ou le lecteur, toujours renvoyés à leur question, mais aussi pour le maître lui-même, qui ne tient sa place que parce qu'il la quitte sans cesse, et qui refuse de conférer à son savoir quelque valeur positive que ce soit. L'œuvre de Barthes témoigne exemplairement de cette désorientation des discours, et il n'est pas étonnant qu'elle puisse trouver dans le maître zen l'image de son continuel déplacement. Pourtant, cette capacité de renouvellement ne constitue pas sa seule originalité : on voit mieux, avec le recul, qu'il n'a jamais véritablement adhéré à la position qu'il occupait momentanément. Il a fait de chaque phase de sa réflexion l'objet d'une parole distanciée, jamais d'une croyance, sauf, précisément, dans la dernière étape de son œuvre où la subjectivité finit par s'imposer comme seul guide possible. Barthes est mort au moment où il affirmait cette recherche de soi. Plus exactement, c'est la perspective de la mort qui l'a conduit à explorer la situation du sujet : non plus un sujet centré, assuré de sa propre possession, de l'antériorité de son existence par rapport à la structure symbolique et aux choses, mais un sujet marqué par l'absence et le deuil. C'est ce qui lui manque qui fait du sujet ce qu'il est. Cette position est elle-même aporétique, sauf à en rester à l'individualité pure, à refuser les identités collectives, à ne pas comprendre comment une représentation est aussi configurée par des catégories générales. S'il y a chez Starobinski une sous-estimation partielle du rôle de la subjectivité de l'interprète, il y a là chez Barthes une survalorisation de l'impossible singularité et une impuissance, révélée tard dans son œuvre, à maintenir à la fois la nécessité du sujet et la nécessité d'une relation codifiée avec le monde et avec les autres. L'interprétation littéraire ne peut faire l'économie d'aucun de ces deux aspects.

Il paraît indispensable, pour sortir des difficultés que j'ai tenté de résumer, de repenser les rapports entre la subjectivité et la réalité des choses à partir desquels elle se produit comme discours et particulièrement comme littérature. Nécessaire aussi de revoir le dogme de la « littérarité » et de situer les modèles linguistiques à l'intérieur d'un cadre plus large. S'il existe un discours particulier qu'on peut nommer « littéraire », sa spécificité ne peut être limitée au rapport qu'il établit avec les mots, ni même avec les formes du langage ou les signes en général. Elle réside dans le rapport qu'il établit entre un sujet et le monde, au moyen de formes et de contenus en partie conventionnels.

Il faut donc se demander à nouveau : qu'est-ce que la littérature ? que fait la littérature ? que faire avec elle ? et cela à partir d'un point de vue capable d'intégrer les propositions précédentes. Avant d'aborder ces questions, qui constituent le point central de mon essai, je voudrais dégager d'abord l'idée d'*interprétation symbolique* à l'aide d'une lecture attentive de quelques passages de *L'Afrique fantôme* ; idée qu'ensuite j'élaborerai de manière plus spéculative en avançant les éléments d'une théorie des représentations.

2. UNE HISTOIRE D'ESPRITS ET DE CAILLOUX

En 1932, Michel Leiris séjourne assez longtemps à Gondar, petite ville éthiopienne où les coutumes et le mode de vie traditionnels sont préservés. Il appartient à la mission Griaule, qui, de Dakar à Djibouti, traverse l'Afrique pour recueillir des objets et des informations. N'ayant pas de formation ethnologique, il fait un peu fonction de secrétaire, et mène aussi parfois des enquêtes. A Gondar, il est chargé de travailler sur un groupe de possédé(e)s réuni(e)s autour d'une vieille « cheffesse » (Malkam Ayyahou), sorte de Madame Verdurin abyssine. La maison de Malkam Ayyahou tient du lieu de culte, de l'hôtel, du bordel, du salon et de l'hôpital ; la vieille patronne y règne sans partage, distribuant les rôles et les potions. Ses adeptes et visiteurs sont comme elle possédés par des esprits, les zâr. Ceux-ci donnent des maladies, et les guérissent ; ils dictent des comportements, des relations ; ils exigent des sacrifices et des cadeaux. Tous les échanges passent par eux : ils constituent les pivots d'un réseau serré d'obligations et de rétributions. Lorsqu'ils s'expriment, c'est dans le corps des humains, lorsqu'ils parlent, c'est à travers leur bouche. Cette prise de possession est reconnue, par les adeptes eux-mêmes, comme un accouplement entre un homme et une femme, ou encore, comme le chevauchement d'une bête de somme par son cavalier.

Leiris donne deux relations de son séjour et de sa fréquentation des possédées (elles sont très majoritairement des femmes). La première dans *L'Afrique fantôme,* en 1934 : dans ce journal de voyage, l'écrivain note les événements qui surviennent, les pensées, les rêves, les désirs, adoptant une perspective littéraire et subjective. Il y insère à l'occasion des fragments de carnet, bribes saisies à vif, séquences d'observation, minutes de l'expérience exotique — comme le témoignage de l'immersion dans la réalité. La seconde relation du séjour auprès des zâr se propose des objectifs scientifiques : il s'agit d'un bref article descriptif paru en 1938 et d'un livre *La possession et ses aspects théâtraux chez les Ethiopiens de Gondar.* (De la même manière, le séjour chez les Dogons effectué au début de la mission Dakar-Djibouti est relaté dans *L'Afrique fantôme* et dans un texte de caractère scientifique, *La langue secrète des Dogons de Sanga.*)

Comment Leiris interprète-t-il « scientifiquement » le discours des esprits ? Il commence par proposer une distinction entre les « grands possédés professionnels » et les « possédés d'un moindre rang ». Pour ceux qui appartiennent à la première catégorie — guérisseurs, cheffesses, médiums reconnues — les zâr sont des « instruments » utilisés pour influencer autrui. Tous les autres, à savoir les malades, femmes désœuvrées, visiteurs bénins, enfants, soldats, filles à marier, sont « les jouets des esprits ». Si Leiris était intéressé par un problème de magie ou par l'effet sur autrui de comportements simulés, il parlerait, comme Lévi-Strauss, d'« efficacité symbolique » pour rendre compte du pouvoir exercé par les manipulateurs professionnels sur le tout-venant des adeptes. Mais il s'intéresse essentiellement au type de lien social établi par l'intermédiaire des zâr entre les participants à telle ou telle cérémonie ou fête rituelle. Plus que la relation d'influence, c'est l'endossement des rôles sociaux qui retient son attention. On pourrait dire qu'il se pose un problème de micro-sociologie des représentations, mettant en œuvre des notions comme la simulation et la croyance. La métaphore qui lui apparaît la plus adéquate pour faire comprendre le fonctionnement social qu'il observe est celle du théâtre : les scènes de possession sont analogues à un spectacle théâtral que le groupe se donne à lui-même. La distinction entre manipulateurs et manipulés lui semble alors relever d'une opposition entre théâtre *joué* et théâtre *vécu*.

Pourtant, si l'on y réfléchit, cette distinction est difficile à maintenir, pour deux raisons au moins. Indiquons-les brièvement, avant de chercher à mieux expliciter les présupposés de sa conception de la possession. On ne peut pas considérer comme moins authentique le « joué », ou comme plus sincère le « vécu » : dès qu'il y a endossement de rôles et distribution de fonctions, la notion d'authenticité perd sa pertinence au profit de celle de jeu. Leiris pense-t-il que le théâtre « joué » correspond à la non-croyance et le « vécu » à la croyance ? Mais le croyant n'est pas un acteur et la métaphore du théâtre est impropre pour lui. En fait, on devrait conclure que seuls les « grands possédés professionnels » *jouent,* et seuls les « possédés d'un moindre rang » sont possédés. Mais cette opposition se révèle inopérante si l'on suit les exemples proposés ; la frontière entre possession et jeu est mouvante, effacée puis replacée, dans un même individu comme d'un individu à l'autre, et elle n'obéit pas toujours à une division entre dominant et dominé. Leiris cherche à montrer une division de la communauté des possédés ; mais la limite qui est censée partager les membres en deux sous-groupes (et qui par ailleurs ne relève pas de la distinction entre joué et vécu) définit en réalité la communauté elle-même, et place l'observateur en position d'extériorité.

Peut-on voir dans le texte de Leiris de quoi dépend cette limite ? Il me semble qu'elle repose sur deux éléments concordants : la stabilisation de l'énonciation et l'interprétation non littérale des énoncés et des comportements. L'explication que propose Leiris de la possession tient dans cette double attitude mentale, qu'il prête abusivement à certains membres du groupe, et qui caractérise sa propre perception des choses. D'une part, il est assuré que par la bouche « possédée » ne parle aucun être autre que la personne elle-même : il n'y a pas de transcendance de l'énonciation, pas de sujet de discours autre que l'« acteur », pas d'Autre. D'autre part, les contenus du discours des esprits représentent à son avis une « configuration symbolique » des conduites, une « figuration mythique d'un comportement ».

Dans les énoncés et les gestes, Leiris déchiffre *autre chose,* une position sociale, l'affirmation d'une fonction, une haine cachée, une demande de cadeau... La possession constitue une représentation du jeu actuel et concret des rapports interpersonnels dans la collectivité, que cette action ait lieu en connaissance de cause (« théâtre joué ») ou non (« théâtre vécu »). Les Ethiopiens de Gondar ont à leur disposition une pluralité de personnalités qu'ils revêtent selon les besoins du moment, et qui « parlent » à travers leur corps. Pour expliquer cette labilité psychique, l'ethnologue recourt à une interprétation tropologique : ce que disent les prétendus esprits est un *tour* donné à ce que veulent ou craignent les sujets, une figure de leur univers relationnel.

Les deux traits que souligne l'ethnologue dans son hypothèse (immanence de l'énonciation et dédoublement de la signification) sont à l'opposé des justifications données par les sujets indigènes, qui supposent la présence d'un autre énonciateur, invisible mais manifesté dans les corps, et l'univocité de la signification. L'explication ethnologique place les indigènes en situation de constante dissimulation, occupés à démentir par leurs discours la visée de ces discours. Au commencement était la mauvaise foi.

D'une manière fort intéressante, la perspective littéraire et résolument personnelle adoptée dans *L'Afrique fantôme* laisse ouverte la possibilité d'une compréhension toute différente des mêmes phénomènes.

Dans son journal, Leiris hésite entre l'interprétation tropologique et l'assentiment à ce qui lui apparaît comme une dimension sacrée. Tantôt il est plongé dans l'enthousiasme religieux, il a l'impression d'entrer en communication avec un autre monde ; et tantôt il est persuadé que les zâr et leurs exigences sont mis en avant pour dissimuler des conduites intéressées. Cette hésitation entre une épiphanie du sacré et une figuration des désirs rythme les relances d'intérêt pour l'enquête ethnologique. En effet, si Leiris tient le discours des zâr pour une figure, l'enquête, presque policière, l'entraîne à la recherche d'un sens caché ; et s'il admet qu'il y a une énonciation transcendantale, les mots et les corps deviennent la demeure d'un dieu. Ni l'une ni l'autre des interprétations n'est jamais confirmée, et elles s'excluent mutuellement. Le journal de voyage contient de nombreuses marques de ce jeu de balance, au niveau le plus concret de son écriture.

Leiris apporte un jour à la vieille cheffesse de la poudre à fusil. Immédiatement, la vieille femme est sous l'empire d'un zâr guerrier qui la possède, Abba Qwosqwos :

> Le point sur la hanche, le torse haut, *il* chante des chansons militaires, tape des mains...

Quelques minutes plus tard, par la faute d'une servante maladroite, le paquet de poudre s'enflamme d'un coup, provoquant l'effroi de la plupart des assistants. Pourtant, toujours inspirée par son zâr

> *la vieille*, invulnérable aux flammes, déclame des tirades guerrières et rit aux éclats (p. 338-339 ; je souligne).

On assiste à deux moments consécutifs de la même action, mettant en jeu le même esprit possesseur et le même « cheval ». Mais l'énonciateur (raconté) qui chante, qui déclame, est différent. On trouve des séquences où le changement est encore plus rapide, se produisant dans le cours de la même phrase :

> *Malkam Ayyahou* [nom de la vieille cheffesse] pousse un grand rugissement, penche le buste brusquement en avant puis se redresse, et *Abba Qwosqwos* [nom du zâr] accuse réception (p. 452).
> Belle descente du lépreux Azaj Douho [nom d'un zâr]. *Parlant* du nez *comme* quelqu'un dont la cloison et les narines sont rongées, *il* demande de la cendre à manger (p. 414).

Toute l'équivoque est ici concentrée sur le *comme* : le zâr en effet est lépreux, mais il est immatériel ; seul appartient au sensible son « cheval », avec lequel il fait corps. C'est celui-ci qui « parle comme », mais c'est le zâr qui « demande ».

Par ces équivoques on voit que Leiris ne décide pas de l'univers de compréhension des possédés : quand l'esprit parle, rien n'interdit d'entendre, à travers les bouches humaines, la parole de cet Autre qui s'empare d'un corps et le dépossède de son autonomie. Par instants, dans *L'Afrique fantôme,* tout confirme cette interprétation ; on voit bien qu'elle fascine Leiris et lui donne l'impression de léviter au-dessus du réel, en compagnie des dieux et des héros. De plus, l'énonciation transcendantale assure l'univocité du sens, voire la coalescence des mots et des choses. Il y a là, pour Leiris, la brutalité d'une expérience religieuse : il voudrait s'y perdre, mais retombe toujours dans la négation et la séparation.

On trouve dans *L'Afrique fantôme* d'autres passages où Leiris s'intéresse au langage et aux signes, mais sans doute nulle part mieux que dans la relation de son séjour chez les Dogons. Lors d'une enquête qu'il mène sur certaines sociétés secrètes, il se rend compte que les membres de ces sociétés communiquent entre eux au moyen d'un langage chiffré, d'une « langue secrète ». Cherchant à pénétrer les arcanes de cette langue, il interroge un vieux maître et fait traduire ses réponses par un interprète qui connaît le dogon, mais non la langue secrète. Il faut donc à chaque fois un double truchement, de la langue secrète en dogon, et du dogon en français. La traduction de la langue secrète reste toujours imprécise, bien que Leiris s'évertue à demander une transposition littérale. Pour faire comprendre son souhait à l'interprète (Ambibé), il prend une poignée de cailloux, les aligne sur la table et explique : « Voilà tel mot, tel mot, tel mot. » Il saisit ensuite une seconde poignée et remplace les cailloux déposés, un à un : « Voilà le mot français pour tel mot, le mot français pour tel mot... » Il sait qu'il donne par là une image fausse de la langue et de la traduction, qu'il fait comme si les langues étaient des dictionnaires qu'on pourrait mettre terme à terme en correspondance. Il espère seulement, à l'aide d'une représentation schématique, faire comprendre l'idée d'équivalence littérale. L'interprète s'empare du premier caillou — correspondant au mot « homme » dans la phrase prise comme exemple au moment où s'était élevé le débat sur la traduction ; il prend un second caillou, le place à proximité et déclare qu'il s'agit d'une « femme peule » ; puis il trace une ligne avec son doigt, et déplace le premier caillou le long de cette ligne en expliquant que l'homme est en train de marcher sur la route... Leiris commente :

Une fois de plus, Ambibé a confondu le mot avec la chose, le signe avec la chose signifiée. Au lieu de traiter le caillou en tant que mot désignant *l'homme,* il l'a traité en tant que l'homme lui-même et s'en est servi pour décrire les évolutions matérielles de celui-ci (p. 115).

On devrait dire, plus précisément, que Leiris propose une substitution de signifiants, admettant qu'un signifié identique se retrouve dans les deux langues. Une telle proposition, et son exécution, suppose que le langage est analysé de manière abstraite, comme composé d'entités bi-faciales. Dans cette conception, ce qui arrive au caillou n'importe pas : on le remplace, on le jette, il est matière négligeable. Par rapport à cette manière de voir, Ambibé ne commet aucune « confusion » ; il ne la prend pas en considération, parce qu'elle ne fait pas partie de son « équipement mental », qui fonctionne selon une autre logique de la signification. Il y a pour lui une relation binaire de type symbolique entre le caillou et l'homme, entre la ligne tracée et la route, entre le déplacement du caillou sur la table et la marche de l'homme vers la femme. Tout ce qui arrive au symbolisant arrive au symbolisé, visible et invisible sont en complète solidarité, sans que soit supprimé le *renvoi* d'un plan à l'autre qui constitue la symbolisation. En élargissant le champ d'application de cette conception, on peut dire que pour Ambibé il n'y a pas de séparation entre le monde et le sens, qui sont imbriqués l'un dans l'autre. Ambibé se met au service de ce que peut produire le symbole, il transpose les aventures de la matière en aventures du sens ou, à l'inverse, il incarne le sens dans une matérialité sensible.

Le rapport entre l'esprit possesseur et le corps possédé me paraît de même nature : tout ce qui arrive à l'esprit arrive au corps et vice versa. Les adeptes de Malkam Ayyahou, spectateurs et acteurs des scènes de possession, de même que la vieille cheffesse elle-même ou d'autres guérisseurs, l'ethnologue commet un vice d'origine en supposant qu'ils distinguent les désirs et l'expression des désirs, ou en leur demandant de se différencier des événements qu'ils vivent pour les « traduire » en un autre langage. Possédés et participants sont les secrétaires du processus symbolique, ses récitants et ses interprètes, attentifs à justifier et à motiver la relation entre les deux plans. Si le symbolisé commande, c'est l'esprit qui parle, l'énonciateur qui transcende la bouche humaine d'où sort la parole ; si le symbolisant guide la séquence comportementale ou narrative, l'esprit est invoqué comme caution ou explication. L'erreur de Leiris ethnologue, et de bien des ethnologues, est de croire que le second mouvement — celui qui va du symbolisant au symbolisé — est tricherie, simulation, alors qu'il parcourt le même chemin, si l'on peut dire, *de bas en haut,* et qu'il jouit de la même capacité de transformation. Le lien symbolique implique un effet de *délégation* d'un plan sur l'autre, qui lui permet d'exercer son efficacité.

Leiris commet une erreur caractéristique, une sorte d'erreur de civilisation, qui consiste à appliquer une interprétation analytique à un processus dont il méconnaît le caractère symbolique. Pour rendre compte de ces deux types de compréhension, et des rapports qu'ils entretiennent, il faut réunir les éléments d'une théorie générale de l'interprétation.

3. ESQUISSE D'UNE THÉORIE DES REPRÉSENTATIONS

L'homme n'a pas avec le monde qui l'entoure des relations immédiates, mais des relations médiatisées par des schèmes plus ou moins complexes. Son expérience est configurée par ces médiations, dont on dira qu'elles *modélisent* ou qu'elles *construisent* son univers. La plupart des sciences humaines de ce siècle, ne pouvant atteindre à une connaissance de l'individu concret qu'en recherchant des lois et en conjecturant des prévisibilités, ont tenté de répondre à cette question : qu'est-ce qui configure l'expérience humaine, comment l'homme construit-il le réel dans lequel il vit ? Les réponses sont nombreuses — il y en a parfois plus d'une par discipline. Les contradictions qu'elles présentent entre elles sont levées si l'on se place du point de vue qui leur est commun : il s'agit toujours de rendre compte du fait que les sujets individuels sont à la fois constitués comme sujets par des médiations (ils sont *modélisés*) et capables de configurer les objets du monde (ils sont *modélisants*)[5]. Dès lors, le problème de la *représentation* apparaît

---

5. Ernst Cassirer, dans *La philosophie des formes symboliques* (éd. originale allemande en 1923-1929), a présenté, dans une perspective kantienne, une théorie très intéressante de ces problèmes. Pour lui, étudier les médiations par lesquelles l'homme pense et agit conduit à s'interroger sur la structure générale de notre savoir, c'est-à-dire sur les diverses manières dont nous nous « ajustons » à notre univers.

comme central, puisqu'il est consubstantiel à celui de la médiation.

Qu'est-ce qu'une représentation ? D'une façon générale, et
dans une acception classique, une représentation consiste à *faire
apparaître à l'esprit un contenu*. Les représentations sont
produites et liées entre elles selon des modes réglés, dont je
dirais qu'ils forment les *modélisations* primaires du savoir : le
mode *analytique,* le mode *symbolique* [6] et le mode *pratique*. Elles
ont pour support des « substances » diverses, accessibles par les
sens, dont les mieux connues sont le langage et l'image. Le
contenu présent à l'esprit n'étant pas l'objet perçu ou remé-
moré, mais son substitut, la représentation comporte toujours
le remplacement d'un représenté par un représentant ; ce remplacement est un procès dynamique, qui entraîne des effets
particuliers, dont les plus spectaculaires ont lieu dans le dispositif symbolique (cf. *infra,* l'étude de la « délégation »).

Ainsi, trois modes fondamentaux : pratique, analytique,
symbolique ; et trois fonctions constitutives : cognition, substitution, délégation. C'est sur cette base que je voudrais proposer
une conception de la représentation littéraire ; elle n'aurait
cependant aucune chance de jamais s'incarner si l'on ne tenait
pas compte du moment de l'actualisation dans des sujets
singuliers, individuels ou collectifs, des modélisations et des
représentations. Ce moment, je voudrais l'appeler celui de
l'*interprétation*. L'interprétation inscrit les procès représentationnels dans la situation, les affects et les visées d'un sujet.

C'est essentiellement sur la question du symbolique que je
concentrerai mon attention dans les pages qui suivent.

a) *La cognition*

La perspective cognitive concerne les manières de configurer
les objets du monde et de la pensée, en premier lieu selon les
trois modes fondamentaux qui peuvent s'exercer séparément,

---

6. Le terme est utilisé ici dans un sens restreint, qui sera précisé en cours d'exposé,
et auquel je me tiendrai dorénavant. Il faut distinguer cette acception du sens
absolument général rencontré chez Cassirer (ou, ici même, dans l'essai de Jean Molino)
Molinos, comme de l'usage quotidien et indifférencié, ou de l'usage particulier qu'en
a fait J. Lacan.

quoique sans doute rarement à l'état pur, ou simultanément selon des dosages variés. Dans le *mode pratique,* la connaissance est la moins médiatisée, comme si elle nécessitait à peine la formation d'une représentation. Elle est adaptation et reproduction, plus ou moins différenciées selon la complexité des objets. On peut observer une cognition de type pratique dans les schèmes sensori-moteurs explorés par Piaget, dans bien des comportements quotidiens, et jusque dans les techniques et les arts. L'appréhension des choses y passe par l'acquisition d'une habileté quasi confondue avec les opérations effectuées, par une adhérence aux conditions que la situation requiert. Le *mode analytique,* étudié par toutes les épistémologies, a pour véhicules privilégiés le langage et le nombre ; il est accompli exemplairement par un sujet abstrait des choses et manieur de signes, tel que se l'imagine Descartes dans la forme conceptuelle qu'il a décrite : diviser, comparer, classer ; puis aller des unités élémentaires aux totalités intelligibles. Le mode *symbolique* constitue lui aussi un mode de connaissance original, quand bien même les ethnologues, les psychologues ou les esthéticiens qui ont affaire à lui n'en ont pas toujours une claire conscience. Les mythes, les religions, la magie, l'art partiellement, certaines formes de jeu, toutes les appréhensions fondées sur l'identification construisent une perspective cognitive particulière, très souvent présente à côté de l'analyse ou de la pratique. Dans le mode symbolique, on l'a vu, sujet et objet, de même que substituant et substitué, peuvent être simultanément séparés et confondus, comme sont le prêtre et son dieu, l'enfant et sa poupée, la foule et son chef ou, inversement, sa victime. La connaissance de l'autre ainsi produite est inséparable de la constitution d'une image de soi, par absorption ou rejet : il n'y a pas de connaissance symbolique sans que soit mise en jeu la question de l'appartenance.

b) *La substitution*

On distinguera les types de substitition en prenant en considération les éléments de la structure du signe : signifiant, signifié et référent, et les rapports qui unissent ces éléments : de signification pour le lien entre signifié et signifiant, et de désignation pour le lien entre le signe et le référent[7]. Il y a ainsi, dans la structure du signe, deux types de substitution, mis en œuvre par une *double relation binaire* ; celle-ci trouve son plein rendement lorsqu'elle est produite dans le cadre systématique d'une langue naturelle. Elle fait alors appel à une capacité d'abstraction élevée, passant par des modèles complexes, décrits par les linguistes sur les plans phonologique, sémantique et syntaxique, où le langage se révèle dans sa potentialité configurante et sa valeur ennoëtique[8]. Le rapport entre le signe et le référent, fait de discours intégré dans le système des langues de manière diverse et lacunaire, paraît plus difficile à cerner. Il échappe sans doute partiellement à l'analyse, parce qu'il implique toute la situation d'énonciation et met en jeu la représentation que les partenaires se font des objets du discours.

Les confusions caractéristiques du mode symbolique sont rendues possibles par la forme de la substitution dans ce dispositif, qui met en relation deux plans de la sémiosis : le symbolisant et le symbolisé, et organise entre eux des relations binaires, toujours non systématiques. Le meilleur exemple qu'on en puisse donner est sans doute la poésie, où des procès symboliques peuvent venir se greffer sur chacun des éléments du langage et sur les relations qui les unissent. Ainsi dans l'*éventail*, Mallarmé rend-il en même temps symboliques la forme de l'objet (telle une main dont se déploient les doigts), son usage (produire un souffle approché du visage, tel le baiser), le champ sémantique et la matière sonore et graphique (jouant sur la *taille*, l'*entaille*, la consonne spirante, le parfum ou le secret qui *s'éventent*...). Il est juste de dire que le dispositif symbolique établit des rapports de nature « associative » : par ressemblance, souvent schématique, par contact, même de convention, ou encore par simple monstration évocatrice ou attribution de rôles. Pourtant on voit que la *motivation* n'est pas dans les choses mais bien dans l'esprit qui se les rend appro-

---

7. Cf. la présentation classique du « triangle sémiotique » proposée par Ogden et Richards. J'ai abordé ces problèmes dans l'introduction, quelque peu rectifiée ici, à *La diabolie* (Minuit, 1979).

8. « Théorie de l'action constructive du signe dans la genèse de l'esprit. » V. Daniel Droixhe, *La linguistique et l'appel de l'histoire*, Genève, Droz, 1978.

priées. Constituant un fonctionnement mental spécifique, le processus symbolique n'est pas nécessairement traductible, ni explicitable linguistiquement : il peut rester immanent et ne pas se prêter à l'analyse minimale requise par la communication verbale. De nombreux exemples donnés par les ethnologues montrent que, si les symboles servent à organiser l'univers, à tisser des liens entre les choses et les êtres et à conférer à ces liens une valeur « naturelle », ils enserrent dans leurs réseaux l'esprit lui-même, qui reste comme immergé dans les motifs qu'il a tracés. Il en va de même de bien des jeux symboliques enfantins, de bien des comportements adultes où des reconnaissances et des appartenances sont apprises et vérifiées sans que le symbolisant se détache effectivement du symbolisé. On sait que pour Piaget cette déliaison est fondatrice de la représentation proprement dite [9].

c) La délégation symbolique

Dans deux articles de l'*Anthropologie structurale* [10], Lévi-Strauss présente des exemples admirablement choisis pour introduire une réflexion sur ce qu'il nomme « l'efficacité symbolique », et que je propose d'appeler ici un effet de *délégation*, propre au dispositif symbolique dans tous ses emplois, de la magie à la poésie et au jeu. Dans une tribu sud-américaine, une parturiente peine ; sa vie est menacée, de même que celle de l'enfant. Appelé, le sorcier entame une longue incantation, qui mêle un récit mythique d'exploration et de retour et des gestes rituels. Au bout d'un certain temps, la femme est délivrée. Ailleurs, un bout de coton sanguinolent, exhibé au moment opportun par un chaman au-dessus du corps des malades, comme s'il était retiré par succion, guérit toutes sortes de maux : il représente la maladie, il *est* la maladie, même si le guérisseur lui-même simule de manière consciente, voire inté-

9. Il me semble qu'on pourrait utilement rapporter les *symboles mathématiques*, si différents des symboles anthropologiques, au processus simple de la *désignation*, comme mode de représentation binaire où l'analyse du signe en deux instances n'est pas requise.

10. V. *Anthropologie structurale* (Plon, 1974), « Le sorcier et sa magie » et « L'efficacité symbolique ».

ressée, une croyance qu'il ne partage pas vraiment. D'ailleurs, où s'arrête la croyance ? Le déni confirme ses effets plus souvent qu'il ne la dément. Ce qui est dit et montré dans ces anecdotes (plus que dans l'interprétation strictement structuraliste qu'en fait Lévi-Strauss), c'est *l'action de la représentation*. Récits, gestes plus ou moins ritualisés, présentation d'objets, pratiques magiques... : le mode symbolique, qui n'accorde de précellence à aucun des multiples supports possibles de la représentation, met en évidence chacun d'eux, il en fait une matière opaque et tangible. Les mots sont des coups, les gestes ouvrent les passages du corps, la bouche extrait une chair malade : tout concourt à organiser la représentation comme un rituel auquel il est demandé à la collectivité d'adhérer. Le travail de « cohésion » effectué par l'esprit est essentiel, qu'il apparaisse appris, voire simulé, ou qu'il intervienne *a posteriori,* comme une sorte de rationalisation ultérieure, ou encore qu'il donne naissance à l'invention de telle représentation. Comme l'indique Lévi-Strauss, le *transfert* mis en évidence par la psychanalyse constitue bien un processus de délégation symbolique. Un énonciateur, acteur d'une situation passée qu'il évoque en la racontant, implique son destinataire actuel (à savoir son psychanalyste) comme protagoniste de la représentation narrée. On vérifie la prégnance des mécanismes d'identification dans ce moment où les distinctions entre présent et passé, entre ici et là-bas, entre énonciateur et énoncé, sont suspendues. La différence entre le joué et le vécu, le simulacre et le réel n'est plus perceptible et, de fait, n'existe plus.

Ainsi, on l'a dit, les modes représentationnels ne sont pas statiques ; ils mettent en œuvre une dynamique de « renvoi » d'un plan à l'autre, une perspective d'effectuation qui prend toute sa force dans le dispositif symbolique : c'est bien pourquoi toutes les formes de pensée magique, religieuse ou artistique en sont consubstantiellement imprégnées. L'action de délégation opérée par le mode symbolique (et non par le symbole comme objet ou comme personne) consiste à entraîner une adhésion, à suspendre, fût-ce momentanément et partiellement, la distinction entre le vrai et le faux. Le symbole peut être en même temps vrai *et* faux. A ce stade, le récit mythique du sorcier, l'exhibition de la filoche ensanglantée mettent en jeu des phénomènes absolument semblables à ceux qui se produisent lorsque, adolescents, nous lisons « Le bateau ivre », et plus tard, *Faust* ou tel récit de Conrad...

d) *Continuités et superpositions*

L'analytique, le pratique et le symbolique constituent les modes de base de tous les systèmes modélisants à l'œuvre dans les univers humains, antérieurement à l'histoire du groupe ou du sujet qui auront à s'y constituer. Mais, s'ils donnent lieu à des schèmes de cognition distincts, il n'y a pas entre eux de solution de continuité. La forme de la substitution entre le représentant et le représenté, le degré de distinction introduit entre eux, font le lien d'un mode à l'autre. On peut décrire ces degrés d'une manière proche de la génétique piagétienne, quoique sans hiérarchiser les procès, qui sont sans doute présents simultanément dans la plupart des actes de connaissance.

Il y a passage continu entre pratique et symbolique, tant que symbolisant et symbolisé restent indifférenciés : on a affaire à un degré minimal de représentation, susceptible pourtant, sans qu'une substitution ait lieu, de constituer une cognition, c'est-à-dire de construire un univers dans lequel des opérations peuvent être effectuées. Il y a continuité également, à partir de leur commun fondement dans une substitution, entre la symbolisation et la désignation, qui peuvent à l'occasion se confondre. (C'est le problème dont débat le *Cratyle,* mettant dos à dos, sans rompre leur solidarité, relation de symbolisation et relation de désignation dans le langage). Cependant, la désignation, faisant partie d'une structure sémiotique de double substitution, ne devrait pas être séparée du signe et de la signification, définie comme une représentation à caractère systématique (au sens saussurien), comprenant des entités distinctes et formant des unités bi-faciales.

Cette continuité, articulée sur des paliers de différenciation, n'empêche pas chacun des trois modes d'avoir des propriétés spécifiques, et leur permet de combiner ces propriétés. Un procès de délégation symbolique peut se greffer sur un signifiant linguistique, infléchissant la totalité de la relation de signification, par exemple dans certaines figures de rhétorique, telles la paronomase ou l'allitération ; il peut se greffer aussi bien sur une opération mathématique, comme dans les numérologies ou l'astrologie antique. Un système de classement parfois très développé peut accompagner des comportements pratico-symboliques : c'est ce qui se passe dans les exemples de « science sauvage » accumulés par Lévi-Strauss[11]. Il est certain que les formes pures sont peu fréquentes et que l'homme, dans la plupart de ses productions, utilise les trois modes.

On ne fixera jamais que des dominantes qui, pour une même activité, peuvent changer selon les cultures : la cuisine, qu'on croirait d'ordre essentiellement pratique, est volontiers marquée de procédures analytiques chez les Occidentaux modernes et jouxte la chimie, alors qu'elle est fortement empreinte de symbolique ailleurs (et autrefois). La peinture traditionnelle obéit à des modalités pratique, symbolique et analytique ; mais la peinture non figurative moderne, prétendant sortir de la représentation, a refusé le symbolique. Chassée par la porte, la représentation est rentrée par la fenêtre, puisqu'une œuvre non figurative représente analytiquement et pratiquement les gestes, les matériaux, toutes les activités picturales ; et, symboliquement, l'asymbolicité caractéristique du milieu du XXᵉ siècle occidental. De même, certaines recherches contemporaines en sciences humaines, soucieuses de procédures formalisables, voire mathématiques, soumettent des objets symboliques à une modélisation toute analytique et, méconnaissant ainsi leur nature, représentent symboliquement un refus du symbolique. Le mythe, qu'on pourrait croire entièrement configuré par le mode symbolique, est en tout cas partiellement modélisé par le caractère analytique du langage (agencement, paradigmes, structure actantielle...). Pour Freud, la psychanalyse est une méthode dont la finalité consiste en partie à « traduire » le symbolique dans un langage analytique qui le délie ; à l'inverse, pour Bachelard, les constructions analytiques sont sans cesse guettées par l'emprise d'un symbolique envahissant... Dans

---

11. V. *La pensée sauvage*. On pourrait montrer, dans la tradition anthropologique française, après l'extrême intérêt manifesté pour les phénomènes symboliques au début du siècle, une sensible déflation. De la pensée maussienne, Lévi-Strauss retient la classification, et range tout le symbolique dans une sorte d'analytique ; et Bourdieu fait entrer le symbolique dans le jeu des habitus et des rapports de domination, qu'il verse dans le pratique. V. Dan Sperber, *Le symbolisme en général* (Hermann, 1974) et *Le savoir des anthropologues* (Hermann, 1982).

cette même perspective, certains, voyant partout la présence de mythes, échafaudent de complexes constructions symboliques et se donnent l'agrément de contempler un monde où, par le jeu de relations binaires constellées, tout est intelligible. Jung a fait d'immenses recherches, il a déployé des trésors d'ingéniosité, pour mettre ainsi en rapport les régions les plus éloignées de l'humain : un mandala tibétain, les soucoupes volantes, Paracelse, le mariage, les ours, l'hypnose...

e) L'interprétation

Rassemblons en les hiérarchisant quelques notions utilisées jusqu'ici. J'appelle *modélisation* une médiation qui permet de construire des représentations. Les modélisations sont *primaires,* propres à l'esprit humain comme tel, ou *secondaires,* formant le partage d'un ensemble culturel plus ou moins large selon leur universalité. Un univers de modélisations délimite le domaine de la cohésion et des appartenances socioculturelles. Une *représentation,* elle, désigne l'activité ou le résultat de l'activité déployée par un esprit dans sa prise de connaissance du monde ; une représentation est toujours modélisée. Quant à l'*interprétation,* elle a lieu dans l'actualisation par un sujet, *individuel* ou *collectif,* de la mise en représentation du monde. Chaque groupe social, parfois chaque membre, développe des interprétations de l'univers dans lequel il évolue, et circule ainsi à sa manière dans les systèmes représentatifs dont il dispose (et qui constituent sa culture). Représentation au second degré, elle-même analytique ou symbolique, l'interprétation institue le *sens* d'une représentation comme produit d'une saisie par un sujet en situation. Explicitant le rapport actuel que le sujet entretient avec ses représentations, l'interprétation peut rester soumise aux modélisateurs configurants ou s'en écarter : le sujet entre alors dans l'imaginaire, voire dans la folie.

Il y a des interprétations reconnues collectivement, telles nos sciences humaines, interprétations analytiques de représentations ou de modélisations ; ou tels les discours patriotiques, interprétations symboliques de représentations. Les interprétations isolées sont d'autant plus nombreuses et développées que les collectivités ont vu se multiplier et se diversifier modélisations secondaires et représentations : alors que le mythe constitue une interprétation symbolique *collective* d'un univers modélisé, la névrose résulte du fait qu'une interprétation symbolique *individuelle* se révèle inconciliable avec les modélisations partagées par les groupes ou sous-groupes, et intégrées par les sujets.

Si les superpositions et combinaisons de représentations peuvent constituer un des effets de l'interprétation, il arrive que celle-ci change de statut et de niveau hiérarchique et se transforme en modélisation. La condition en paraît résider dans la capacité d'une interprétation à être partagée par un vaste groupe culturel : elle devient alors une véritable construction collective de l'univers intelligible, élaborant une perspective de connaissance partagée. C'est ce qui se passe pour l'*histoire,* dans notre culture : interprétation des représentations analytiques de la causalité dans les événements humains, l'histoire est devenue la forme configurante de notre rapport au temps, qui relie d'un lien vivant, vécu collectivement, le présent au passé. Peut-être en va-t-il de même pour cette notion « primitive » dans laquelle Marcel Mauss est allé chercher l'explication universelle des phénomènes magiques, le mana. Interprétation symbolique de la causalité (temporelle et spatiale indistinctement), le mana est devenu un modélisateur capable de configurer d'innombrables manifestations de la vie quotidienne, de construire un réseau représentatif et de conduire les membres des collectivités indigènes à penser un vaste ensemble de relations naturelles en termes magiques.

4. Une histoire de chaise

Il faut maintenant, pour réorienter notre raisonnement dans la direction des problèmes littéraires, revenir à l'analyse d'un texte. Je me propose, dans les pages qui suivent, de lire un bref extrait des *Mémoires* de Saint-Simon pour l'année 1698 (v. Pléiade, I, p. 542-544, et le commentaire qu'en donne Y. Coirault, dans *L'optique de Saint-Simon*). On y verra jouer les notions exposées précédemment et s'en dégager certaines conséquences concrètes pour la littérature.

Le mémorialiste raconte le siège de Compiègne, parade

militaire donnée par Louis XIV à sa cour, aux ambassadeurs et aux curieux de l'Europe entière, destinée à étaler les ressources en hommes et en armements dont disposait alors la France en guerre. Saint-Simon ne fait pas du tout le récit du « siège », mais d'un aspect précis de cette journée, et dans une perspective bien délimitée. Il concentre son attention sur le roi et sa cour alors qu'ils regardent, de leur poste d'observation, le déroulement des manœuvres dans la plaine. Le roi est sur le rempart de la ville, large terre-plein dominant les troupes et les spectateurs ; il est entouré des dames et des seigneurs les plus familiers, placés en demi-cercle derrière lui. Il se tient debout, le chapeau à la main, auprès d'une chaise à porteurs dans laquelle est assise Mme de Maintenon. De temps à autre, il se penche vers elle et lui parle ; pour entendre, elle ouvre sa glace de quelques doigts, puis la referme. Tous les assistants contemplent avec un air que Saint-Simon dit être celui de la surprise « honteuse, timide, dérobée », la petite scène composée par le « couple » royal, et négligent apparemment le vaste spectacle qui se déroule à leurs pieds. A un moment, un officier monte les degrés taillés à l'extérieur du rempart pour prendre un ordre du roi. Il apparaît sur le terre-plein, aperçoit la scène et l'arrangement formé autour de la chaise, s'arrête médusé et perd à tel point son sang-froid qu'il reste incapable d'articuler sa question. Cet effet de stupeur, Saint-Simon le « monte » avec un soin tout particulier : il en fait évidemment le message de l'épisode de Compiègne. Gêne des familiers et des grands, étonnement scandalisé de Saint-Simon lui-même, témoin et narrateur, surprise et honte de l'officier partagées en cercles de plus en plus larges par les chefs et les soldats de la plaine, par le public innombrable, par toute l'Europe intriguée ou moqueuse : s'il l'en croit, le lecteur entrera dans ce cercle de l'indignation.

Mais d'où vient le scandale ? Saint-Simon ne nous le dit pas, comme si la cause, connue de tous, se manifestait d'elle-même. Le sens du spectacle lui paraît si *commun* qu'il peut en faire l'ellipse, sauter l'analyse et le commentaire. Si tous les assistants ont la même interprétation de la scène, c'est que tous reconnaissent, au-delà de ce qu'ils voient, la configuration qui règle les rapports sociaux et dispose les sujets à des places prescrites. Cette configuration est si puissante que le roi lui-même devrait y être soumis : la stupeur naît du fait que le roi n'occupe pas sa place, et par conséquent bafoue la modélisation symbolique qui la garantit. D'autre part, si Saint-Simon n'*analyse* pas, ne propose pas de traduction abstraite du spectacle qu'il décrit, c'est aussi que la nature de son texte commande l'ellipse de l'écriture.

Il faut, pour le montrer, reprendre les éléments essentiels de son récit, qui met en évidence les rapports entre les personnages en exposant dans le plus minutieux détail leur situation dans l'espace. Tous les rapports spatiaux sont notés : haut/bas, gauche/droite, dedans/dehors, continu/séparé, proche/lointain, assis/debout. Autant le spectacle, vaste mais négligé, de l'armée dans la plaine, que celui du rempart, qui est l'objet de l'attention générale, sont montrés comme espaces de représentation. Les relations spatiales s'y densifient et apparaissent porteuses de sens : elles donnent accès directement à un espace immatériel, celui de l'ordre symbolique dont la scène intime présente une image perturbée. Mme de Maintenon, enchâssée dans sa chaise comme une idole honteuse, usurpe l'espace royal : chair profane, vulgaire et même prostituée, selon Saint-Simon, elle occupe le lieu du corps sacré ; personnage voué au secret, épouse indigne et dissimulée, elle est exhibée dans l'espace public du rituel officiel. La compréhension des rapports spatiaux d'après laquelle Saint-Simon construit son épisode, n'est pas différente de celle que montrait le traducteur indigène de *L'Afrique fantôme* : elle est de nature symbolique, établissant un lien binaire direct entre ce qui arrive au symbolisant (l'espace matériel et les places occupées par les personnages) et le plan du symbolisé (la modélisation, que nous dirions socio-historique, mais que Saint-Simon conçoit en termes théologiques). Saint-Simon ne joue jamais le rôle du Leiris ethnologue et scientifique, il ne méconnaît jamais la dimension symbolique. Plus encore : par son travail d'écrivain, il la prolonge et s'efforce de reconduire ses pouvoirs au-delà de sa manifestation historique. Il fabrique son texte comme un équivalent symbolique de cette manifestation, qui s'efforce d'établir, selon ses voies propres, une perspective d'accès à la modélisation. Ecartées les considérations militaires, les analyses historiques et économiques, le texte de Compiègne, concentré sur l'exhibition de la chaise-trône, devient un *emblème* qui appelle un déchiffrement symbolique. La mise en évidence des témoins et de leurs émotions fait partie du dispositif de manière essentielle : Saint-Simon s'efforce par là de susciter chez son lecteur une réaction affective et participative, voire une identification au jugement du narrateur et des assistants, comme si l'effet de *délégation* produit par la modélisation symbolique (dont le roi fait fi) devait se prolonger jusqu'aux lecteurs et les laisser à leur tour béants et scandalisés.

5.   QU'EST-CE QUE LA LITTÉRATURE ?

Tout comme *L'Afrique fantôme* n'est pas un livre ethnographique, mais une œuvre littéraire, les *Mémoires* de Saint-Simon ne sont pas reçus, aujourd'hui, comme l'ouvrage d'un historien ni comme une succession d'anecdotes, mais comme un monument de la littérature. La *manière* dont ils construisent une représentation du monde, et donc la compréhension qu'ils requièrent, sont symboliques, et non analytiques. Mais il y a plus : leur singularité, la place et la fonction qu'ils partagent avec tous les textes littéraires, proviennent également de l'*objet* dont ils proposent la connaissance. Dotée d'un mode propre de dire le monde et d'une visée singulière, la littérature existe autrement que comme document ou comme jeu de formes, et l'on peut chercher à la définir adéquatement.

Peut-être serait-il bon de commencer par dire ce qu'elle n'est pas, en approchant d'une définition par une démarche *a contrario*. Un texte littéraire, ou la littérature elle-même, pourrait passer pour une *représentation*, effet d'un découpage et d'une organisation du monde qui le rendent intelligible. Tels sont la biologie, par exemple, représentation analytique des organismes vivants ; ou le totémisme, représentation symbolique des relations entre les êtres animés. C'est bien ainsi d'ailleurs que la conçoivent diverses écoles de pensée, comme l'histoire littéraire ou certaines sciences humaines : la littérature est pour Auerbach une représentation de la réalité sociale, élaborée au moyen de certaines conventions ; *Phèdre* constitue pour Charles Mauron une représentation symbolique des conflits psychiques de Racine. D'une manière un peu différente, dans les travaux inspirés par les théories de Pierre Bourdieu, la qualification même de « littéraire » ne se rapporte pas à une caractéristique intrinsèque du discours, mais constitue un instrument pratico-symbolique au service d'un projet socio-économique. Pour toutes ces conceptions, le littéraire est perçu comme configuré par un système modélisant ; il est rendu semblable à d'autres documents, « aplati » comme une stratégie parmi d'autres dans la concurrence des discours.

La littérature n'est pas non plus, comme le langage ou le nombre, ou comme ont pu le devenir l'histoire ou le mana, un *système modélisant* : elle ne constitue pas en soi une médiation entre l'homme et le monde, elle ne construit pas un univers d'opérations. Les théories de la « pan-textualité », qui affublent le texte littéraire d'un vêtement trop large pour lui, font de l'univers humain dans son entier un effet de littérature. Quoiqu'elles prétendent désigner cet effet pour ce qu'il est, elles s'enlèvent en fait tout moyen de départager des représentations configurantes (c'est-à-dire les modélisations) et d'autres configurées. Variante radicale de l'auto-réflexivité, cette hypothèse rend irrepérable une spécificité du littéraire, pour vouloir lui donner l'extension la plus vaste.

La littérature est une *interprétation,* mais telle qu'il faut la distinguer du mythe, de la philosophie, des discours politiques ou de la linguistique... — bien qu'elle prenne pour thème les mêmes objets : origine de l'homme, relations avec le contexte ou avec les autres, effets d'agencements phonétiques ou sémantiques. La distinction n'est pas toujours présente dans la réflexion contemporaine : ainsi chez Sartre, dont la conception de la prose littéraire la confond avec le discours politique ou avec l'aveu existentiel, ou chez Goldmann pour la représentation sociale, ou encore chez Gilbert Durand (comme chez Jung, d'ailleurs) pour le mythe. On peut montrer sur un exemple que la méconnaissance de cette distinction conduit à accorder le même statut au texte et à son commentaire, que ce statut soit de nature symbolique ou analytique. Dans *Le cru et le cuit,* Lévi-Strauss propose une conception du travail de l'ethnologue selon laquelle celui-ci reproduirait à sa façon une parole mythique : il élaborerait un commentaire mythique du mythe. Il me paraît préférable de tenir le mythe pour une *interprétation symbolique collective de représentations,* qui peuvent être, le cas échéant, analytiques ; quant au travail de l'ethnologue, il est, lui, une interprétation *analytique* de cette interprétation symbolique. Si l'on peut concevoir que le mythe en tant que tel (et non tel mythe particulier) constitue une modélisation et joue un rôle configurant dans l'univers représentationnel d'une collectivité, comme le fait pour nous l'histoire, la description ethnologique des mythes en sera encore moins de la mythologie, ni d'ailleurs de la littérature. Car, lorsqu'un discours littéraire parle de mythes ou en inclut dans sa texture, il élabore une interprétation symbolique d'un modélisateur symbolique : telle est, à mon sens, la situation de la tragédie grecque par rapport à la cosmogonie et à la mythologie archaïques. Dans cette élaboration interprétative, c'est essentiellement le *consensus collectif* qui se perd : une simulation remplace une croyance ; le sens reçu se diversifie.

a) *Définition*

Les textes qu'on appelle littéraires sont des *interprétations symboliques non collectives,* dont la fonction absolument spécifique consiste à *permettre à un sujet d'interpréter par le langage les modélisations elles-mêmes.* Les définitions mimétiques traditionnelles et les définitions modernes par l'auto-réflexivité sont comprises et intégrées sans contradiction dans cette conception.

Parmi les quelque trois mille langues répertoriées dans le monde, seule quarante ou cinquante « ont une littérature, importante ou non » [12]. Sans préjuger de ce qu'entendait Meillet par « littérature », la minceur de ce chiffre tout empirique laisse au moins penser que les peuples qui en possèdent une manifestent par là un rapport au monde, à eux-mêmes, aux signes et au langage, qui diffère de manière essentielle de celui que connaissent les autres collectivités. En tant qu'*interprétation*, le discours littéraire possède une valeur représentative au second degré : il articule une dimension cognitive et une dimension substitutive, et emporte une perspective subjective, par le fait qu'à travers lui les hommes confèrent un sens actuel au monde et à leur propre situation. Interprétant des *modélisations,* le discours littéraire donne à connaître comme tel un univers de représentations configurantes. Mais, parce qu'il est une inter-

---

12. A. Meillet et M. Cohen, *Les langues du monde,* Paris, 1952.

prétation *symbolique,* le discours littéraire rend perméable la
distinction entre sujet et objet, indécise la limite entre substituant et substitué : en littérature, il est toujours possible de
détacher le monde représenté du monde représentant, mais il
est aussi possible de trouver confirmation de leur adhérence.

Parmi les modélisateurs que la littérature peut interpréter, le
langage et ses composants jouent un rôle particulier, puisqu'ils
constituent *sa substance même.* Lorsqu'un texte propose une
représentation symbolique de ses constituants, il réalise au plus
haut degré la définition de la « littérarité ». Mais il n'accomplit
cette définition que parce qu'elle constitue un cas particulier
d'une propriété plus large : le texte littéraire ne limite pas aux
modélisateurs langagiers sa capacité d'interprétant. Il peut
représenter toutes sortes d'autres modélisations, il n'en sera pas
moins « littéraire ». On aurait peine à montrer que le texte de
Saint-Simon se représente lui-même, sauf à rendre triviale cette
démonstration ; en revanche, on lui reconnaît une valeur littéraire parce qu'il interprète symboliquement le conflit des
modélisations historiques et sociales à la fin du XVIIᵉ siècle.

b) Conséquences

Si l'on abandonne les définitions classiques pour une définition « anthropologique », on comprend mieux le fait que le
caractère littéraire d'un texte ne devient opératoire que dans la
perception qu'en ont les lecteurs. L'interprétation est le lieu de
la subjectivité, et l'on sait qu'un texte peut être jugé littéraire
par certains, alors qu'il ne l'est pas pour d'autres. Un discours
conçu et reçu originellement comme analytique, tel *Le discours
de la méthode,* peut apparaître comme symbolique : pour
Valéry, le livre de Descartes est une sorte de roman. D'une
façon analogue, les *Mémoires* de Saint-Simon, lus comme un
texte historique au XIXᵉ siècle, sont perçus, depuis Proust,
comme littéraires.

D'autre part, on voit qu'à partir du moment où la perspective
particulière qu'elle ouvre existe (et ce moment peut dépendre
d'une manière de lire), la littérature joue dans l'ensemble des
représentations fabriquées par une collectivité un rôle impres-
criptible. En donnant à connaître les modélisations comme

telles, elle trouble les identifications et les positivités, questionne les consensus qui délimitent l'espace commun.

Mais, si elle entraîne (ou, en tout cas, accompagne) la séparation sociale et la division intérieure, elle possède aussi des aspects libératoires. Elle permet à l'homme de prendre conscience des forces et des contraintes qui délimitent le champ de son expérience et, par cette conscience, lui donne la capacité de s'en détacher, voire de les transformer. Proposant une exploration maîtrisée du dispositif symbolique, cet effet est dialectique : que le symbolisé (telle modélisation) soit montré comme une fiction, ou le symbolisant comme un leurre, n'empêche pas la *délégation* d'avoir lieu. L'efficacité littéraire réside dans cet effet d'identification, qui soumet le lecteur à une croyance, même minimale, même destinée à être reprise.

Ainsi, un texte littéraire est le *sujet* d'un savoir, que ses lecteurs peuvent reconnaître ou méconnaître. Lui donner toute sa chance, déployer la connaissance qu'il construit, selon son ordre mais au moyen de procédures analytiques, constitue la plus haute ambition que peuvent se proposer nos études. Pour l'atteindre, on ne peut qu'accepter la pluralité des méthodes et des approches, pourvu qu'elles soient fondées épistémologiquement. On voit qu'il ne s'était nullement agi, dans les réflexions du début, de révoquer les résultats des démarches examinées, mais bien de questionner le rapport entre les principes et les résultats, d'observer le retour sur elles-mêmes des théories, de laisser parler ce à quoi elles ont renoncé aussi bien que ce qu'elles revendiquent.

Le terme de « définition *anthropologique* » avancé ci-dessus n'était donc pas un drapeau, ni une proposition de nouvelle approche des textes, qui prétendrait succéder aux précédentes. Il s'agit plutôt d'une invite à penser les faits littéraires dans le cadre le plus large, temporellement, géographiquement, épistémologiquement, en cherchant à mettre en lumière la place occupée par la littérature dans l'ensemble des représentations. Etude des représentations formant lien entre les individus et le groupe — telle qu'elle était à peu près, sous le nom de sociologie, dans l'esprit de ses fondateurs français Durkheim et Mauss —, une anthropologie générale pourrait donner un statut épistémologique et un contexte comparatif à ce texte particulier qu'est la représentation littéraire.

MARIE-JEANNE BOREL

TEXTES ET CONSTRUCTION
DES OBJETS DE CONNAISSANCE

> De nos jours, le bricoleur reste celui qui œuvre de ses
> mains.
>
> C. LÉVI-STRAUSS
>
> L'épistémologie. Elle parle de l'*épistémè* que nous tradui-
> sons par le mot de savoir, mais qui, par son origine et sa
> racine, redit l'invariance et la stabilité.
>
> M. SERRES
>
> Lecteur, je ne me trouve qu'en me perdant.
>
> P. RICŒUR

INTRODUCTION

Dans la conjoncture actuelle en épistémologie, l'étude de
textes scientifiques témoigne, fait récent, d'un intérêt pour la
formation des objets de connaissance au moins autant que pour
la validation des énoncés portant sur eux, thème plus classique.
Dans cette optique, qui renouvelle à bien des égards la réflexion
sur le savoir et qui prend la « fabrique » sémiotique au sérieux,
les textes sont envisagés en tant que porteurs d'indices de cette
formation [1].

Toutefois, un texte ne « dit » (n'indique) rien si personne ne
le lit ni ne l'interprète. Comment donc lire un texte scientifique
pour y reconnaître les signes d'un discours portant sur des
choses ? Car qu'il y ait des choses est un postulat de la recherche
empirique. Et comment le lire pour y reconstruire les signes
d'un discours qui in-forme un objet dans une tradition de
recherche et dans le contexte d'un discours qui représente tout

---

1. Cf. par exemple, les numéros consacrés à « Epistemology and Argumentation »
et à « Argumentation and Logic », in *Argumentation*, 3 et 4, 1988.

en étant (ou pour être) adressé ? Car la mise en forme symbolique est une condition de possibilité de tout objet de savoir.

Mon étude portera sur des procédures de construction
d'objet par description dans le discours anthropologique.
J'aborderai empiriquement cette question en esquissant une
méthode de lecture par l'analyse d'un texte particulier.
Conformément à une décision méthodique que j'ai prise de
m'arrêter à des textes reconnus historiquement comme fondateurs dans une discipline, il s'agira des fameuses *Notes sur le
combat de coqs balinais* de Clifford Geertz. Ce texte peu
classique sert en quelque sorte d'emblème de ce que certains
spécialistes paraissent actuellement considérer comme un nouveau paradigme : celui de l'anthropologie dite « interprétative »[2]. De plus, il fait un usage théorique de la notion même
de texte dans la définition anthropologique d'un objet culturel.

Mon but, qui est ici plus descriptif que théorique, est
d'illustrer sur un nouveau matériau une étude empirique de
normes, de formes et de fonctions des descriptions dans des
textes scientifiques en sciences humaines menée dans la perspective de la logique naturelle (Borel, 1986, 1987). Avec l'analyse de ce texte on verra que le discours des anthropologues
peut se présenter comme une interprétation de la culture, une
interprétation disciplinée, et que la culture est en un sens une
interprétation de la nature, une *forme de vie*. On peut s'interroger alors sur le statut de l'épistémologie qui questionne les
interprétations savantes de la culture et de la nature. Partie
intégrante, depuis Kant, d'une philosophie de la culture et
anthropologique dans son fondement, elle intervient en « tiers
instruit » dans son rapport avec ce tiers déjà instruit qu'est le
spécialiste des cultures.

Conçue traditionnellement comme théorie de la connaissance
étudiant la façon dont nous acquérons des savoirs et les
dispositifs qui les rendent fiables, l'épistémologie peut être
entendue en deux sens selon le contenu que l'on donne à l'idée
de théorie. En un premier sens, dit « critique », elle sera
normative, sa tâche étant de prescrire ce qui « doit être » pour

---

2. *Deep play : Notes on the balinese Cockfight* paru en 1972, réédité en 1973, a paru
en français sous le titre : *Jeu d'enfer. Notes sur le combat de coqs balinais,* en 1980.
Le titre du dernier livre de Geertz est explicite : *Local Knowledge. Further Essays in
Interpretative Anthropology,* 1983.

une discipline donnée ou pour la science en général. J'appellerai « interne » cette façon de voir l'épistémologie intervenir au sein de la pratique pour l'évaluer et en asseoir les fondements. De ce point de vue, on peut par exemple entrer dans un débat actuel parmi les anthropologues qui se demandent s'il appartient en propre à l'anthropologie d'être interprétative, voire « littéraire » de ce fait, et si elle ne peut être que cela (Lowry, 1981) ; ou bien encore si le paradigme inauguré par le texte de Geertz et par ses déclarations théoriques est meilleur qu'un autre ou rend caduques ceux qui le précèdent.

Il existe une deuxième façon de concevoir une théorie de la connaissance, qu'on peut appeler externe ou *dérivée*. Elle prend au contraire pour un fait, à décrire et à expliquer sans jugement de valeur ni prescription, qu'on puisse produire un savoir, le contrôler et vouloir le fonder dans un paradigme particulier à un moment de l'histoire, ou instaurer des normes pour une discipline donnée et en débattre dans une certaine conjoncture de rapports sociaux et matériels, et dans un certain langage. Aux yeux de Piaget (Piaget, 1967, p. 1173-1179), la question de l'épistémologie interne est, pour les sujets d'un type de connaissance donnée, celle des fondements mêmes de l'objectivité des objets dont ils sont les sujets. Par contre, l'objet de l'épistémologie dérivée est pour lui le type de relation qui, dans une discipline donnée, s'établit entre le « sujet » et l'« objet » d'une connaissance, question touchant aux rapports entre le sujet et l'objet dans la construction du savoir en général.

Ce second point de vue est le mien. Sa tâche est d'étudier de façon comparative comment les anthropologues en particulier construisent une connaissance dans leurs formulations et comment ils justifient cette construction. Mais son problème est d'avoir à utiliser l'anthropologie parmi les disciplines requises pour aborder ces questions de fait.

Le texte de Geertz soulève d'emblée une question empirique. Dans la façon dont les *Notes* sont composées et qualifiées dans le genre « essai » par leur auteur[3], on trouve l'indice d'une démarcation relativement à d'autres façons plus canoniques d'exposer en anthropologie (Boons, 1983). Cependant, on y

---

3. L'auteur oppose l'essai au traité théorique, qui est une somme synthétique (Geertz, 1973, p. 26).

trouve autant d'indices d'une construction de savoir assez classique. On y parle en effet d'événements qui ont lieu en rapportant une expérience de terrain, que quiconque pourrait observer dans des conditions analogues à celles dans lesquelles on nous les montre. Dans un discours à visée empirique, c'est-à-dire descriptive et explicative, ces événements sont transformés en objets de connaissance et de communication scientifique à différents niveaux d'élaboration. On y trouve indiquées les démarches autorisant cette construction en relation avec d'autres démarches possibles, ainsi que divers états de connaissance mis en rapport avec d'autres états, antérieurs ou extérieurs au texte. Geertz lui-même est explicite : une science est une science. Interprétative ou non, « *its freedom to shape itself in terms of its internal logic is rather limited* » (Geertz, 1973b, p. 24-25) ; son discours ne peut échapper à l'articulation conceptuelle et aux modes systématiques de résolution de problèmes et d'exposition requis par tout travail à l'intérieur d'une discipline donnée. Elle n'est en aucun cas réductible à une sorte d'auto-validation empathique qui ne devrait sa portée qu'à l'intuition géniale et au talent d'écrivain de l'interprète. En se formulant, elle use de canons explicites et doit contrôler ce qu'elle prétend objectiver. On n'y *insinue* pas de la théorie, dit encore Geertz, on doit la *poser*.

On peut se demander où réside exactement la nouveauté de ce discours en constatant ces faits. Qu'un discours scientifique construise un objet de savoir tout en justifiant les démarches de cette construction n'entraîne donc pas *ipso facto* une correspondance terme à terme entre ce qu'on croit ou dit opérer et l'opération qu'on accomplit. Qu'une telle correspondance existe ou non appartient précisément à l'ensemble des faits que j'aimerais considérer. Il s'agirait ici d'interroger la relation établie, dans le texte de Geertz, entre une démarcation avouée quant au style de l'exposé et une continuité pratiquée quant à la procédure de résolution de problème. On pourrait peut-être voir là un des traits historiques qui distinguent entre elles certaines disciplines. Surtout, prendre ce décalage pour objet est un moyen, pour la réflexion épistémologique au départ de son enquête, de ne pas préjuger d'une différence entre les sciences qui leur viendrait seulement de leur objet, en quelque sorte par essence. Il est de fait que, pour certains, les sciences humaines ne peuvent être confondues avec les sciences naturelles, leur objet, le domaine des significations, étant tout autre.

Du point de vue épistémologique externe, une étude sémiologique de procédures de construction de connaissances dans le discours anthropologique demande un minimum de cadre théorique. Je me servirai de la notion de *schématisation* définie par Grize pour énoncer, de ce point de vue, quelques hypothèses sur les propriétés que me paraît posséder la description en tant que produite par une activité de discours dans une intention de connaissance d'une part, et de communication d'autre part. Cependant, avant d'exposer le cadre théorique de cette étude, il me paraît judicieux de commencer par esquisser quelques aspects du contexte explicatif dans lequel figurent les descriptions, ainsi que du paradigme qui situe le texte de Geertz, celui de l'anthropologie interprétative.

En effet, bien qu'une description se présente de prime abord comme un segment de texte constitué d'éléments de nature linguistique, il y a de bonnes raisons pour penser que l'identification, au moyen de ses seules propriétés linguistiques, d'un énoncé ou de tout fragment comme indice d'un épisode descriptif dans un discours soit une entreprise désespérée. Une description n'est pas un objet stable, car, comme texte, elle n'est pas homogène (Adam, 1987) et, comme discours, c'est surtout différentiellement qu'elle se laisse identifier par contraste avec d'autres types de discours et par la place qu'elle occupe ou les fonctions qu'elle remplit dans une procédure de schématisation. Un appel à des données qui ne sont pas immédiatement linguistiques me semble donc une condition nécessaire pour s'autoriser à isoler certains fragments du texte, afin de voir de plus près ce qu'ils schématisent en tant que descriptifs et comment ils le font.

1. LE DISCOURS DES « NOTES » ET L'IDÉE D'ANTHROPOLOGIE IN-TERPRÉTATIVE

Le texte des « Notes » [4], dont je vais résumer l'intention et

---

4. Le texte en traduction comporte soixante pages, avec quarante-neuf notes en italiques dans le texte (plus quatre du traducteur), quarante-et-une notes et références en bas de page (dont huit du traducteur), plus une carte en marge et quatre photos

le mouvement, est fort allusif sur son projet et le lecteur s'en informe en quelque sorte « en marchant ». On a bien une monographie attestant d'un savoir-faire professionnel, mais curieuse, car elle dessine une tâche encore à remplir, à savoir l'élaboration d'un nouveau canon propre à « manier sociologiquement des formes symboliques » (...). Le texte s'achève par : « Les sociétés comme les vies contiennent leur propre interprétation. Ce qu'il faut apprendre, c'est comment y accéder » (p. 146). D'autre part, ce texte frappe le lecteur par le récit formant le premier chapitre, qui raconte une prise de contact sur le terrain, mais en lieu et place de l'introduction méthodologique à laquelle on s'attendrait et comme préalable à un exposé qui n'a rien du récit de voyage ; il frappe également par son exposé plus analytique que synthétique, dans lequel le plan de texte doit être reconstruit par le lecteur à mesure qu'il avance, d'où une certaine opacité à première lecture, non que le texte manque de cohésion ; bien au contraire, sa progression est rigoureusement contrôlée, mais elle n'a pas la forme attendue d'un exposé canonique en anthropologie[5].

Ce texte nous informe essentiellement sur la façon dont il faut penser l'objet de l'enquête, cet ensemble d'événements (à

---

encartées. On compte cinquante-sept mentions (en moyenne presque une par page) de trente-trois ouvrages académiques, dans le champ anthropologique ou ailleurs. Le plus ancien cité est Aristote, le reste se situe entre 1921 et 1970. Les références sont utilisées pour introduire un terme, pour discuter d'un concept, pour citer ses propres textes, pour citer des classiques — les réfuter ou s'y appuyer (rarement), pour emprunter un concept (souvent) et pour se servir de données ethnographiques (massivement).

L'article est divisé en six parties, ou chapitres, dotées d'un titre mais sans numérotation ; il n'y a pas de bibliographie en fin d'article. Notons un contraste entre l'appareillage considérable des références, indice habituel d'une écriture scientifique, ou à tout le moins académique, et le choix d'une formule journalistique pour l'intitulé des chapitres, par exemple : « Des coqs et des hommes », ou bien : « Jouer avec le feu » ; seul le dernier titre a une signification non descriptive et étiquette le problème traité : « Dire quelque chose de quelque chose ».

5. L'analyse du récit de Geertz et surtout de sa fonction (métaphore, métonymie du reste du texte ?) dans l'économie de la monographie pose des problèmes intéressant de mise en abyme dont je ne traiterai pas ici ; étant donné le rôle théorique que Geertz attribue à la narration (le combat de coqs *raconte*), on ne peut sans trivialité l'interpréter au premier degré comme une méthodologie déguisée (variante de l'observateur-participant), ni comme une mise en scène pour amuser le lecteur. Quant à sa rhétorique analytique, elle est en réalité sans faille : les procédés de transition d'un chapitre à l'autre sont minutieusement réglés, mais le lecteur ne dispose que d'instructions rétrospectives de lecture.

savoir les combats de coqs) vécus d'abord comme « poussière et panique » (p. 90) par l'anthropologue dans son premier contact avec le terrain, puis construit comme « forme symbolique » ; on a de ce fait très peu d'informations métadiscursives sur les méthodes de l'anthropologie interprétative : l'auteur nous en dit plus sur ce qu'il pense que sur ce qu'il fait.

On apprend que le combat de coq, d'essence symbolique au-delà de sa matérialité sanglante et économique, est simultanément « métaphore » ou « simulation » de l'identité balinaise (masculine) et « métonymie » ou « partie concrète » de la société balinaise toute entière ; puis qu'il est « drame », « théâtre », ou « jeu » (représentation, au double sens du mot : de substitut et de mise en scène) ; on y apprend enfin que ce drame, qui représente quelque chose, le représente à quelqu'un pour qui il fait sens. Le combat « dit » ou « raconte », en « figurant, comme toute forme artistique, car enfin, c'est là le sujet » (p. 132).

Transformer un événement culturel complexe en objet d'enquête anthropologique, c'est donc lui attribuer les propriétés d'un « texte » dont on postule qu'il parle à ceux qui l'utilisent, que ceux-ci savent le lire dans leurs catégories et qu'il leur sert à comprendre leur être social ; texte que l'anthropologue doit apprendre à « lire par-dessus l'épaule » (p. 145) de ses usagers, qu'il doit par conséquent, lui aussi, mais dans sa propre lecture, construire comme susceptible d'être compris dans ses propres catégories.

Le discours des « Notes »

Voyons maintenant comment sont situés les épisodes descriptifs de la monographie selon le mouvement de l'explication. Malgré sa forme complexe et dense, ce discours ne laisse pas d'être linéaire au sens d'un gain théorique progressif, et, à cause de cela, il me paraît utile d'en résumer la forme.

1. Le texte débute par un récit intitulé « La descente de police » (p. 87-92). Un anthropologue dépaysé se heurte au silence des villageois qu'il était venu étudier. Cette situation pénible dure jusqu'à l'intervention d'un épisode : un combat de coqs a lieu, qui n'aboutit pas à son terme à cause d'une descente

de police. L'anthropologue se trouve mêlé à l'événement de façon plutôt absurde. D'avoir dû « perdre le nord avec les Balinais », il se trouve soudain reconnu par ceux-ci, qui plaisantent son comportement en narrant une aventure qu'il doit lui-même aussi raconter autour d'une tasse de thé. « Nous étions *in* », conclut le narrateur. Moralité : des rapports sont établis qui mettent l'anthropologue « en présence d'un composé de débordement affectif, de guerre des conditions sociales et de drame philosophique, d'une importance cardinale pour la société dont j'aspirais à comprendre la nature intérieure ».

2. Avec le deuxième chapitre, « Des coqs et des hommes » (p. 92-104), on entre dans la monographie. Sont mis en place : l'état de la question (on a tout étudié à Bali, sauf les combats de coqs), le principe interprétatif (Bali « fait surface » dans une arène de combat), la thèse de l'article et le problème qu'elle élabore (le réel, c'est les hommes derrière l'apparence, les coqs). Sont indiqués encore le point de vue dont dépendra la construction de l'objet, ainsi qu'une méthode d'analyse (les combats de coqs ne sont pas à traiter comme un objet habituel qui serait pré-découpé empiriquement, ils sont le « signe » d'autre chose).

Ensuite on avance des arguments empiriques pour la thèse centrale et pour l'idée que, comme signe, le CC est donc un objet problématique. Puis sont fournis les documents centraux, soit une première description détaillée du combat qui servira de base à tout ce qui suit. La thèse est enfin reformulée plusieurs fois (le CC est un type d'entité sociologique situationnelle et culturelle, une affirmation publique de la « parenté » entre un « divertissement sanglant » et les « émotions de la vie collective »). Le chapitre s'achève par la déclaration d'un programme : pour mettre à découvert cette parenté, il convient d'enquêter sur le « pivot » du jeu, à savoir ses propriétés en tant que « jeu d'argent ».

3. Dans « Paris cotés, paris à égalité » (p. 104-117) la structure du jeu d'argent analysée en détail débouche sur une typologie, et on décrit deux types de paris révélant une asymétrie formelle à expliquer. Une logique (un calcul des risques économiques) permet d'établir une loi (« plus l'enjeu du pari de type 1 est élevé, plus la partie sera égale ») et d'en tirer deux conséquences : il n'y a pas d'incompatibilité entre les types ; par sa forme, le type 1 « fait le jeu », c'est-à-dire produit de

l'intérêt. Des observations confirment que les Balinais conçoivent le combat de façon conforme à cette logique pour créer un « jeu profond » (*deep play*), générateur formel de jeux intenses. Mais, au-delà de ce premier niveau économique d'explication, de type formel, un nouveau programme est engagé au niveau psycho-sociologique, de type fonctionnel, pour expliquer comment le jeu est lié avec la société balinaise tout entière.

4. Avec « Jouer avec le feu » (p. 117-131), c'est la logique du « gros jeu » qui est évaluée (avec Bentham) comme irrationnelle et immorale, car « plus on perd, plus on perd, et plus on gagne, moins on gagne ». Son enjeu est donc plus symbolique que matériel, le jeu ne modifiant en rien les rangs sociaux réels : c'est la position sociale plus que le gain qui est en cause. Des descriptions montrent que le CC est une représentation de tensions sociales, un « bain de sang pour le rang social », et que, si son intensité vient de l'argent engagé, le prestige en est la force motrice. Ce que l'on démontre longuement avec un exemple, suivi d'une reformulation de la thèse, puis d'une liste de faits en dix-sept points pour étayer la thèse qu'on résume sous la forme d'un « paradigme formel » réexposant la structure logique du jeu : les coqs du combat sont, pour les Balinais, « l'archétype de la vertu et du rang ». Désormais, la thèse de l'article a pris une forme susceptible d'être traitée sous l'angle d'un principe interprétatif issu d'une théorie et justifiant une analyse.

5. Le premier mot du chapitre suivant (p. 131-139), « Plumes, sang, foule, argent », est « La poésie ». En une analogie avec les « formes artistiques » dans laquelle prolifèrent des termes appartenant au champ sémantique du symbolique, la thèse sur le CC est une fois encore reformulée : c'est une figure culturelle qui se détache sur fond social, qui suscite de l'inquiétude et qui unit haine animale, image du moi et modèle de tensions entre rangs sociaux. L'explication ne peut être causale, car il ne s'agit pas d'effets matériels, mais d'une fonction au plan symbolique. On expose ensuite des faits tirés du vécu du temps balinais. Conclusion : comme toute forme artistique qui agit en dérangeant les contextes signifiants habituels, le CC rend possible un « transfert » permettant un « jugement ». Son importance pour ses agents ne dépend donc pas d'une fonction triviale de conservation de la division sociale des rangs, mais du

fait que le CC apporte un « commentaire métasocial » doté d'une fonction interprétative : « c'est une lecture balinaise de l'expérience balinaise, une histoire que les Balinais se racontent à eux-mêmes ».

6. Le dernier chapitre, intitulé « Dire quelque chose de quelque chose », forme la conclusion théorique des *Notes* (p. 139-146). Geertz y pose la question plus générale de savoir ce qu'on gagne à passer de la conception d'une « mécanique » à celle d'une « sémantique » sociale : « Qu'apprend-on de ces principes [sociologiques] en examinant la culture comme un appareillage de textes ? » A saisir des « facettes » du CC, car il n'existe pas de texte des textes qui contiendrait tous les autres : user de l'émotion à des fins cognitives, réfléchir sur sa propre violence, jouer un jeu qui crée un événement exemplaire, « qui dit non pas ce qui arrive, mais ce qui arriverait si ce n'était pas un jeu », voir avec le corps une dimension de la subjectivité, former et tout à la fois découvrir l'état d'esprit de sa société. Dans les deux derniers paragraphes s'esquisse une conclusion méthodologique : ces textes, il faut les « lire par-dessus l'épaule » de leurs lecteurs habituels et il y a plusieurs manières de les lire ; si l'on postule qu'ils sont porteurs de « messages » pour leurs consommateurs et que ce postulat permet à l'anthropologue d'approcher leur « substance » (sociale), il reste encore à celui-ci, comme problème, à « apprendre comment y accéder ».

L'idée d'« anthropologie interprétative »

Qu'en est-il alors de l'idée d'interprétation ? Ce qui précède me semble indiquer que cette idée intervient, avec un contenu différent, à plusieurs niveaux de l'enquête. J'en distinguerai trois.

1. L'objet de l'enquête est évidemment conçu comme étant de nature interprétative ; l'interprétation le constitue comme tel, puisqu'il est construit comme du texte que les Balinais qui le pratiquent déchiffrent et font fonctionner dans leur expérience sociale.

2. Il est clair de même que le rapport de l'anthropologue avec cet objet est lui aussi de nature interprétative, car faire d'un

événement culturel un objet textuel implique qu'on sait le lire pour pouvoir en parler, le rapporter à son propos. Mais, dit Geertz, le « lire par-dessus l'épaule, [...] comme dans les exercices de lecture approfondie [où] on peut choisir n'importe quel point de départ » (p. 146). L'anthropologue ne lit donc pas les textes qui sont ses objets comme les lisent ceux qui en sont les sujets — bien qu'il en soit aussi un sujet d'une certaine façon — du lieu auquel il assume la nature sémiotique de son objet.

3. Geertz rapporte enfin un fait anthropologique général : « Les sociétés, comme les vies, contiennent leur propre interprétation » (p. 146) ; pour lui, ce fait, qui est empiriquement vrai des Balinais, est vrai également de notre propre société, de façon réflexive. Il appartient donc à notre société et à son auto-interprétation en tant que culture (notamment dans la tradition des disciplines anthropologiques) de vouloir connaître comment, en fait, les sociétés s'interprètent elles-mêmes. Dans le détour objectivant de la connaissance empirique, l'interprétation de notre culture passe par une nécessaire décentration[6].

C'est pourquoi je soutiendrai qu'il n'est pas immédiat, comme on le croit souvent, d'inférer, du fait que l'objet de l'enquête soit de nature interprétative, que l'enquête elle-même qui le traite doive l'être au même titre ou de la même façon. Pour dire les choses rapidement, l'ethnologue ne pratique pas le combat de coqs comme le font les Balinais, car il ne joue pas, ne parie pas, mais écrit là-dessus. On ne peut, sans être taxé de naïveté épistémologique, confondre le type d'interprétation que les villageois pratiquent en jouant au combat de coqs avec leur argent, leur corps et leurs émotions avec celle que développe l'anthropologue en rendant compte de l'intérêt du jeu par le fait qu'il s'agit d'un processus interprétatif. L'explication n'est ni plus ni moins interprétative que la plupart de nos explications théoriques quand elles ne sont pas simplement prédictives et s'accompagnent d'un projet de compréhension.

L'anthropologie interprétative a donc, comme tout projet de

---

6. C'est ici que le récit initial peut être lu de façon non triviale, comme un indice de la dimension réflexive de l'interprétation. Car Geertz informe l'aventure arrivée à cette micro-société blanche constituée de « ma femme et moi » au moyen de la catégorie même avec laquelle il lit le combat de coqs (une « histoire »), cette catégorie apparaissant encore dans le récit même comme informant le rapport qui s'établit entre l'ethnographe et les villageois (se raconter des histoires).

science, une vocation d'explication. Dans ses *Notes,* Geertz se réfère à Ricœur pour étayer sa conception du CC comme texte. Or on sait que ce dernier voit dans l'explication structurale le type même de l'outil doté du pouvoir objectivant exigé par une enquête scientifique et propre à penser les objets d'espèce sémiotique. Sa thèse (Ricœur, 1986, p. 87, 145 sqq.) est qu'on ne peut en rester à l'antinomie entre expliquer et comprendre en supposant qu'il y a deux ordres de réalité, la nature et l'esprit. Il s'agit de faire sortir le problème de tout cadre psychologiste, l'exigence scientifique elle-même allant, comme son histoire en témoigne, dans le sens d'une dépsychologisation toujours plus poussée. Tout type d'explication intervient comme une étape nécessaire entre une interprétation naïve et une interprétation critique des choses du monde, et l'explication structurale joue à cet égard un rôle analogue en traitant le texte comme texte, c'est-à-dire sans monde ni auteur et possédant ses lois, bien que non causales. On peut bien parler d'interprétation, mais la notion n'a rien à voir avec le « comprendre » subjectif trivial (l'idée un peu mystique de transfert dans une vie psychique autre). Les procédures explicatives sont homogènes d'une science à l'autre, en tant qu'analytiques, systématiques et méthodiques. Ce qu'il peut y avoir de spécifique aux diverses disciplines vient de la façon dont elles construisent leurs domaines d'objets à partir d'une relation au réel qui peut varier selon qu'on s'intéresse à la dérive des continents ou à ce que font les gens quand ils racontent une histoire. De même Lévi-Strauss, qui considère que tout fait de culture appartient à l'ordre des significations, précisera bien que, si le propre d'un système de signes, c'est d'être traductible dans un autre, on ne peut identifier ce processus à la production, par un texte, d'un message à interpréter, à moins, ajoute-t-il, de faire de l'interprétation la traduction elle-même (Lévi-Strauss, 1973, p. 21 sqq.).

C'est ce type d'explication qu'utilise Geertz pour le combat de coqs [7], et il s'exprime ailleurs (1973b, p. 19-27) sur les

---

7. Lorsque Geertz (1973b), p. 345-359, prend ses distances à l'égard de Lévi-Strauss, ce n'est pas tant de la méthode structurale qu'il discute que de l'intellectualisme du projet, qui tient plus pour lui du travail de bibliothèque que du travail de terrain et qui, de ce fait, privilégie les aspects logiques des objets culturels aux dépens des interactions dialogiques et de l'affectivité.

aspects interprétatifs de cette procédure. Retenons trois points.

Le rapport de la discipline à son objet, tout d'abord, est un rapport complexe et problématique, car il s'agit d'exposer la signification particulière que revêt pour ses agents un ensemble d'actions et d'« inscrire » dans des termes recyclables (*perusable*) ce que ce savoir démontre non seulement à propos de la société qui en est le contexte, mais également sur la vie sociale en général ; dans les termes, donc, de la communauté savante et non pas dans ceux des agents. « *Small facts speak to large issues.* » D'où une inévitable tension dans l'acte de saisir des discours autres au moyen de dispositifs « routiniers », tension qui s'accentue avec le développement théorique, et une incomplétude foncière du savoir scientifique qui s'approfondit plutôt qu'il n'accumule des cas sous des lois (p. 5-30).

Qui dit approfondissement [8], d'autre part, dit niveaux dans l'élaboration d'une *thick description,* ce terme servant à distinguer un tel projet explicatif de la façon habituelle de concevoir l'explication comme nomologique. Geertz le pratique dans le texte des *Notes,* qui en est une mise en scène :

— Niveau de l'observation. Comme pour la plupart des anthropologues, on sait peu de chose sur cette étape : elle est déjà interprétative, parce que de la théorie s'y injecte, mais quelle observation ne le serait pas ? En étant mêlé à ce qui fait sens pour un agent sur le terrain, il s'agit de construire l'interprétation donnée par les Balinais comme un observable pour l'enquête, qui n'est certes pas une donnée d'emblée objective qu'il suffirait de « contempler ». Le perçu ou l'agi, qui met déjà en jeu des anticipations et situe l'actuel dans un réseau de possibles, doit pouvoir être représenté.

— Niveau de la description. A ce niveau il faut formuler, dans le langage de la discipline et pour des usages qui sortent en partie du terrain de l'observable (les inscriptions peuvent être reconsultées, utilisées à d'autres fins), le fait que ce qui est perçu et pratiqué comme sémiotique (c'est-à-dire du texte) dans l'observation sur le terrain, est cette fois construit comme « symptôme », selon Geertz, d'éléments conceptuels prenant

---

8. « *A science whose progress is marked less by a perfection of consensus than by a refinement of debate* » (p. 29).

place dans un cadre d'intelligibilité théorique. Dans une conception diagnostique de l'inférence, la description entre comme base de construction pour servir d'étai à un raisonnement dit « clinique » et non comme la formule d'un cas tombant sous des lois générales.

— Niveau de l'explication. Là sont reconstruites les constructions symboliques décrites, en « rendant de façon explicite et technique » des structures conceptuelles complexes, irrégulières, intriquées, non explicites[9].

Concernant la valeur de l'explication structurale enfin, Geertz soutiendra qu'elle ne peut se mesurer à sa seule cohérence formelle interne, à sa seule logique, car les structures ne sont pas des choses ; la culture ne se trouve pas dans la tête des gens, ni n'est identique aux systèmes empiriques d'actions. L'explication doit être encore fonctionnelle : les structures signifient socialement parce qu'elles agissent en contexte et ne peuvent donc tenir leur intelligibilité de la seule reconstruction du savant, sous peine de n'être qu'un artifice, une fiction. Le rapport à l'événement du terrain (« poussière et panique ») qui est à son origine doit donc s'inscrire en elle, dans le contexte explicité d'une « forme de vie ».

Dans une telle optique, la théorie est donc toujours en construction. Elle n'a pas d'applications au sens technique du terme ; mais elle resterait vide sans application : sans ancrage dans un concret, on séparerait l'explication de son objectif même, à savoir « *the informal logic of actual life* » (p. 17). Et si l'on peut voir dans l'inférence diagnostique (non déductive) qui génère l'explication le signe du caractère interprétatif de l'anthropologie, on voit aussi que celui-ci ne lui est pas propre parmi les disciplines scientifiques. D'ailleurs, d'après Aristote que cite aussi Geertz, tout événement transformé en langage est *ipso facto* interprété ; la distinction rabâchée entre explication et interprétation (qui différencierait les sciences humaines des autres) n'est de ce fait pas soutenable : elle est toujours relative, en se distribuant diversement selon les disciplines et selon les niveaux d'une enquête (p. 26-27).

---

9. « *A stratified hierarchy of meaningful structures in terms of (...) cultural categories (...) a sort of piled-up structures of inference and implication* » (p. 7).

« *Analysis is then sorting out the structures of signification and determining their social ground and import* » (p. 10). Voilà ce que peut vouloir dire « lire par-dessus l'épaule ».

Relevons cependant que Ricœur est plus explicite et plus prudent que Geertz à propos du concept de texte et des usages théoriques qu'on en peut faire. Pour lui, la théorie du texte est un paradigme pour traiter de l'action sensée et de l'histoire; mais si, dit-il, « l'action est un bon référent pour toute une catégorie de textes », ce serait cependant « une analogie risquée » que de faire de l'action non verbale, voire de toute activité, un texte (p. 175). Ricœur est par ailleurs sans équivoque sur le sens du mot « texte » : « tout discours fixé par l'écriture (...), ce qui vient à l'écriture, c'est le discours en tant qu'intention de dire » (p. 137). Qu'en jouant au combat de coqs les Balinais tiennent par leurs actes un discours sensé (notons par exemple le soin, que Geertz détaille, avec lequel ils attachent leurs ergots aux combattants) et, qui plus est, un discours adressé, est déjà une hypothèse empirique; que ce discours s'écrive ne tient par contre plus de l'hypothèse externe, mais d'un postulat interne à un modèle du chercheur.

Tirons encore une autre implication de cette précision de Ricœur. Geertz rend compte avec beaucoup d'attention de la fonctionalité du combat de coqs comme dispositif d'auto-interprétation pour les Balinais; c'est un régulateur social pour certaines pulsions violentes liées à l'aspect fortement hiérarchisé de cette société. Mais il relate ensuite, en une note insérée (p. 144-145), un épisode sanglant de l'histoire balinaise récente, séquelle de la décolonisation, où des factions balinaises se sont massacrées entre elles (de quarante à quatre-vingt mille tués). Geertz voit dans cet épisode une preuve que le combat de coqs dit quelque chose d'utile à la société balinaise en mettant en scène, en « jouant » symboliquement et en lui permettant de le contenir, un risque qu'elle court par sa propre constitution. Mais peut-on y voir un texte, donc un événement culturel ? L'auteur n'en dit rien. On voit que la frontière entre ce qui est culturel et ce qui ne l'est pas dépendra du modèle qu'on aura adopté; ici encore, il s'agit d'un objet construit : les cultures n'existent pas telles quelles dans la nature.

2. Les descriptions du combat de coqs

En tant que sémiologue du discours scientifique, c'est bien évidemment du texte qu'on se trouve amené à lire. Cependant, le texte de Geertz, de même que le « texte » qu'il prend pour objet d'étude, sont bien là pour montrer, parce qu'ils sont difficiles à lire par-dessus l'épaule, que le tout de la schématisation qu'un texte donne à lire n'est pas reçu dans la langue seulement.

Je me suis efforcée de situer les descriptions de Geertz dans un type de contexte et dans un type de recherche en une démarche qui procède de l'extérieur vers l'intérieur du texte. Il s'agissait de pouvoir identifier un objet qui se présente de manière hétérogène à première vue. Il me reste à fournir quelques indications sur la place, l'étendue et les fonctions occupées par les différents passages descriptifs du texte. Je m'occuperai ensuite de la forme de certains d'entre eux de façon plus détaillée.

Place, étendue et fonctions des descriptions

Dans le discours des *Notes,* la référence descriptive au terrain balinais, qui occupe plus du tiers du texte entier, est de loin la plus fréquente.

Cependant, on observe que les descriptions concernant ce terrain diminuent en quantité et en étendue à mesure que l'on progresse dans la lecture. Elles ont tendance à se présenter en blocs assez longs au début, comportant jusqu'à dix pages pour la plus longue et la plus détaillée du chapitre II ; les blocs sont plus courts et plus dispersés dès le chapitre V ; quasi inexistantes dans le dernier chapitre, les descriptions y sont souvent réduites à un seul énoncé. La teneur théorique du discours s'accroît donc en proportion, conformément au paradigme de la *thick description,* qui, d'une part, raisonne de façon diagnostique sur ses données et non de façon déductive à partir de lois, et qui, d'autre part, procède à un approfondissement progressif de ces mêmes données sans chercher en soi la prévision.

Quant aux fonctions remplies par ces descriptions, elles se définissent dans la double stratégie que développe ce genre de discours ; l'une guide la résolution d'un problème d'explication dont nous avons vu qu'il a ses exigences propres ; l'autre gère un problème de communication, celui de l'adresse à un public qui n'est pas formé que de spécialistes. Ces fonctions vont donc être diverses et, de plus, rarement univoques pour une description donnée.

On peut en distinguer de trois types : 1) Une fonction de « base de données » permet l'objectivation d'un phénomène sous l'angle d'une construction cognitive, mais aussi sa problématisation dans l'optique d'une recherche. Lorsqu'on voit décrit un « petit coq très fier, plein d'assurance, le cou tendu, le dos rond, la queue en l'air » (p. 94), on a simultanément la présentation d'un aspect du combat de coqs et du problème qu'il pose, celui d'être une « métaphore » de Bali. 2) Une fonction d'« étai » ou de légitimation dans une argumentation intervient dans la justification d'une thèse ou d'une interprétation. Le même exemple soutient encore l'énoncé d'une généralité (« on compare tout aux combats de coqs », p. 94) qui soutient une interprétation théorique (« les coqs sont des symboles masculins par excellence », p. 93). 3) Enfin, une fonction d'« illustration » dans un exposé à but didactique contribue à former chez le lecteur une représentation typique ou exemplaire du terrain (p. 93, « on voit dans les coqs des pénis détachables et qui marchent tout seuls » ; l'auteur se sert ici d'une référence empruntée).

Ces exemples suggèrent une intrication de ces fonctions, entre lesquelles on peut cependant discerner des différences de poids ou des tendances, plus marquées selon les fragments. On va voir qu'à cette intrication correspond en général une certaine complexité de la forme des descriptions.

Formes des descriptions

Pour aborder la question de la forme des descriptions, centre de mon propos, il me faut commencer par fournir quelques exemplaires des descriptions apparaissant dans le texte de Geertz, afin que le lecteur puisse se faire une idée des données et des problèmes auxquels j'ai affaire. Je décrirai ensuite les concepts qui me permettront de traiter de leur forme comme d'un objet théorique appartenant au domaine de la logique naturelle des schématisations discursives.

1. Entre les murs élevés, dans les cours bien closes où vivent les gens, on garde les coqs de combat dans les cages d'osier que l'on déplace fréquemment pour assurer constamment le meilleur mélange d'ombre et de soleil. On fait à l'oiseau un régime spécial, qui varie quelque peu selon les théories individuelles, mais qui consiste principalement en maïs, tamisé pour ôter les impuretés avec beaucoup plus de soin que s'il était destiné au repas des simples humains, et offert grain par grain. On lui fourre du poivre dans le bec et dans l'anus pour lui donner de l'ardeur. On le trempe dans le même bain cérémonial tiède, d'herbes médicinales, de fleurs et d'oignons que l'on apprête pour les enfants et, quand il s'agit d'un coq de premier ordre, on l'y baigne aussi souvent qu'eux. On lui écourte la crête, on lui coiffe le plumage, etc. (p. 95).

2. Les paris du pourtour, c'est une tout autre affaire. Ce n'est plus comme au centre, le pacte conclu en gravité dans les formes légales ; c'est plutôt comme la bourse, dans son activité coulissière. Il existe pour les cotes un paradigme fixe et connu, une série continue qui va de la faible cote, neuf contre dix, à la forte, deux contre un : 10-9, 9-8, 8-7, 7-6, 6-5, 5-4, 4-3, 3-2, 2-1. Un homme veut jouer le non-favori (pour le moment, ne parlons pas de la manière dont on établit lequel est le favori, *kebut,* et lequel est le non-favori, *ngai*). Il crie le chiffre plutôt dans les faibles, indiquant la cote qu'il veut qu'on lui donne. S'il crie « *Gasal* », « Cinq », il veut que le non-favori soit à cinq contre quatre (ou, pour lui, à quatre contre cinq) ; s'il crie « Quatre », il le veut à quatre contre trois), s'il crie « Neuf », il le veut à neuf contre huit, et ainsi de suite. Un homme qui joue le favori, et qui envisage donc de parier à cote plutôt faible, le fait savoir en criant « Brun », « Tacheté », ou toute autre couleur caractéristique du coq (p. 107).

3. En pratique, un homme ne parie jamais contre un coq dont le possesseur est un membre de sa parenté consanguine. Ordinairement, il se sentira obligé de parier en sa faveur, ce d'autant plus que le lien de parenté est plus serré et que le combat est plus sérieux. Si, à part lui, il est certain que le coq ne gagnera pas, il peut ne point parier du tout, particulièrement si le volatile appartient à un cousin au second degré, ou s'il s'agit d'un combat ordinaire. Mais, en règle générale, il se sentira tenu de donner son soutien au combattant ; et, quand il s'agit d'un jeu sérieux, il le fait toujours. De la sorte, dans leur plus grande

majorité, ces gens qui font spectacle en criant « Cinq » ou « Tacheté » sont en train d'exprimer leur fidélité à un parent (p. 124).

Ces échantillons sont cités selon leur ordre d'apparition dans le texte. Ce sont de courts extraits des trois blocs descriptifs les plus importants dont la fonction dominante est de fournir une base empirique à la procédure explicative.

En premier examen, notons une évidente complexité syntaxique dans leur formulation, ainsi qu'une différence de niveau d'abstraction entre 1 et le groupe 2 et 3 ; bien des aspects du CC sélectionnés dans 1 disparaissent des deux autres descriptions sous l'effet d'un principe de pertinence lié à l'avancement de la problématique. Signalons aussi une variation de point de vue entre les trois descriptions pour les mêmes raisons. Elles ne « configurent » ou n'idéalisent pas le même objet, bien qu'il s'agisse toujours de la même chose sous des angles différents. Car 1 décrit le CC comme un réglage un peu maniaque d'activités quotidiennes microscopiques et au jour le jour ; 2 le fait voir sous l'angle logique d'un jeu d'argent à deux stratégies asymétriques, et 3 sous l'aspect d'un rapport compliqué entre deux dimensions de la vie sociale, l'économie et l'alliance. Enfin, toutes trois sont introduites comme objectives, c'est-à-dire comme des faits. Notons par ailleurs qu'aucune de ces descriptions n'est celle d'une singularité, car même dans 1, la moins abstraite d'entre elles, les soins que l'on donne aux coqs sont des soins-exemples tirés d'un ensemble de soins possibles, empiriquement équivalents. Geertz fera allusion en cours de texte à ses « données statistiques ». C'est dire que la description la plus mimétique de toutes, la plus exemplaire, est déjà générale.

Types de formulation (langage), intention d'objectivité (référence), degrés de généralité (quantification) et d'abstraction (sélection), styles et « grilles » de configuration (représentation) sont autant de paramètres intuitifs qui me paraissent pouvoir servir à caractériser une description dans sa forme, compte tenu des fonctions qu'elle a à remplir. La variété même avec laquelle ces paramètres sont réalisés selon les paradigmes historiques, les contextes discursifs et leurs exigences disciplinaires, les problèmes qu'on y pose et les procédures de leur développement, enfin les fonctions que peut y remplir un type de discours comme la description, sans parler des déterminations qui lui viennent des matières traitées, laisse entendre qu'une réflexion sur des formes échappe en partie au domaine couvert habituellement par la logique formelle au sens classique.

La notion de « schématisation », objet d'une « logique naturelle » des opérations de discours, va me permettre d'organiser ces propriétés et de leur donner un sens théorique. Grize la définit ainsi (1982, p. 172) : « Si, dans une situation donnée, un locuteur A adresse un discours à un locuteur virtuel B [dans une langue naturelle], je dirai que A propose une "schématisation" à B, qu'il construit un micro-univers devant B, univers qui se veut vraisemblable pour B. » Par sa forme, le terme lui-même renvoie à deux idées : celle d'« un ensemble d'activités logico-discursives » de construction de « micro-mondes », et celle d'un résultat, d'« un schéma analysable en tant que tel ».

D'un point de vue heuristique, la notion de schématisation permet d'articuler certains aspects du problème de l'activité discursive dans une perspective utile à l'étude empirique de la formation des objets de connaissance.

1. L'idée de « micro-monde discursif » et celle d'« opérations » qui l'engendrent permettent de rendre compte de la part construite ou idéalisée d'une connaissance, quel que soit son degré d'abstraction ou son type d'organisation. Chacun s'accorde à reconnaître aujourd'hui que la connaissance ne copie pas le réel, mais qu'elle le modèle d'une certaine façon, mais l'idée de schématisation est une notion plus souple que celle de « modèle », si techniquement liée à la logique mathématique qu'elle ne pourrait que perdre de sa précision théorique si on l'utilisait pour décrire, en général, les ontologies « fabriquées » dans les discours peu ou pas formalisés.

2. Une schématisation est toujours produite dans une langue. De ce fait, on peut considérer la formalisation ou la modélisation au sens exact du terme comme un cas particulier de schématisation différencié par son usage de langues artificielles et d'opérations entièrement explicites, et par conséquent traiter comme appartenant au même genre des niveaux ou des types différents d'idéalisation des savoirs, allant des plus quotidiens, véhiculés dans les langues les plus naturelles, jusqu'aux

plus sophistiqués. On évite, ce faisant, une conception positiviste du progrès de la science qui pousse à prendre les logiciens pour des extra-terrestres et les petits enfants, les Balinais, voire Aristote, pour des êtres amoindris quant à l'esprit.

3. Une schématisation est toujours adressée et développée en situation. C'est une façon de dire que celui à qui elle s'adresse participe à sa construction. Cette participation peut avoir lieu soit sous la forme d'une anticipation de la part de celui qui construit (A) en accommodant sa construction à la situation de communication, soit sous la forme d'une lecture du micro-monde construit par celui qui le reçoit (B), lecture qui consiste en sa reconstruction au moyen d'opérations elles aussi schématisantes, mais qui ne sont pas nécessairement symétriques de la construction (Grize parle de communication en termes de « résonance » plutôt que de transmission d'informations). Et tout producteur peut être lecteur, et vice-versa. On peut noter que sur ce point une formalisation diffère d'une schématisation dans la mesure où la première est produite de façon à garantir que les opérations de sa reproduction (pour tout lecteur) soient exactement superposables à celle de sa production (pour tout producteur), ce qui est une façon de définir l'objectivité d'une procédure ; on dira alors qu'elle est « sans sujet ». Cette situation n'est évidemment jamais réalisée dans un discours en langue naturelle, dont le « dialogisme » constitutif impose qu'on ne peut dire « il » sans en appeler à « je » et à « tu », ni utiliser un signe naturel de façon uniquement « volontariste », c'est-à-dire sans renvoyer immédiatement à toute une mémoire collective, diversement partagée, de significations culturelles préconstruites et de formes sédimentées par l'histoire.

4. Enfin, tout en considérant la construction des micro-mondes discursifs comme inséparable d'un processus de communication, la notion de schématisation présente l'intérêt de mettre l'accent sur la fonction représentative ou symbolique du langage, plutôt que sur sa fonction de communication. La question centrale qu'elle permet de poser est la suivante : comment objective-t-on ce qu'on pense en en parlant, compte tenu de ce que parler veut dire ? Cette question n'est pas triviale dans la conjoncture actuelle en logique naturelle (Blair, Johnson, 1982) ; on constate en effet que cette dimension du langage est souvent prise pour secondaire dans les débats sur l'argumenta-

tion scientifique, l'accent portant davantage sur les aspects interactionnel d'une discussion rationnelle dans laquelle on « échange » des « actes de langage » (des positions) plutôt qu'on ne co-opère à la construction d'un univers de discours censé représenter et organiser le « donné » d'une expérience dans la distance symbolique.

Ces propriétés de la schématisation permettent d'éviter d'opposer d'emblée et de façon extérieure ou normative un discours « scientifique », qui serait formalisé, à un discours « littéraire » qui ne le serait pas. Elles suggèrent de façon plus neutre qu'un savoir qui n'est pas formalisé est non seulement schématisé, mais qu'il peut l'être de diverses façons sans sortir du domaine des savoirs exprimés. Un savoir formalisé est essentiellement lié à un certain type de langage. Un savoir schématisé aussi. Ce qui les différencie, c'est que pour le premier le langage sert au calcul (à l'expression du concept et du raisonnement précis) et non à la parole ; il n'est pas en principe adressé. Adressé, un langage naturel peut pourtant être spécialisé.

En anthropologie, les textes ne sont en général pas formalisés et les langages utilisés ne sont pas très différents des langages utilisés dans les discours quotidiens. Mais, même là, on constate que les langages varient selon les différentes sphères de l'activité et peuvent leur être très spécifiques. A fortiori chez Geertz, qui déclare exposer une situation de theory building dans laquelle la tâche « is not [...] to generalize across cases but to generalize within them » (1973, p. 26). Mais à quoi tient alors une certaine spécificité du discours scientifique quand il n'est pas formalisé sans qu'on puisse pour autant le dire « ordinaire » ? Les deux distinctions qui suivent répondent en partie à cette question et me permettront d'esquisser une façon de lire les descriptions d'un texte anthropologique.

1. Il existe à mon avis deux tendances internes à tout projet de science, dont les discours scientifiques témoignent empiriquement dans leur intention et qui, dans notre histoire, sont inséparables de l'effort de compréhension objective de ce que les choses sont. Même lorsqu'on tente de « vendre » une technologie, on ne sous-entend pas seulement qu'elle « sert » à quelqu'un, mais encore qu'elle « marche », qu'elle opère sur le réel. Même si en physique quantique on est de plus en plus

conscient de la part du « sujet » dans ce qui peut être construit comme connu, c'est toujours du réel physique qu'il est question et non de psychologie ou de linguistique. De même, en psychologie ou en linguistique, ce ne sont pas en général les opérations du savant qui sont l'objet de ces sciences, même quand elles y font l'objet d'une réflexion méthodologique.

1.1. Une tendance à l'« idéographie ». Par ce terme, je veux désigner une tendance à forger et à user de langages plus fonctionnels pour le traitement des concepts et du raisonnement que pour la communication. Cette tendance se manifeste même lorsqu'on schématise un savoir dans une langue naturelle, et elle peut apparaître à divers niveaux dans la formulation du discours [10]. Tout projet de science suppose un travail sur nos langues d'usage propre à distinguer, dans la connaissance de l'objet, entre ce qui provient de nos opérations cognitives que nous pouvons contrôler discursivement (nos termes, nos concepts, nos procédures d'inférence), ce qui vient des propriétés des choses (nos étonnements, nos échecs à instrumenter) et ce que nous représente notre intuition (la prégnance de nos préconceptions).

Ma première hypothèse est que, dans un discours scientifique, la description comme formulation dans un langage témoigne d'un premier niveau d'activité sur le langage naturel. En principe « idiographique » (non close, concrète, mimétique, visant la singularité plutôt que la généralité théorique), elle est déjà le lieu de la transformation sémiotique de l'intuition d'une chose d'expérience en la schématisation « idéographique » d'un objet de discours scientifique, nécessairement abstrait et idéalisé. Aussi complexe soit-elle dans sa syntaxe et sa sémantique, on verra chez Geertz qu'une description n'est jamais unique et que la mise en série de plus d'une description de la même chose a pour effet de stabiliser des niveaux et des styles différents d'expression dont la fonction sera équivalente à celle de tout langage documentaire. Les sceptiques empiristes anciens appelaient cela une « histoire » — une histoire naturelle.

1.2. Une tendance à la « distinction ». Cette tendance té-

---

10. Même Malinowski, pourtant peu soucieux de formalisme, distinguera soigneusement un mode d'exposé des données et des documents propres à satisfaire aux exigences de contrôle de sa discipline, et le langage public qu'il pratiquera dans ses *Argonautes,* à savoir le récit, plus vivant pour un lecteur non professionnel.

moigne de ce qu'il n'existe de connaissances scientifiques que démarquées des connaissances ordinaires et en rupture avec elles, conçues et exprimées « contre » ces dernières. Tout a commencé avec Parménide. J'utilise donc ce terme au sens de Bourdieu d'une part, de Bachelard de l'autre. Les savoirs scientifiques renvoient, dans leur identification même au plan social et politique, à un cadre de disciplines, de traditions, de professions, de programmes et d'institutions, un cadre de contrôle pour des activités normées. Mais ils renvoient également à un idéal interne de rationalité empirico-logique dont notre histoire atteste de la progressive prise de conscience réflexive.

Ma deuxième hypothèse est que, comme discours, la description est l'une de ces activités réglée socialement et épistémologiquement. Obéissant à certains critères de formulation, ses formes reconnues devront servir à certaines fonctions admises dans un contexte et dans un paradigme. Elles serviront en particulier à inscrire données ou documents dans un discours en vue de la construction, de la justification ou de la transmission d'informations saisies empiriquement.

2. Dans l'optique de ces deux tendances, la tâche disciplinaire de l'anthropologue peut alors être conçue sous deux formes. Comme savant dédié à la recherche de terrain, ce qu'il partage avec les disciplines empiriques en général, il est voué à « rapporter », au double sens d'une expression que j'emprunte à Latour (Latour, 1985) :

— Il a à « faire rapport sur... ». La science empirique construit ses objets, mais elle a aussi à justifier que ces constructions ne sont pas uniquement des artefacts ou des « fictions »[11]. Quelque chose doit donc préexister à l'exposé de l'enquête, c'est-à-dire un terrain et son environnement propre. Et l'exposé doit garantir que les faits qu'il expose sont bien des faits de terrain.

— Il a à « rapporter avec soi ». L'objet que l'anthropologue emporte avec lui, une fois de retour chez soi, ne possède pas la matière du terrain mais celle du symbole : la carte n'est pas le

---

11. En insistant sur le caractère construit (fictionnel) des connaissances (Borutti, 1986), on ne peut cependant négliger de mentionner tous les contrôles qui pèsent sur cette construction dans l'optique à la fois réaliste et critique qui meut l'œuvre de science.

territoire. Cet objet est formé pour être traité dans un programme de recherche, pour prendre place dans d'autres environnements, ceux de la discipline et de ses problèmes, celui de la profession et de ses savoir-faire, ou ceux des discours où il prendra forme et sera communiqué à divers publics.

Il découle de cette distinction deux autres aspects de la description. Troisième hypothèse : une description réfère au terrain tout d'abord, en y détachant certaines entités, événements ou processus qu'elle individualise, en prétendant à la possibilité de les re-décrire, donc à la vérité factuelle et intersubjective de ce qui en est dit. Cet aspect renvoie à la valeur empirique d'une description. Quatrième hypothèse : une description identifie ce à quoi il est fait référence en le schématisant en tant qu'objet, un objet qu'elle dote de certains traits de structure, c'est-à-dire d'une forme qui lui permette de jouer sa partie dans des constructions discursives dont la finalité peut ne pas être descriptive : des inférences, des explications, des argumentations, des récits. Ce trait est directement lié à la fonction représentative du langage.

Résumons ces hypothèses de travail sur la description tirées du postulat d'une spécificité de la schématisation des objets de connaissance dans un discours scientifique en général. Je les énumère dans l'ordre où je vais les traiter.

Postulats. Le discours scientifique témoigne :

1. d'une double tendance : à l'idéographie ; à la distinction.

2. d'une double tâche : devoir faire rapport sur quelque chose (un terrain) ; devoir rapporter quelque chose avec soi (un objet).

Hypothèses.

1. La description est un certain type de « formulation ».

2. Elle prétend « référer » et être « vraie » de quelque chose (une expérience de terrain) et le discours légitime cette prétention.

3. Elle montre ou « représente » la forme d'un certain objet en la schématisant dans un langage. Cette forme, celle d'un objet de connaissance empirique, renvoie simultanément d'une part au terrain dont elle représente des aspects possibles en tant qu'observables, et d'autre part à une saisie et à un traitement possibles de ces observables dans un schème explicatif, argu-

mentatif ou narratif selon des finalités théoriques. Cette forme
(l'objet) peut donc être :
— plus ou moins « abstraite » (résultat d'un processus de
sélection) ;
— différemment « configurée » (résultat d'un processus de
représentation).

Il reste à voir si et comment le texte des *Notes* témoigne de
l'existence de ces quatre propriétés postulées appartenir à la
description. Peut-on y découvrir, compte tenu d'une conjoncture historique attestant de sa visée scientifique, des types de
formulations, des procédures données comme autorisées notamment à référer et à prétendre au vrai, ainsi que des manières
d'informer un objet symbolique ? Je me limiterai dans ce qui
suit à quelques illustrations concernant ces points, plus propres
à faire voir quelques moments méthodologiques de ma propre
lecture qu'à rendre justice à la richesse et à la complexité
textuelle des *Notes* de Geertz.

Les descriptions sont des formulations

Comme formulations, les descriptions sont identifiables à
certains indices linguistiques plus ou moins apparents en surface. Ceux dont je me sers relèvent de l'énonciation et de la
connexion, mais il y en a d'autres. En l'absence de marques
explicites, c'est le contexte des procédures explicatives ou
argumentatives où la description a ses fonctions et le contraste
avec les marques signalant ces procédures qui permet le repérage.

1. La présence d'une description peut s'indiquer par des
marques métadiscursives d'introduction ou de passage à la
description. Dans notre texte, elles sont assez peu fréquentes et,
en leur absence, ce sont des changements de registre énonciatif
qui font repérer un changement de rôle du sujet énonciateur. En
voici quelques échantillons : « J'ai des données exactes et dignes
de foi », « j'ai observé », « j'ai noté », « le fait est que »,
« l'évidence est que », « vous apercevez », « on ne saurait trop
insister sur », « j'ai vu », « on n'a jamais contesté ce fait »,
« mes données statistiques », « les faits suivants », « les Balinais
avec qui j'ai pu discuter » (rare). Ces expressions informent par

ailleurs sur la façon dont Geertz rend compte de la prise de données : *voir, observer* et *noter,* recevoir de l'information de la part d'autrui, obtenir des *données statistiques,* des données *fiables,* des *faits,* etc.

2. On peut observer, dès le chapitre II, que l'énonciateur s'efface assez régulièrement des descriptions et que le sujet de l'énoncé est soit un nom commun, soit un pronom de la troisième personne : « Les Balinais », « on » (fréquent), « l'un d'eux », « les passionnés », « les coqs »... Certaines marques de temps et de mode internes aux descriptions contrastent avec d'autres usages de ces marques. Par exemple, le temps est régulièrement le présent, même quand on rapporte une succession d'actions : « On lui écourte la crête, on lui coiffe le plumage, on lui taille les ergots, on lui masse les pattes... » ; et les modalités sont *de re,* c'est-à-dire attribuées aux processus ou aux agents représentés dans l'énoncé : « Après ce temps de répit, il faut remettre sur ses pattes le coq qui a flanqué le coup », « Au moment où il est bien obligé de le remettre par terre, s'il crie "*Gazal*", "Cinq", il veut que le non-favori soit à cinq contre quatre »... En outre, les descriptions qui sont les plus techniquement ethnographiques — celles des chapitres II et III — sont truffées de nombreux quantificateurs : « les Balinais, en tout cas dans leur grande majorité », « ils sont une bonne moitié », « de temps en temps », « pour la plupart », « presque toujours », « selon les cas », « il est arrivé, dit-on »... Ces propriétés des descriptions ont pour effet de placer l'énonciateur dans une position de témoin à distance de ce qu'il décrit et de situer ses formulations à un certain niveau de généralité : le Balinais n'est pratiquement nulle part un individu déterminé, et un événement ou une action est rapporté pour renvoyer à la classe à laquelle il appartient.

3. Contrairement à ce qu'on pourrait attendre, on ne trouve guère de citations directes dans les *Notes*. Pourtant, sur le terrain, une bonne partie des données proviennent d'interactions verbales (discours d'informateurs, dialogues avec des habitants). Une exception existe pour des termes balinais, assez nombreux dans la description des paris, par exemple : « Il fait connaître ce désir en criant "Saphi" ("égalité"). » Les rares énoncés cités entre guillemets sont toujours donnés en traduction et les contes rapportés sont résumés. En revanche, on a une

masse d'énoncés mentionnant indirectement des discours balinais sous forme de motivations, d'évaluations, de raisons ou
d'interprétations indigènes rapportées, pour la plupart sans
indication de source explicite. On pourrait même trouver dans
ce type assez constant de formulation une marque distinctive du
style de Geertz. Relevons que l'attribution de l'interprétation
soit à l'observateur, soit au Balinais est souvent malaisée à faire,
ce qui contribue à opacifier la lecture : « On se figure l'île même,
vu sa forme, comme un petit coq très fier », « De temps en
temps, l'un d'eux, pour se faire une impression différente, se
met à tripoter le coq de son voisin (l'inceste est un crime
beaucoup moins horrifiant que la bestialité) », « Ceux qui
sont engagés, assez gênés de l'être, essaient tant bien que
mal... » On a là comme un analogue du « style indirect libre »,
même si c'est dans un contexte qui n'est pas narratif et dont le
temps est un présent dé-temporalisé. Mais ce dispositif permet
surtout de décrire comportements d'un côté et raisons, motivations ou attitudes intérieures de l'autre comme des résultats
d'observation dotés d'une teneur égale en objectivité, laissant
supposer par là que les procédures d'observation sont semblables. Or comment « voit »-on que quelqu'un est « gêné » ou
qu'il se « figure » quelque chose ? Inversement, c'est également
une façon de faire croire que l'observateur, c'est le Balinais, ou
vice versa, et de faire ainsi « participer » le lecteur au vécu
balinais.

Dans le même ordre d'idée, on constate que de nombreux
connecteurs peuvent structurer tantôt le contenu de la description, tantôt sa gestion par l'ethnographe, tantôt les deux à la
fois ; et ce sont en général les mêmes « marqueurs ». Tantôt
donc, c'est une argumentation ou une inférence qu'on va
attribuer aux agents des actions décrites : (a) « S'il n'est pas
particulièrement riche, il peut même n'être pas le plus fort
contributeur ; toutefois, ne serait-ce que pour montrer qu'il
n'est mêlé à aucune chicane, son apport doit être consistant... » Ici, c'est le Balinais qui « montre » qui doit savoir qu'il
lui faut compenser sa faiblesse économique en pariant gros.
Tantôt c'est l'utilisation de la description qui fait l'objet d'un
discours argumentatif ou inférentiel, soit de la part du scripteur (l'auteur du texte) : (b) « C'est une règle d'airan, et,
comme à ma connaissance on n'a jamais contesté une décision

d'arbitre (mais sans doute cela doit arriver), je n'ai jamais entendu parler d'enjeu escamoté, et la cause en est peut-être que, dans une foule aussi exaltée, les conséquences seraient, comme on a pu le savoir dans les cas de tricherie, rigoureuses et immédiates », soit de celle du chercheur (l'ethnographe à Bali) : (c) « Il se peut, bien entendu, qu'on emprunte à un ami avant de proposer ou d'accepter un pari ; mais, pour le proposer ou l'accepter, il faut payer sur-le-champ, avant que le match suivant ne commence. » Notons que, dans l'exemple (c), l'attribution de la modalité d'éventualité « il se peut » (et par conséquent celle de l'inférence) est difficile à opérer. Il faut faire appel à un changement de niveau de généralité ou de degré d'abstraction de la description pour en identifier la source. Quelque semblables que puissent paraître (linguistiquement parlant) les exemples (a) et (c) ci-dessus, leur localisation à des endroits différents de la procédure d'explication conduit à les lire autrement et à attribuer la source de la modalité et de l'inférence au chercheur plutôt qu'au Balinais. Car il est clair que plus la généralité ou plus l'abstraction augmentent, plus la part de la reconstruction (et celle de sa prise en charge énonciative) par l'ethnographe-scripteur s'accroît en contexte, et plus les « raisons » balinaises se transforment en « théorèmes » dans le modèle du chercheur. Notons encore qu'entre (a) et (b) ce sont les occurrences de « je » qui font la différence, car il faut savoir que « je » est la seule marque de personne dont la référence reste constante tout le long du texte pour désigner son scripteur.

Enfin, et toujours du point de vue de la difficile attribution des « actes discursifs » soit aux Balinais (objet de description), soit au chercheur (agent de la description), on observe que les blocs descriptifs, différenciés de commentaires théoriques explicites appartenant à la procédure d'explication, sont eux-mêmes déjà entrecoupés d'énoncés ou d'expressions qui ne se situent pas au plan de la description mais au plan théorique. Leur fonction n'est cependant en général pas explicitement indiquée : on ne marque pas de changement de niveau de discours : « *Sabung*, le mot qui signifie "coq" (et qui apparaît dans les inscriptions dès 922) prend les sens métaphysiques de "héros", "guerrier", "champion" », « Un homme est aux abois, il fait un dernier effort, un effort insensé pour se tirer d'une

situation inextricable, on l'assimile à un coq mourant qui allonge
brusquement une dernière botte à son bourreau pour l'entraîner
dans une destruction commune », « Procès, guerres, luttes
politiques, litiges d'héritiers, disputes dans la rue, on compare
tout cela aux combats de coqs ». Les Balinais sont décrits accom-
plissant certaines opérations (métaphoriser, assimiler, comparer). Or ces opérations sont précisément ce que l'observateur va
construire comme observable (le CC en tant que pratique d'un
métadiscours social), puis comme objet théorique (le CC en tant
qu'entité sémiotique). On aperçoit donc, représentée dans la
description des actions observées, la part de l'objet (de l'idéalisation) que l'observateur est en train de construire.

4. Un dernier ensemble d'observations concerne les marques des instances de discours à l'échelle du texte entier. On
peut constater un usage régulier de certaines d'entre elles
dans les trois premiers chapitres. « Je » est réservé au scripteur (« je l'ai dit plus haut ») et au chercheur, tantôt observateur (« j'ai vu »), tantôt théoricien (« ce fait ne prouve rien
contre mon interprétation »), instances qui figuraient déjà
comme actants dans le récit du chapitre Ier (« ma femme et
moi »). « On » est utilisé régulièrement pour référer aux Balinais, aux autres chercheurs (encore que Geertz soit peu
polémique) ou à quiconque. Et, si « nous » associe en général
le lecteur dans le déroulement du plan du texte (« comme
nous allons voir »), sauf dans le récit lorsqu'il est question de
la femme du locuteur, « vous » l'associe par contre de façon
marquée et régulière comme participant soit d'une observation soit d'une situation empirique reconstruite (*Denkenerfa-
hrung* : « si vous en pariez cinq cents »...).

On peut cependant remarquer que ce système se déstabilise
dans la seconde moitié du texte. On voit se manifester une
dominance impersonnelle : « on » l'emporte sur « je » dans les
opérations d'inférence qui font progresser la solution du problème anthropologique et dans les avancées théoriques finales.
Et « nous » devient de plus en plus englobant, pour finir par
recouvrir, dans le dernier chapitre, tout consommateur de CC,
tout anthropologue, tout lecteur, tout homme enfin (« le combat de coqs nous parle », « nous dit... »). En fait, plus on
avance, plus on trouve d'usages différents et moins réguliers des
marques de personnes, à l'exception de « je » qui reste stable,

mais qui est attesté de moins en moins souvent, pour disparaître des huit dernières pages. Une modalité du dernier énoncé (« il faut »...) impliquera tout être de culture. Tout se passe comme si la démarche interprétative et explicative de l'anthropologue cessait peu à peu d'être personnelle, tandis que la signification de son objet devenait corrélativement de plus en plus prégnante pour le genre humain.

Ces quelques observations laissent entendre qu'à l'échelle des *Notes* la syntaxe des descriptions n'est pas simple, et qu'elle se laisserait difficilement standardiser, c'est-à-dire ramener à un modèle régulier. Dans les descriptions, types, niveaux et sources de langage sont variables et intriqués. Apparaissent réguliers, par contre, à de rares exceptions près, l'effacement de l'énonciateur et l'objectivation de « l'autre », c'est-à-dire du Balinais décrit en général comme une classe de supports de comportements ou d'agents d'actions, mais très rarement comme personne et presque jamais comme sujet de langage. Et on peut faire *a fortiori* la même observation à propos des descriptions plus techniques, plus construites pour l'explication, donc plus abstraites. Ainsi, même si l'on est capable de repérer les moments descriptifs du discours de Geertz dans l'ensemble de sa procédure explicative, il est difficile d'y reconnaître un moment stable, celui d'un niveau distinct et homogène de formulations documentaires qui serviraient de base à l'inférence « clinique » et aux explications structurale et fonctionnelle. L'interprétation théorique est déjà dans la présentation des données ; non qu'on y confonde explication et descripton, mais le point de vue de la *thick description* propre à Geertz veut qu'on saisisse déjà dans la description la genèse d'une explication. Par ailleurs, le style choisi par Geertz pour formuler ses descriptions ne manque pas de nous renvoyer à cette question posée par l'épistémologie interne de l'anthropologie, à savoir : comment rendre compte objectivement de la logique d'un autre (le Balinais) de façon que, d'un côté, cette logique soit bien représentée comme étant la logique de l'autre dans son propre contexte, tout en étant d'un autre côté une logique humaine qui pourrait bien être aussi la nôtre : le « terrain » n'appartient pas au Balinais ! Par sa polyphonie même, ce style complexe paraît donc renvoyer à la fois, d'un côté, à une méthodologic particulière de l'explication, et, d'un autre, au problème fondamental

de la finalité de l'anthropologie, qui est de saisir l'opération du
même dans l'autre.

Les descriptions prétendent référer à quelque chose

Quine, commentant Tarski (Quine, 1975, p. 22-25) fait
observer que le prédicat métalinguistique « est vrai » est un
dispositif langagier permettant de supprimer l'effet des guillemets qui nous obligent à parler des mots dans cette phrase par
exemple : « "la neige est blanche" est vraie ». En d'autres
termes, bien qu'ayant l'air de parler du langage avec ce prédicat,
nous parlons en fait du monde, mais à condition que l'expression ci-dessus veuille affirmer que la neige est blanche, ou
mieux, de la neige, qu'elle est blanche. Toutefois, la question de
savoir si la neige est bien blanche, en fait, ne relève plus, c'est
évident, des dispositifs langagiers seulement, mais de ce que
sont les choses du monde et de ce qu'on en peut connaître. La
relation entre ce qui « porte » la vérité (le discours) et ce qui
« fait » sa vérité (le monde) n'est ni simple ni immédiate.

« Est vrai » est un méta-prédicat implicite dans l'usage de
tout discours descriptif. Notons qu'il est parfois explicite : « le
fait est que », « en vérité », se rencontrent dans les *Notes*. C'est
une façon de dire que la description parle du monde, et non pas
de celui qui en parle ou de son langage ; ou bien que, si l'on
emploie une description pour parler de celui qui parle ou de son
langage, c'est comme s'ils faisaient partie du monde dont on
parle. Il appartient au sens de la description de référer, c'est-
à-dire d'individualiser quelque chose comme donné hors du
langage qui en parle et extérieur à l'auteur des paroles. En
décrivant, celui qui décrit signifie donc que ce dont il parle le
précède ou existe hors de lui, et ne peut en conséquence être
réduit à ce qu'il en dit ou à ce qu'il en construit. De ce fait,
représenter un état de chose par description, c'est renvoyer à
d'autres contenus possibles, d'autres représentations possibles
d'une « même » chose. Un renvoi complexe, car, en décrivant,
on signifie tout ce qu'on pourrait dire d'autre du même point
de vue, mais également tout cet autre qu'on ne dira pas, étant
donné ce point de vue.

L'effacement de l'énonciateur, l'usage du seul présent, la

dépersonnalisation des agents sujets d'énoncés, la modalisation *de re,* les propriétés d'ouverture de la description qui la font paraître mimer le caractère inépuisable des aspects du réel sont autant de facteurs textuels responsables de cet effet de référence. Comme dans la perception, les « silhouettes » sous lesquelles une même chose se présente sont en nombre indéfini, bien qu'elles forment un réseau dans lequel ce qui est actuel ne prend sens que sur l'horizon d'un ensemble de possibles.

Mais cet effet schématisé, qui est vrai de tout énoncé descriptif, ne fournit pas au lecteur par sa seule forme langagière le moyen de savoir — de vérifier — si l'on parle bien en fait de quelque chose. Quelque chose que l'on pourrait par conséquent re-décrire autrement, et dont l'existence ne serait donc pas uniquement le pur produit de la description elle-même, mais la mémoire d'une expérience, en quoi elle différerait de ce qu'on appelle habituellement un artefact.

Cette exigence de vérification (dont le sens même vient de la possibilité conjointe de se tromper, ou de corriger et d'accroître son savoir), qu'on ose à peine rappeler tant elle est triviale [12] en science et qui n'est pas linguistique, est une des condition *sine qua non* de l'usage d'une description non pas dans n'importe quel texte, mais dans un texte exposant un savoir empirique. Elle s'accompagne d'un postulat réaliste : il existe quelque chose hors de nous, et l'on peut en principe retourner là d'où provient ce dont la description est le rapport.

Dans le texte de Geertz, on trouve bien des traces de l'action de ce qu'on peut bien appeler une norme, à savoir que la prétention à la vérité, l'assertion factuelle, est contrôlable dans les faits. Je soutiens que cette norme lie de façon inséparable le sens référentiel des descriptions avec la question de la légitimité du discours tenu quant aux pratiques scientifiques dont il est le produit et dont il fait état, question elle-même liée à celle de l'autorité professionnelle, intra-disciplinaire, dont dispose celui

---

12. J. Favret-Saada (1977, p. 11), ne trouve pas son emploi tellement évident en anthropologie et le rappelle sous cette forme : « Un précepte de l'anthropologie britannique — le seul peut-être au nom de quoi je puisse me dire ethnographe — veut que l'indigène ait toujours raison, ce qui entraîne l'enquêteur dans des directions imprévues. Que l'ethnographe puisse être ainsi dérouté, que rien de ce qu'il trouve sur le terrain ne corresponde à son attente, que ses hypothèses s'effondrent au contact de la réalité indigène, bien qu'il ait soigneusement préparé son enquête, c'est là le signe qu'il s'agit d'une science empirique et non d'une science-fiction. »

qui l'énonce. On peut repérer trois types d'indices de ce rapport entre le sens référentiel de l'énoncé descriptif et le contrôle de sa prétention à la vérité.

1. Un premier type d'indices permet d'attester de la présence historique de l'ethnographe sur le terrain et du fait qu'il n'était ni le seul à s'y trouver, ni le premier : le texte des *Notes* commence par une localisation temporelle qui date avec précision l'arrivée sur le terrain de deux personnes mandatées (« des intrus professionnels »). Dans le fil du texte, ensuite, on a des mentions d'autres voyages du locuteur et des mentions de voyages accomplis par d'autres que lui à Bali, ainsi qu'un certain nombre d'allusions aux activités de l'ethnologie sur le terrain. Il est clair que tout cela pourrait relever de la pure fiction romanesque si l'on ne savait pas par ailleurs que le locuteur est bien un anthropologue de terrain spécialiste de Bali, donc qu'il existe des preuves historiques du fait qu'il se soit déplacé.

2. Un deuxième type d'indices se trouve dans l'appareil des références qui accompagne le texte et dont la quantité pourrait paraître excessive pour un texte déclaré appartenir au genre de l'essai. A l'exception de celles, assez nombreuses, qui servent à élargir le propos au-delà du terrain ou à fournir des appuis théoriques, les références qui intéressent ici la référence servent à fournir des données et des documents ethnographiques qui doublent ceux de Geertz ou qui les complètent. Sans compter qu'en science on n'écrit normalement pas sans références (on sait que l'« Index des citations » est un outil très utile en sociologie de la science pour étudier les changements de paradigme), tout se passe comme s'il fallait montrer que, lorsqu'on s'attaque à une chose, il est nécessaire d'être plusieurs pour en faire un objet de connaissance. L'intersubjectivité est encore une trivialité de la pratique scientifique.

Et tout ceci pourrait encore n'être que fiction si le contexte d'usage des *Notes* ne rappelait pas que les références citées se trouvent en principe dans des bibliothèques à disposition de chacun. En littérature, on peut fort bien mimer cette exigence du discours scientifique qui oblige à fournir ses preuves empiriques sous une forme standardisée, mais sans toutefois que personne ait l'idée de demander qu'on les exhibe ; on peut toujours inventer des références. Or le chercheur qui se livrerait à cet exercice et ne pourrait répondre à la demande de la communauté savante courrait le risque de se voir exclu de celle-ci. A côté de ces références proprement disciplinaires, on trouve encore chez Geertz des références interdisciplinaires ; c'est sans doute un des points sur lequel son texte diffère, disons, d'un article de biologie, où il serait anormal aujourd'hui de voir figurer des références datées d'Aristote ou de Shakespeare.

3. Un troisième type d'indices apparaît dans les rares allusions de Geertz à la description elle-même et à sa méthodologie. Elles se trouvent toutes au chapitre IV (p. 107-112, 123-124). A plusieurs reprises, pour introduire des descriptions du jeu d'argent, l'auteur ne fait plus appel, comme précédemment, à ce qu'il a vu ou observé, mais à des « données dont [il] dispose », des « données statistiques » (l'expression revient plusieurs fois), des observations « méthodiques », une « description ethnographique prolongée », des « preuves, exemples, constatations et chiffres aussi abondants qu'indubitables ». Ce qui est indiqué par ces tournures, c'est l'existence de textes disponibles *avant* le texte des *Notes,* dans des dossiers où des documents [13], des formulations sont déjà classés, ordonnés, comptés. Tout un matériau dont ce texte reformule une partie dans son propre contexte, des descriptions « en dessous » du texte, plus complètes, plus systématiques — c'est-à-dire conformes au canon de la profession, mais qui seraient fastidieuses à lire. Les descriptions des *Notes* les réinscrivent sous un angle qui n'est plus celui de l'enquête pratiquée, mais celui de son exposé.

Ce type de garant de la référence des descriptions est donc lui aussi lié à une exigence disciplinaire. Qu'une description donnée dans un contexte public ne soit jamais vraie sans l'intervention de strates et de systèmes d'autres descriptions qu'elle rappelle, qu'elle soit en un mot essentiellement une « redescription », c'est à Malinowski qu'on doit d'en avoir exprimé la norme devenue paradigmatique pour l'ethnographie, dans l'introduction méthodologique des *Argonautes* en 1922. Il ne s'agit donc pas d'un fait contingent et assez banal en

---

13. Le lecteur des *Carnets* de Malinowski peut constater avec quel soin maniaque, avec quel souci angoissé l'anthropologue triait et protégeait ses dossiers lorsqu'il s'agissait pour lui d'entreprendre, d'île en île, en pirogue et sous une pluie tropicale, le périple qui lui permit de reconstruire les circuits d'échanges de la *kula* trobriandaise.

lui-même par sa généralité, à savoir que l'anthropologue a déjà travaillé avant de se mettre à écrire ; il s'agit bien d'une norme qui régit son écriture même dans le cadre de sa discipline, au même titre que l'appareil des références et les témoignages de sa présence sur un terrain.

Ces quelques observations suffisent pour suggérer un rapport étroit entre la question de la référence des descriptions et cette tendance à la « distinction » que j'ai postulée plus haut comme paramètre de l'entreprise scientifique. C'est une façon de soutenir aussi que, dans l'activité scientifique génératrice de faits, la question de savoir si la neige est bien blanche, quand on prétend que la description « La neige est blanche » est vraie, ne se résout pas par un simple appel à l'idée de correspondance entre le dire et l'être. Celle-ci est certes l'effet produit par l'acte de décrire quand tout se passe bien, et sans nul doute son intention ; mais il reste à savoir comment cet effet est produit dans les faits discursifs, et ce que veut dire « quand tout se passe bien » lorsqu'on veut rapporter sur quelque chose. Comme le disait Frege : « N'est-ce pas un succès d'importance quand, après des recherches pénibles, le savant peut dire enfin "ce que je présumais est vrai" ? » (Frege, 1971, p. 164). Si la vérité, pour lui, suppose une correspondance entre nos assertions et ce qui est, cette correspondance n'est pas donnée avec le fait même de parler, elle est à établir dans la « fabrique » technique et historique de la connaissance.

Les descriptions schématisent un objet de savoir

En décrivant, on fait plus qu'individuer quelque contenu en y référant parmi les événements ou parties du monde au moyen de certaines opérations sémantiques et pragmatiques propres à la description, comme on vient de le voir. Une description sert aussi à identifier événement ou chose sous certains aspects, donc à les catégoriser en un certain sens (Port-Royal classait la description parmi les définitions, mais accidentelle, donc incomplète et contingente).

En tant que signe, dans un langage, de ce qui est extérieur à celui-ci, la description n'est évidemment pas ces choses dont elle est la description, ni seulement d'ailleurs la formulation qu'elles rendraient vraie, mais leur représentation; ce qui est décrit « tient lieu » de chose dans une certaine forme qu'une formulation, avec d'autres propriétés sémantiques ou pragmatiques que celles qui la font référer, donne comme « simulacre » de ce qui est décrit. Notons qu'un simulacre ne ressemble pas nécessairement à ce qu'il représente : les avions n'ont pu voler que lorsqu'on a cessé d'imiter le mouvement des ailes des oiseaux.

Cette représentation est un certain *objet,* que la description ne désigne pas (elle n'y réfère pas), mais qu'elle présente à l'imagination et à la raison, lesquelles n'opèrent qu'à partir d'un support d'indices matériels fournis par des textes ou des gestes. En ce qui nous concerne ici (des textes scientifiques), cet objet n'est évidemment pas séparable de la formulation qui l'inscrit dans le discours, sinon par le moyen d'autres signes, d'autres formulations ou d'autres inscriptions. Il n'est donc pas, tel quel, comme une chose dans l'esprit; mais il n'est pas non plus dans le monde autrement que comme gestes ou comme formulations, puisqu'il nous sert, en tant que symbolique, non seulement à renvoyer au monde, mais encore à en dire quelque chose d'organisé du point de vue de la pensée. Sous cet angle, les objets des sciences humaines ne diffèrent pas de n'importe quel objet de savoir. Ce qui différera, par contre, ce seront les formulations (ou les gestes) par lesquels les objets sont extraits de ce qui se donne dans l'observation, formés et constitués en un domaine d'idéalités autonome.

C'est dire qu'un point de vue interprétatif est inévitablement à l'œuvre dans la formulation d'une description quelle qu'elle soit. On peut le dire déjà du seul fait qu'elle est matériellement finie (quoique sémantiquement ouverte) en tant que fragment de texte ou comme épisode de discours; toute unité de langage est par définition discrète. Mais on peut le dire aussi du fait que les objets de nos savoirs doivent pouvoir être cernés par des limites et stabilisés pour un temps ou dans un espace (*perusable,* comme dit Geertz), et c'est à quoi sert un langage. Les choses d'expérience, elles, sont inépuisables, uniques, continues, intriquées et changeantes : « poussière et panique » ou « aventure mémorable », en tout cas de l'avis des ethnographes.

Dans une description, l'intervention inévitable d'un point de vue (donc de procédures de sélection et de formation) dépend en effet directement de la différence existant entre ce qui est montré ou configuré, l'objet, et ce à propos de quoi on le montre, les choses ou les événements du monde. Et l'on voit bien que, sans cette différence, la description ne pourrait relever en général du champ des activités sémiotiques. Sans elle, on ne pourrait concevoir en particulier qu'un savoir qu'on construit dans un langage, dont on schématise ainsi le domaine objectif ou l'ontologie, puisse être jamais modifié ; en fait, on ne pourrait pas concevoir qu'on puisse ni inventer ni réutiliser ce qu'on a une fois pensé. Ni se tromper !

Mais cette représentation objective que schématise une description peut être plus ou moins abstraite, et diversement configurée.

Actuellement, la forme la plus abstraite et la plus exactement configurée que puisse prendre un objet de science, c'est sa formalisation, qui présuppose une reconstruction mathématique et l'usage d'un langage artificiel. Cet idéal de précision calculatoire interne aux sciences modernes, galiléen et leibnizien tout à la fois, se trouve réalisé par secteurs dans certaines disciplines moins empiriques que d'autres. Ces dernières sont davantage tributaires de l'usage de différents langages naturels et du jeu des contraintes extérieures qui pèsent ordinairement sur la construction discursive des savoirs. Pourtant, leurs objets, schématisés selon une variété de niveaux d'abstraction et de styles de configuration possibles ne laissent pas d'être soumis à ce que j'ai appelé une tendance à l'« idéographie », c'est-à-dire à un travail sur le langage visant à l'expression objective du concept et de l'inférence. Cette tendance doit se manifester dans les schématisations descriptives de l'ethnographe si la tâche du savant consiste non seulement à rapporter sur quelque chose (dont je viens de parler), mais à rapporter quelque chose *avec soi*. Les descriptions du texte de Geertz, aussi « naturelles » soient-elles dans la complexité de leur écriture, ne me paraissent pas devoir échapper à cette tendance, étant donné leur contexte d'usage.

CONCLUSIONS

Bien qu'à l'état d'esquisse, l'analyse des descriptions des *Notes sur le combat de coqs balinais* révèle déjà quelques aspects intéressants du travail textuel de l'anthropologue.

L'originalité des *Notes* me paraît résider dans ce qu'elles mettent en scène, dans la formulation des descriptions, une démarche de *theory building,* selon l'expression de leur auteur.

On peut constater en effet que les relations établies entre la part empirique et la part théorique de la monographie ne sont pas simples à saisir dans le détail des formulations, bien que le mouvement d'ensemble de la schématisation se laisse aisément reconstruire selon ses deux étages de procédures explicatives. L'insistance sur le genre « essai », l'intrication des fonctions, la complexité syntaxique, la variété des dispositifs référentiels, des niveaux d'abstraction et des formes de configuration peuvent être lues dans le projet de « réfléchir », dans l'exposé, l'état d'une théorie en construction et les difficultés inhérentes à la mise en forme de son objet. Sous l'aspect d'un montage schématisant à « géométrie variable », la textualité du travail ethnographique s'indique elle-même dans sa façon de parler d'un objet textuel.

On donne cependant une idée du prix à payer, sur le plan de la « clarté » et de la « distinction », lorsqu'on choisit sciemment d'exposer la forme d'une pensée en voie de formation, et une idée des risques épistémologiques que l'on court à représenter des résultats dont on schématise le caractère inachevé. Mais que gagne-t-on à opter pour un style plutôt littéraire de formulation des descriptions ? Le plaisir du lecteur y trouve un bénéfice, sans aucun doute, mais un peu moins l'idéographie. Si les descriptions de Geertz nous font très bien « sentir » le côté à la fois sanglant, logique, mimétique et opératoire des combats de coqs, elles nous le font difficilement voir « avec les yeux de l'esprit », pourrait-on dire, c'est-à-dire saisir sous une forme qui soit intellectuellement retraitable (*perusable*).

Mais on montre aussi, et c'est ce qui me paraît le plus instructif, la puissance constructive des langages « quotidiens » et des logiques naturelles, sans qu'il soit besoin pour autant de parler de littérature pour schématiser des états de connaissance qui ne peuvent être formalisés « dans l'état actuel de nos connaissances ».

On peut signaler encore l'absence de référence à toute théorie de l'observation, à de rares indices près situés dans le récit initial ; plus, le problème lui-même ne semble pas se poser, que ce soit dans la forme des descriptions ou dans leur contexte. On ne sait pas de quelles opérations les descriptions sont le résultat, comme si observer allait de soi pour la construction même de l'objet de l'enquête, comme s'il allait de soi que l'enquêteur, qui y est allé, savait *voir*. Certes, Geertz nous pose cette question dans la dernière phrase de son texte (« comment y accéder »), mais tout se passe, avant, comme si on le savait déjà. L'image de l'observateur qui ressort de l'analyse des descriptions est tantôt celle d'une instance contemplative, tantôt celle d'un agent qui agirait en Balinais. Pourtant, la mise en scène du récit laissait voir un acte en interaction, un sujet de langage.

On s'apercevra dans ces remarques que le parti pris de neutralité lié au point de vue d'une épistémologie externe que j'ai choisi est quelque peu mis en cause par une évaluation de certains des faits que j'ai pu constater dans mon analyse.

La position de l'épistémologie relativement à son propre objet peut-elle être neutre jusqu'au bout ? On a vu avec Geertz qu'il n'est pas possible de statuer normativement sur ce qui, dans une activité de connaissance, est interprétation ou ne l'est pas. On peut cependant repérer dans le développement du savoir, à un niveau très général, un mouvement en trois phases bien connu des philosophes : une préconception, qui nous « mêle » à un terrain, une distanciation objectivante qui permet l'explication, une réappropriation enfin de cet objet dans une nouvelle strate d'expérience. Dans les *Notes,* ce mouvement se marque par la différence existant entre le « texte » du combat de coqs tel qu'il est pour les Bilanais, un tout duquel l'observateur est d'abord exclu, puis dans lequel il est subitement inclus, et le texte que publie l'ethnologue. Celui-ci, comme « tiers instruit », y explicite ce rapport d'exclusion-inclusion mais dans la distance explicative, pour finir par inclure tout lecteur concerné (« le combat de coq nous dit... »).

En tant qu'effort de connaissance, l'épistémologie n'échappe pas à un tel développement. De même que l'anthropologie, elle ne peut rester en position d'exclusion par rapport à son propre terrain. Etudiant la formation des connaissances, elle en produit aussi. De plus, dans cette production, elle est conduite à utiliser précisément certaines des connaissances qu'elle étudie, en particulier des connaissances anthropologiques dont elle ne peut éviter d'évaluer la signification dans l'usage qu'elle en fait.

On peut voir là un cercle : une étude du rapport entre la construction de connaissances dans une discipline et un certain cadré de référence propre à celle-ci ne peut être menée sans un cadre de référence. Il n'y a donc pas de « point de vue de Sirius » possible en épistémologie, à moins de renoncer à produire du savoir (Granger, 1988), pas plus qu'on ne peut vouloir penser ce qu'est le monde sans se savoir une de ses parties. Un cercle qui dès lors n'est pas « vicieux », comme dit Piaget, sitôt qu'on renonce à le contempler pour le pratiquer en se situant *in medias res*.

Il y a trois exigences pour un programme en anthropologie de la connaissance (Bloor, 1987, p. 8), qu'une épistémologie externe se doit de reprendre à son compte : être explicative, ne pas préjuger de la valeur de ce qu'elle constate ; expliquer symétriquement les faits de norme et ce qui sort des normes ; être réflexive, enfin. Ce dernier principe est essentiel, car il prescrit que les explications que l'on fournit de faits de culture, la manière de les objectiver, doivent pouvoir s'appliquer sans contradiction ou sans non-sens à ce fait de culture en quoi consiste l'opération même de décrire et d'expliquer.

Références

Adam, J.-M., 1987 : « Textualité et séquentialité, l'exemple de la description », *Langue française,* 74, p. 51-72.

Blair, J.A., Johnson R.H., eds, 1980 : *Informal Logic, The First informal Symposium,* Edgepress, Cal.

Bloor, D., 1987 : *Sociologie de la logique, les limites de l'épistémologie,* Paris, Pandore.

Boons, J.A., 1983 : « Functionalists write too : Frazer/Malinowski and the Semiotics of Monograph », *Semiotica,* 46, 2/4, p. 131-149.

Borel, M.J., 1986 : « Le discours descriptif, questions d'épistémologie et de sémiologie », Neuchâtel, *Travaux du centre de recherches sémiologiques, 51,* I, p. 1-52.

— 1987a : « Discours descriptif et référence », *id.*, *53*, p. 77-89.
— 1987b : « La schématisation, la description et le neveu utérin », *Revue européenne des sciences sociales*, XXV, *77*, p. 151-177.
Borutti, S., 1986 : « Models and Interpretations in Human Sciences : Anthropology and the Theoretical Notion of Field », *Actes du colloque d'histoire et de philosophie des sciences*, Gand, p. 901-914 (à paraître).
Frege, G., 1971 : « La pensée », in *Ecrits logiques et philosophiques*, Paris, Seuil.
Favret-Saada, J., 1977 : *Les mots, la mort, les sorts*, Paris, Gallimard.
Geertz, G., 1973a : « Deep play : Notes on the balinese Colckfight » (paru en 1972 dans *Daedalus*, *101*, p. 1-37), réédité dans :
— 1973b : *The Interpretation of Cultures*, New York, Basic Books, et paru en français (trad. L. Evrard).
— 1980 : « Jeu d'enfer. Notes sur le combat de coqs balinais », *Débat*, *7*, p. 86-145. Cité ici.
— 1983 : *Local Knowledge. Further Essays in Interpretative Anthropology*, New York, Basic Books.
Granger, G.-G., 1988 : *Pour la connaissance philosophique*, Paris, éd. Odile Jacob.
Grize, J.-B., 1982 : *De la logique à l'argumentation*, Genève, Droz.
Latour, B., 1985 : « Les "vues" de l'esprit. Une introduction à l'anthropologie des sciences et des techniques », *Culture technique*, *14*, p. 4-29.
Lowry, J., 1981 : « Theorizing Observation », *Communication and Cognition*, *14*, p. 1-24.
Lévi-Strauss, C., 1973 : *Anthropologie structurale II*, Paris, Plon.
Piaget, J., 1967 : *Logique et connaissance scientifique*, Paris, Gallimard.
Quine, W.V.O., 1975 : *Philosophie de la logique*, Paris, Aubier (trad. J. Largeault).
Ricœur, P., 1986 : *Du texte à l'action, essais d'herméneutique*, Paris, Seuil.
Serres, M., 1987 : *Statues*, Paris, éd. F. Bourin.

LES MOTS QUI VOIENT *

Le terme de spectateur, communément employé pour discuter l'effet de la tragédie, me paraît tout à fait problématique si nous ne limitons pas quel est le champ de ce qu'il engage. Au niveau de ce qui se passe dans le réel, il est bien plutôt l'auditeur. Et là-dessus, je ne saurais trop me féliciter d'être en accord avec Aristote pour qui tout le développement des arts du théâtre se produit au niveau de l'audition, le spectacle étant arrangé pour lui dans l'ordre des choses en marge de ce qui est à proprement parler la technique.

Ça n'est certainement pas rien pour autant, mais ça n'est pas l'essentiel, comme l'élocution dans la rhétorique ; le spectacle n'est ici que comme moyen secondaire. Ceci pour remettre à leur place les soucis modernes dits de la mise en scène. Les mérites de la mise en scène sont grands [...] mais quand même n'oublions pas qu'ils ne sont si essentiels que pour autant que, si vous me permettez quelque liberté de langage, notre troisième œil ne bande pas assez. On le branle un tout petit peu avec la mise en scène.

On l'aura reconnu : c'est bien Jacques Lacan — le Lacan oral [1] — qui, avant d'aborder, dans le séminaire sur l'*Ethique,* une étude serrée de l'*Antigone,* constate au passage son accord

---

* Deux versions orales de ce texte ont été présentées, en juillet 1985 à la Chartreuse de Villeneuve-lès-Avignon, lors du colloque « Théâtre et philosophie », organisé par le Collège international de philosophie, et en mai 1988, au centre Thomas More (L'Arbresle), lors d'une session sur les « Lectures de la tragédie ». Que tous les intervenants, et en particulier Marie Moscovici, soient remerciés pour leurs remarques et leurs suggestions.

1. S'agissant de l'écoute, je renvoie ici à la version dactylographiée (non officielle) du séminaire de 1959-1960 (t. II, p. 182-183) ; on trouvera cette déclaration, avec quelques modifications, dans *Le séminaire VII. L'éthique,* Paris, Seuil, 1987, p. 295.

avec Aristote quant au caractère tout à fait second du spectacle dans la tragédie grecque.

Remontons à la source : c'est seulement après avoir, au chapitre 6 de la *Poétique,* énuméré les quatre parties discursives de la tragédie (l'intrigue, les caractères, le contenu de pensée et l'« expression », *léxis*) qu'Aristote en vient « à ce qui reste », dit-il (*tôn loipôn*) : le chant, brièvement expédié à titre d'assaisonnement — « le plus important des assaisonnements de la tragédie », mais un assaisonnement tout de même. Et, bon dernier, le spectacle (*ópsis*) qui, « tout en exerçant la plus grande séduction, est totalement étranger à l'art et n'a rien à voir avec la poétique, car la tragédie réalise sa finalité même sans concours et sans acteurs » (1450b 16-19).

Que le spectacle n'ait rien à voir avec la poétique n'est peut-être pas le dernier mot d'Aristote sur cet « intrus encombrant » à qui il « n'en finit pas de régler son compte »[2]. Mais ce n'est pas la recherche de ce dernier mot aristotélicien sur le spectacle qui me retiendra ici : il me suffit qu'à contre-courant des opinions partagées des Grecs du IVe siècle, pour qui l'essentiel de la tragédie se résume en un voir[3], Aristote ait déporté le genre tout entier du côté d'un dire.

Sans doute devrais-je encore observer que le mot *ópsis* se laisse mal traduire par « spectacle », puisque ce terme, qui désigne d'abord l'activité de voir, ne perd jamais tout à fait ce sens, lors même qu'il désigne « la partie visible de la tragédie »[4]. Mais, sur ce point même, je ne m'arrêterai que le temps de vérifier qu'il s'agit bien décidément, pour Aristote, de penser la tragédie du point de vue de son destinataire. Son destinataire : celui que les Grecs désignent comme un « regardeur » et que, à la mode grecque, nous appelons le « spectateur »[5] ; mais,

---

2. *Aristote, La Poétique.* Texte, traduction et notes de R. Dupont-Roc et J. Lallot, Paris, Seuil, 1980, p. 210. Les traductions de la *Poétique* seront systématiquement empruntées à cette édition.

3. Voir par exemple [Andocide], *Contre Alcibiade,* 22-23 (*theōroûntes*). On rapellera que le nom même du théâtre, *théatron,* désigne un lieu où l'on regarde.

4. F. Donadi, « Opsis e lexis : per una interpretazione aristotelica del dramma », *Poetica e Stile,* 8 (1976), p. 3-21, not. 5-9 et 9 ; sur l'ambiguïté de *ópsis* dans la *Poétique,* voir aussi D. Lanza, *Aristotele. Poetica,* Milan, Rizzoli, 1987, p. 33-35. Il va de soi que, dans une bibliographie monumentale, j'opère des choix.

5. A titre de contre-exemple, on rappellera que le « public » se nomme, en anglais, *audience.*

pour sa part, Aristote le suppose sensible au *logos*[6] — ou du moins à la *léxis*. Et j'ajoute que l'on tentera ici de le soumettre à l'écoute des textes.

J'ai bien dit : des *textes*. Non seulement par contingence ou par nécessité, au sens où, pour le philologue ou l'historien, la tragédie grecque n'a d'autre existence que textuelle, assignant irréductiblement à qui s'en approche la position de lecteur. Mais, texte, elle l'est aussi — elle l'a été — d'origine et par nécessité, s'il est vrai qu'avant Eschyle (inventeur du deuxième acteur : *Poétique,* 1449a 15-17), il n'était d'autre interprète que le poète lui-même[7]. Et elle l'est encore à l'époque classique, en tant que manuscrit pour une représentation, présenté aux archontes avant tout concours dramatique, et qui finalement sera, après le concours, déposé aux archives de la cité. Rien de moins simple, toutefois, que la textualité entre écrit et oral de ce texte : l'écrit contrôle la représentation, mais la représentation s'inscrit dans la forme définitive du drame, où la voix résonne sous l'écriture autorisée[8].

Aussi ai-je parlé d'*écoute*. (Pas seulement, peut-être, au sens où Aristote, exigeant qu'« indépendamment du spectacle, l'histoire soit ainsi constituée » qu'en entendant (*akoúonta*) les faits se dérouler, on soit saisi de frisson et de pitié, affirme : « c'est ce qu'on ressentirait en écoutant (*akoúon*) l'histoire d'Œdipe » (1453b 3-7). Car Aristote parle ici d'enchaînement de l'intrigue[9], et il sera surtout question d'écoute du signifiant tragique. Mais patience !)

Je ne sais s'il faut continuer à suivre Lacan lorsqu'il assigne à la mise en scène la seule et unique fonction de procurer un

---

6. Le spectateur postulé en creux dans la *Poétique* n'est pas, comme le dit très bien Lanza, l'Athénien moyen, pour qui Aristote n'a que critiques à formuler, mais un spectateur idéal : le philosophe lui-même (un lecteur, donc ?) : D. Lanza, « La disciplina dell'emozione : ritualità e drammaturgia nella tragedia attica », dans *Teatro e Pubblico nell'Antichità,* Trente, 1986, p. 45-55, not. 48-49.

7. « Dire qu'il s'agissait de poètes qui récitaient signifie privilégier le moment de la composition sur celui de l'exécution » (D. Lanza, « L'attore », dans M. Vegetti éd., *Oralità, scrittura, spettacolo,* Turin, Boringhieri, 1983, p. 133).

8. Je renvoie ici aux remarques suggestives de Ch. Segal, « Vérité, tragédie et écriture », dans M. Detienne éd., *Les savoirs de l'écriture en Grèce ancienne,* Lille, P.U.L., 1988, not. p. 331-333.

9. Il écrit aussi que « *par la simple lecture* on peut voir clairement quelle est sa qualité » (1462a 11-17) ; Ch. Segal (*op. cit.*), dont j'utilise en l'occurrence la traduction, y voit la preuve de l'existence, dès le IVe siècle, d'un public de lecteurs. Aristote, premier interprète moderne de la tragédie...

surplus de jouissance à notre « troisième œil ». Il est vrai qu'à l'expression près, qui n'a rien d'aristotélicien, Lacan est bien en l'occurrence un fidèle disciple d'Aristote. Mais je sais qu'à travailler sur le signifiant tragique on en vient un jour ou l'autre à constater qu'en sa polysémie et sa condensation la langue de la tragédie ressemble fort à la définition que, sous le nom de *léxis,* en donne le philosophe : « la *léxis, c'*est la manifestation du sens à travers des noms » (*léxin eînai tèn dià tês onomasías hermēneían* : 1450b, 12-16). Des noms : des mots, tout le langage[10]. Mais aussi : des noms, des mots qui s'autonomisent en un feuilletage vertigineux de sens.

Qui, du lecteur ou du texte, faut-il créditer d'avoir ainsi mis l'accent sur l'écoute ? Le lecteur, peut-être, qui, pour s'être fait entendeur (par exemple au contact de l'écoute proprement psychanalytique du travail du signifiant), aurait construit un spectateur qui soit d'abord un auditeur : la réponse est prudente, elle n'engage après tout que le lecteur. Mais, s'il est vrai que « les textes en savent plus que leurs lecteurs »[11] — et je fais volontiers mienne cette proposition —, il faut se rendre à quelque chose comme une évidence : c'est sous l'effet des textes que des lecteurs contemporains plus soucieux d'anthropologie que de psychanalyse ont déchiffré, en creux dans la tragédie, la figure de cet écouteur à l'ouïe perçante qu'ils dotent d'une attention singulièrement développée, puisque, pour lui, « le langage du texte peut être *transparent à tous ses niveaux, dans sa polyvalence et son ambiguïté* »[12]. Si le texte tragique exige d'être entendu, est-il temps maintenant d'abandonner le terme de spectateur pour celui d'« auditeur », plus propre à caractériser ce public athénien, épris de la voix — celle des acteurs[13], celle surtout des mots qui, longtemps après, résonnaient encore dans sa mémoire ?

Pour ma part, je m'en garderai bien. Je ne récuserai pas si vite le terme de spectateur, de peur de perdre en chemin la

---

10. « La *léxis,* c'est tout le langage, du son élémentaire à la phrase et au texte, saisi au niveau du signifiant » (Dupont-Roc et Lallot, commentant ce passage, *op. cit.,* p. 209).

11. Voir « Avant-propos », p. 1.

12. Voir J.-P. Vernant, dans J.-P. Vernant et P. Vidal-Naquet, *Mythe et tragédie,* Paris, Maspero, 1972, p. 36. C'est moi qui souligne.

13. Voir A.W. Pickard-Cambridge, *The Dramatic Festivals of Athens,* Oxford, 1953, p. 165-169.

spécificité du voir tragique. Mais il est plus d'une modalité du voir et, à cette attention nullement flottante du spectateur de tragédie, c'est du texte que je donnerai pour objet. Des mots vus, ou des mots qui voient. De l'*ópsis* incorporée dans le texte. C'est à cette remarquable présence du voir dans le dire tragique que je m'attacherai. A cette absorption du visuel par les mots qui, de l'auditeur, exige qu'il soit aussi à chaque instant spectateur du discours [14]. Et, du côté du lecteur, cela, une fois encore, suppose que lire une tragédie, ce soit défaire l'intériorité silencieuse de la lecture pour que résonnent les mots à voir.

Sans perdre pour autant la référence à la réflexion aristotélicienne, c'est donc dans le mot-à-mot des textes tragiques plus d'une fois épelés — ce que Lacan appelle « casser les cailloux sur la route du texte » [15] — que je tenterai d'enraciner ce parcours, avec une préférence assumée pour ces textes paradigmatiques que sont pour Aristote, pour nous, *Œdipe roi* ou l'*Orestie,* sans pour autant m'interdire quelque incursion dans telle autre tragédie.

Première proposition : les mots assument l'essentiel.

LES MOTS ASSUMENT L'ESSENTIEL

Pour pousser tout de suite la proposition jusqu'en ses ultimes conséquences, j'ajouterai : jusque dans leur absence.

Deux exemples me suffiront.

Il est rare qu'un personnage entre en scène sans que son arrivée ait été annoncée, commentée, objet d'un dire. Partie intégrante du texte, il y aurait donc là comme des indications de mise en scène, à la fois protocole du spectacle et façon de présenter l'arrivant. Soit la fin de l'*Antigone.* C'est le coryphée qui parle :

Mais voici venir le roi lui-même ; il porte dans ses bras un trop

---

14. Ce sont les mêmes Athéniens, mais réunis cette fois-ci en assemblée, que, chez Thucydide, Cléon accuse d'être devenus, sous l'influence des sophistes, « spectateurs des discours, auditeurs des actions » (Thuc., III, 38, 4).

15. *L'Éthique,* p. 330 (« le ré-aiguisement des arêtes du texte ») ; voir aussi p. 296 (« le mot-à-mot est follement instructif »).

clair souvenir, si l'on peut parler de la sorte, d'un désastre qu'il ne doit pas à d'autres, mais à sa propre faute (1257-1260).

Et apparaît Créon portant dans ses bras le corps d'Hémon. Peu de temps auparavant, le coryphée avait déjà annoncé la venue d'Eurydice et présenté l'identité de l'arrivante :

> Mais voici [plus exactement : mais *je vois*] justement venir la malheureuse épouse de Créon. Eurydice approche, sortant du palais (1180-1182).

Qu'il revienne tout spécialement au chœur (au coryphée) de servir ainsi de relais entre l'espace hors scène du palais et le spectateur à l'écoute dans le théâtre, la chose n'a en soi rien de surprenant. Et il n'est pas douteux que, du même coup, le chœur fournit comme des indications scéniques. La remarque en a souvent été faite ; reste que tous les cas ne sont pas aussi limpides [16]. Reste surtout que la fonction du dire ne s'épuise sans doute pas dans ce rôle purement référentiel. Il se pourrait en effet — j'en fais du moins l'hypothèse — que les personnages du drame ne se voient les uns les autres que si un dire les y a invités, expressément lorsque le nom du voir, comme dans la fin d'*Antigone,* précède le voir, ou de façon plus indirecte. Ainsi le dire légitimerait le voir en lui donnant un contenu [17]. Un contenu pour le voir et, pour le personnage tragique, un corps. Les mots donneraient-ils du corps ? Toujours est-il que, si aucun mot n'a été dit de sa présence, un personnage peut rester invisible aux autres, parce qu'il est censé ne pas être vu. Il en va ainsi, chez Sophocle, du corps mort d'Ajax, que le chœur cherche sans l'apercevoir, ce qui n'implique nullement qu'un décor — un bosquet, dit-on pour justifier cette cécité — le dissimule effectivement : le silence dissimule aussi bien qu'un décor. Il en va de même, dans l'*Hippolyte* d'Euripide, avec la présence silencieuse de Phèdre assistant sans être vue aux imprécations d'Hippolyte contre la race des femmes : ni Hippolyte ni la nourrice ne voient Phèdre qui, elle, voit parce qu'elle a d'abord entendu le début de l'altercation.

Il est aussi, pour le dire, une autre façon d'assumer l'essentiel

---

16. Voir H.C. Baldry, *Le théâtre tragique des Grecs,* Paris, Maspero, 1975, p. 18.

17. A propos du décor (« pour le reste, l'imagination suffisait, stimulée et guidée par les mots »), voir Baldry, *op. cit.,* p. 70-73 et 67.

par son absence : je pense au silence, qui vaut le plus fort des
spectacles, à tous les silences des femmes tragiques. Silence de
Cassandre en réponse aux questions de Clytemnestre ou, dans
Les Trachiniennes, d'Iole face à celles de Déjanire ; et surtout
silence d'avant le suicide, ponctuant la sortie précipitée de
Jocaste, de Déjanire et d'Eurydice [18]. Alors seulement des mots
— parole du chœur, question du coryphée — rehausseront ces
silences dont ils supputent la cause, et il y aura place pour un
voir conjectural, inopérant comme tout ce que devine le chœur,
devin timoré, tenu à résidence sur scène.

A l'autre extrémité du spectre des degrés du dire, je placerai
le mot qui pénètre dans la chair [19].

Faut-il le rappeler ? Dans la tragédie, ce sont encore les mots
qui tuent le plus sûrement, comme le savait Hölderlin [20]. Du
moins les mots entaillent-ils la chair ou portent-ils au cœur un
coup meurtrier.

Métaphore, dit-on. Peut-être (à supposer toutefois qu'il
arrive jamais à un texte tragique d'employer un mot pour un
autre ; je n'en suis, quant à moi, nullement convaincue). L'essentiel est que, dans cette affirmation, récurrente chez Eschyle
ou Sophocle, que les mots blessent ou tuent, il se joue, sur le
mode du constat, quelque chose d'intrinsèque au genre tragique : la certitude que, dans la tragédie, on n'expérimente jamais
aussi fortement le corps en son dénuement que sous le coup des
mots. L'*Orestie* le dit à satiété, dès l'*Agamemnon* où les plaintes
de Cassandre la prophétesse sont pour le chœur « blessures à
entendre » (1167), et les Erinyes crieront l'outrage qui, tel le

---

18. *Agamemnon,* 1035-1068 ; *Trachiniennes,* 307-332 ; *Œdipe roi,* 1073-1075 ;
Trachiniennes, 813-814 ; *Antigone,* 1244-1256 (sur le silence d'Eurydice, seule la
conjecture est possible, mais le verbe *eikázō,* qui est employé au v. 1244, caractérise
la conjecture par recours à l'image).

19. L'adjectif *torós* qui, dans l'*Orestie* et ailleurs, caractérise la parole « claire » ou
« précise » signifie étymologiquement « qui perce », « qui pénètre » : J. de Roos, « A
New Root *Ter "Speak Clearly" ? Some Comments on Greek *Torós* and Hittite *tar*- »,
dans J.M. Bremer, S.L. Radt, C.J. Ruijgh éd., *Mélanges Kamerbeek,* Amsterdam,
Hakkert, 1976, p. 323-331.

20. « *Das griechisch tragische Wort ist tödlich-faktlich, weil der Leib, den es
ergreifet, wirklich tötet* », « *das wirkliche Mord aus Worten* » : *Anmerkungen zur
Antigone,* avec les remarques de Z. Petre, « La représentation de la mort dans la
tragédie grecque », *Studii Classice,* 23 (1985), p. 29.

trait mortel pour le combattant[21], « frappe au cœur, au foie »
(*Euménides,* 155-158). Dans *Ajax,* les mots entament la chair,
comme, par deux fois, le chœur le rappelle à Tekmessa[22], et
leurs arêtes tranchantes sont à l'intersection de deux des axes
de sens de la tragédie : l'épée qui en est le signifiant primordial,
le langage dont Ajax interdisait l'usage aux femmes mais dont
il fera bien tard l'apprentissage, lorsqu'il en découvrira la
fondamentale duplicité.

Dans les *Etudes sur l'hystérie,* Freud voulait que la métaphore
du « coup au cœur » n'en soit une que parce que nous avons
perdu la plus ancienne mémoire du corps[23]. Je ne crois certes
pas que la tragédie se contente de « ranimer les impressions
auxquelles la locution verbale doit sa justification », ni qu'elle
retrouve un sens « littéral » ou « primitif » derrière la « traduction imagée ». Ou du moins, si, dès l'épopée, les mots sont des
armes[24], sans doute faudrait-il alors parler de mémoire de la
langue. Je crois bien plutôt que, réfléchissant sur son propre
idiome, le genre tragique en explore l'efficacité constitutive : si,
sur la scène, les mots donnent du corps, rien dans le théâtre
n'atteint l'intégrité corporelle mieux qu'un mot — et cela semble
aussi vrai du spectateur-auditeur que des protagonistes : voyez
la *kátharsis,* et le frisson qui naît à la simple audition d'*Œdipe
roi.*

Trait, lame, épée. Voici donc le mot. Mais en voilà aussi la
limite. Car il n'advient pas que le dire se fasse chair : ainsi,
s'agissant du cri, ce jeté de voix issu du tréfonds du corps, la
tragédie s'arrête au moment où le mot régresserait du dire vers
le simplement proféré et, se faisant cri inarticulé, deviendrait
lui-même un peu de corporéité. Le risque serait alors que
l'entendre et le voir se mêlent en une perception indistincte,
antérieure à tout texte. L'affect empiéterait sur l'entente,

---

21. On rappellera que les « paroles ailées » d'Homère sont en fait des paroles
fléchées, destinées à atteindre leur but comme le trait qui s'enfonce dans le corps. La
parole et la guerre dans l'*Orestie* : on comparera *Choéphores,* 183-184 et *Agamemnon,*
1121-1124 ; voir aussi *Choéphores,* 309-314 (la langue / le coup).

22. Sophocle, *Ajax,* 785-786, 938. L'épée d'Ajax : voir J. Starobinski, *Trois fureurs,*
Paris, Gallimard, 1974.

23. Freud et Breuer, *Etudes sur l'hystérie,* trad. Anne Berman, Paris, PUF, 1956,
p. 144-145. En ce temps-là, Freud citait Darwin.

24. Voir G. Dunkel, « Fighting Words », *Journal of Indo-European Studies,* 7
(1979), p. 249-272, ainsi que L. Slatkin, « Les amis mortels », *L'Ecrit du temps,* 19
(1988), p. 119-132.

envahirait l'écoute. Produit par le corps au lieu d'être l'arme qui s'y enfonce, le mot serait menacé en son pouvoir.

Je m'explique. A plusieurs reprises, peu avant la *parodos* des *Euménides* — les Erinyes, invisibles, dorment encore, mais déjà les reproches de l'ombre de Clytemnestre les frappent au foie —, à la place d'un cri inarticulé, le texte de la tragédie présente le nom de ce cri : *mugmós*, « meuglement » (117, 120), *ōigmós*, « le cri : ôô... » (123, 126) et encore *mugmòs diploûs oxús*, « double meuglement strident » (129). Les commentateurs ont une explication toute prête : il s'agit là d'une indication scénique ajoutée au IVe siècle, pour une nouvelle représentation du drame ancien (on peut ou non préciser alors qu'au Ve siècle les textes tragiques, se suffisant à eux-mêmes, ne comportaient point de didascalie et que d'ailleurs le poète, *didaskalos* de sa pièce, a dû montrer lui-même le cri aux choreutes, au lieu de l'écrire). On peut même, de cette explication, donner une version plus subtile : un cri inarticulé, cela ne s'écrit pas ; certes, des onomatopées convenues se laissent noter — et, de fait, une fois réveillées (et visibles), le texte a retenu que les Erinyes « disent » *ioù ioù púpax* (143) et *ò pópoi* (145) —, mais l'inhumain ne se transcrit pas. Il n'y a dès lors qu'un pas à franchir — je le franchis — pour que, devenues partie intégrante du texte, ces désignations de cris soient bel et bien à attribuer à Eschyle. Il faudrait donc comprendre que ces substantifs dérivés d'onomatopées [25] prennent (dans le texte ? sur la scène ?) la place du cri comme de ce qui est absolument imprésentable dans l'élément du *logos*. J'ajouterai qu'ils ont leur rôle à jouer dans l'orchestration très concertée, au début des *Euménides*, d'un déséquilibre entre l'œil et l'oreille au profit de celle-ci : avant de terrifier les spectateurs athéniens avec l'apparition des Erinyes, Eschyle a, de bien des façons, retardé l'incarnation des déesses de la vengeance, confiant au dire le soin d'exprimer le voir — et peut-être la corporéité — en en suggérant l'impossibilité [26]. Et l'on notera peut-être encore que, pour clore la tragédie, c'est le verbe *ololúzō* qui, à deux reprises

---

25. Voir F. Létoublon, « Dérivés d'onomatopées et délocutivité », dans *Mélanges de philologie et de linguistique grecque offerts à Jean Taillardat*, Louvain, Peeters, 1988, p. 137-154.

26. Voir N. Loraux, « Alors apparaîtront les Erinyes », *L'Ecrit du temps*, 17 (1988), p. 93-107.

(1043, 1047) prend la place de l'onomatopée dont il est dérivé, se substituant à la présence physique du hurlement rituel. Il est vrai que Zeus Agoraios, dieu de la parole, l'a emporté. La *léxis* a pris le dessus.

J'en ai fini avec les cas extrêmes. Pour m'en tenir au discours tragique le plus partagé, je dirai que les mots de la tragédie glissent régulièrement du voir dans l'entendre. Cette fois encore, c'est dans l'*Orestie* que l'on s'en assurera, parce qu'il y a dans cette trilogie une réflexion en œuvre sur le langage. Si Eschyle intervient à titre d'exemple privilégié, ce n'est de toute façon pas un hasard : Aristote, rappelant qu'il est l'inventeur du second acteur, ajoutait qu'il diminua par là même la part du chœur et fit du *logos* le protagoniste — entendons le premier acteur (*Poétique,* 1249a 15-18).

Pour incarner ce jeu du voir dans le dire, il y a, dans *Agamemnon,* le personnage de Cassandre, prophétesse et qui, à ce titre, dit des visions [27]. Celle à qui Clytemnestre conseillait de se faire entendre par gestes (*phrázein* : 1061) et qui, après le départ de la reine, ne prend la parole que pour s'exprimer (*phrázei* : 1109) par énigmes — cela même dont on n'entend le sens qu'à s'en faire spectateur. Et, tout au long de la scène, comme pour désemparer le chœur qui aime le langage « clair », le dire de Cassandre donnera à voir, pourvu qu'on traduise en images le message inouï que délivre la devineresse [28].

Cassandre dit la mort : les meurtres déjà advenus dans la race des Atrides et ceux à venir (celui d'Agamemnon, le sien propre). Or, dans l'*Agamemnon,* la mort de Cassandre ne s'inscrit en aucun moment de la trame temporelle de l'intrigue ; elle n'a pas d'existence matérielle dans la perception des specta-

---

27. Sur tout cela et sur *phrázein,* je renvoie à la thèse de troisième cycle d'Ana Iriarte, *Parole énigmatique, parole féminine,* (EHESS, 1986 ; inédite en français, à paraître en espagnol).

28. Le chœur ne s'y entend guère : *Agamemnon,* 1112-1113 (« Aux énigmes succèdent des *oracles obscurs* », *epargémoisi thesphátois,* c'est-à-dire des *paroles* inspirées sans *lumière*) ; 1120 : « ton *discours* ne fait pas la *lumière* en moi » (*oú me phaidrúnei lógos*) ; 1131 : « je *compare* ces mots à un malheur » (*proseikázō*) ; en 1153, le chœur, pour caractériser les propos de Cassandre emploie le verbe composé *melotupeîs* (de *mélos,* le chant, et *túpos,* qui peut désigner le caractère écrit ou l'empreinte). Quand enfin « l'oracle ne se montrera plus à travers un voile, comme une jeune mariée » (1178-1179), le chœur, *entendant* la vérité *sans images* (1244), sera saisi par la peur.

teurs, fût-elle seulement entendue, comme celle du roi. Comme si, en la prédisant/prévoyant, elle l'avait anticipée. Comme si ses mots receleurs d'images valaient pour l'instant réel de sa mort. En revanche, Clytemnestre créditera Cassandre d'avoir, telle un cygne, chanté son dernier gémissement de mort (1444-1445) : mais qu'a fait la prophétesse devant le chœur, sinon chanter jusqu'au bout sa plainte mortelle ?

Face à Cassandre, le chœur était tout, sauf prophète. Le roi et la captive une fois tués, reste, dans l'attente du meurtre vengeur à venir, à sauver un peu de la parole qui voit. Dans la nuit des *Choéphores,* seul Hermès, parce qu'il est dieu — et dieu de la nuit et du silence — peut s'offrir le luxe d'une « parole sans visée » (*áskopon épos* : 816). Aux humains, il reste à poursuivre l'expérience du signifiant tragique. Soit, par exemple, le serviteur qui annonce la mort d'Egisthe. Quel est le statut de ce qu'il déclare au sujet de Clytemnestre : « Voici sa gorge, je crois, sur le tranchant de la lame et qui va, à son tour, justement frappée, s'abattre sur le sol » (883-884) ? Métaphorique ? Sans doute. A condition que l'on y entende surtout une prophétie (Clytemnestre, elle, ne s'y trompe pas, qui déchiffre l'annonce comme une énigme). Ou, mieux encore : à condition d'admettre que la métaphore prédit moins qu'elle n'accomplit à l'avance, en mots, ce qui sera. Oreste frappera bien Clytemnestre à la gorge, précision que le spectateur n'obtient d'ailleurs que dans *Les Euménides*[29].

(A nouveau, il faudrait soulever la question de la métaphore en régime tragique, et constater qu'elle est, dans l'*Orestie,* vouée à se réaliser, à retourner du dire vers le voir — ou plutôt à ce qui serait un contenu de vision. Car le spectateur, du meurtre de Clytemnestre, ne verra que les prémices. Le serviteur dit que la reine a le couteau sur la gorge, Oreste résiste à la monstration

---

29. Dans les *Choéphores,* Oreste dit seulement qu'il a tué sa mère (*ktaneîn mētéra* : 1027) ; le chœur parle bien de la tête tranchée des deux serpents (1047), mais cela peut être une façon de filer la métaphore de Persée, qui condense la scène de séduction et la mise à mort (voir N. Loraux : « *Matrem nudam* », *L'Ecrit du temps,* 11 (1986), p. 90-102. Au début des *Euménides,* l'ombre de Clytemnestre fait état de son égorgement (102), mais qui peut savoir alors que le verbe *kataspházein* est employé avec pertinence ? C'est donc Oreste qui apportera la précision, en réponse à une question des Erinyes dans le procès (592).

du sein de la mère, et le spectateur en sait assez pour supporter de ne pas assister à l'instant de la mise à mort [30].)

Ellipse du voir, force du dire, dans une civilisation où les vrais voyants sont les devins aveugles... La mort n'a pas d'autre lieu — et parfois d'autre temps — qu'un énoncé.

La mort se passe dans les mots. Entre les mots.

LA MORT AU GRAND JOUR DU LOGOS

Les lecteurs de tragédies l'ont souvent observé : alors que, comme genre, la tragédie se caractérise par le fait qu'on tue et qu'on y est tué [31], la réticence des tragiques semble avoir été grande à montrer la mort sur scène [32]. Encore faut-il bien préciser : *la* mort, et non les morts. De l'instant du meurtre, de la main qui tue, la tendance est à ce que rien ne soit vu ; rien, en revanche, ne semble exiger qu'on soustraie à la vue le corps des victimes, et l'on évoquera la fin d'*Antigone,* avec le cadavre d'Hémon bien visible et, plus en arrière, celui d'Eurydice.

Qu'il ne s'agisse pas là d'un classique problème de convenance, la chose a plus d'une fois été suggérée [33]. Si toutefois l'on tient absolument à poser la question en ces termes, il faudrait comprendre pourquoi c'est le mourir qui, en soi, est inconvenant, et non l'être mort, la mort déjà-là d'un corps inerte.

Question d'habitude, disent certains : pour un public qui a appris à lire — et beaucoup plus que cela — dans l'*Iliade,* la

---

30. Je ne peux suivre Ch. Segal (« Tragedy, Corporeality, and the Texture of Language : Matricide in the Three Electra Plays », *Classical World,* 79 (1985-86), p. 7-23) affirmant qu'Eschyle est le seul tragique à faire accomplir le matricide sur la scène (p. 17). Pour un commentaire de *Choéphores,* 883-884, voir Z. Petre, « La représentation de la mort », p. 28.

31. Outre la preuve par l'évidence, on évoquera un passage de la *Poétique* où Aristote raisonne en termes de genre : or, en opposition avec la tragédie, la comédie se caractérise par le fait que les pires ennemis (Oreste et Egisthe) s'en vont bras dessus, bras dessous, et que « personne n'est tué par personne » (1243a 35-39).

32. J.M. Bremer (« Why Messenger-Speeches ? », dans *Mélanges Kamerbeek,* p. 29-48) : « deux conclusions qui s'excluent mutuellement : la tragédie se concentre sur la mort, mais la tragédie évite la mort » (p. 37).

33. En dernier lieu par Z. Petre, « La représentation de la mort » ; observant qu'« un théâtre qui invente l'*egkúklēma* pour faire voir des dépouilles sanglantes » est au-delà de la *dignitas* d'Horace (p. 21), Z. Petre rejoint les remarques de Baldry (*Le théâtre tragique des Grecs,* p. 72-73) sur l'*egkúklēma,* machine qu'on roule au dehors pour faire voir les cadavres. Voir aussi Lanza, « La disciplina dell'emozione », p. 52.

mort se *dit,* en des termes d'une précision parfois clinique, et
cela suffit. Cela suffit..., à cela près qu'aucun raisonnement par
les conditions suffisantes ne suffira à expliquer pourquoi le
tueur et le tué doivent aussi vite rentrer en coulisses pour que
le meurtre advienne. Aussi faudra-t-il faire un pas de plus, et,
remettant à plus tard l'interrogation sur l'origine ou le sens
d'une telle « habitude », constater au moins qu'il y a là, émi-
nemment, un signe : le signe de ce que « l'on comptait beaucoup plus sur l'imagination que sur la vue, sur l'oreille que sur
l'œil »[34].

Mais une phrase d'Aristote viendra peut-être fâcheusement
interrompre ce discours. C'est à propos de l'« effet violent »
(*páthos*), défini comme « une action causant destruction ou
douleur, par exemple les morts sur scène (ou, plus exactement,
au grand jour : thánatoi en tôi phanerôi), les grandes douleurs,
les blessures et toutes choses du même genre » (*Poétique,*
1252b 10-14). Cette phrase m'a gênée, comme elle gêne tous
ceux qui estiment que, dans *en phanerôi* (traduit comme
signifiant : « sur scène »), c'est de l'*ópsis* qu'il s'agit. Il est
toujours possible de s'en tirer en affirmant qu'Aristote parle en
l'occurrence des représentations tragiques de son temps, où le
spectaculaire l'emporte ; mais la parade est faible, car tout
indique que, pour le philosophe, le « moment tragique » se
situe au Vᵉ siècle. Il faut donc relire la *Poétique* avec plus
d'exigence, s'assurer que le *páthos* relève du seul *logos* — il est
une sous-partie de l'une des quatre parties discursives qui font
la tragédie — et non du spectacle, du moins explicitement. Car
il est un élément du *mûthos,* même s'il semble présenter
quelque affinité avec le spectaculaire, et, si l'on veut prendre en
compte cette dimension, tout au plus le définira-t-on comme
« une sorte d'instrument du spectacle dans l'histoire »[35].

Reprenons les choses de plus haut : il n'est pas de représentation du mourir, disais-je, mais on montre volontiers les morts.
A côté des corps d'Agamemnon et de Cassandre se dresse
Clytemnestre, tout comme, dans *Les Choéphores,* Oreste se
dressera, avec, à ses côtés, les corps de Clytemnestre et d'Egisthe. Triomphante, Clytemnestre prenait la parole, et racontait

---

34. Voir Baldry, *op. cit.,* p. 69-70.
35. Citation de R. Dupont-Roc et J. Lallot, *Aristote. La Poétique,* p. 234.

(décrivait, mimait, revivait) le meurtre de l'époux. De même Oreste, après avoir invité le peuple d'Argos à regarder (*Ídesthe* : 973) les cadavres de ses tyrans, détourne la vue (*Ídesthe* : 980) et surtout l'écoute vers le voile qu'il brandit et la description, mieux, le portrait qu'il en donne : ce voile, parure féminine muée en arme, dont Clytemnestre a fait un piège de mort pour Agamemnon ; ce voile qui, dans un procès — mais, Oreste le sait, le procès se prépare — sera une pièce à conviction[36], ce voile devient l'emblème de la mortelle ruse féminine, et quelque chose comme l'*analogon* de Clytemnestre :

> Et cela, *de quel nom l'appeler* pour rencontrer juste, tout en usant des termes les plus doux ? Piège à fauve ? draperie de cercueil, entourant le mort jusqu'aux pieds ? Non, filet, bien plutôt, panneau, voile entrave, instrument d'un bandit qui tromperait ses hôtes et vivrait de rapines, et, grâce à tel engin, trouverait d'autant plus de joie qu'il détruirait plus de victimes. Ah ! qu'une telle compagne n'entre pas dans ma maison ! Les dieux me laissent plutôt mourir sans postérité ! (*Choéphores*, 997-1006, trad. Mazon.)

Oreste dira encore :

> Je proclame ce voile assassin de mon père.

Les corps morts sont bons à montrer : en leur silence, ils appellent le discours et, foisonnant[37], le signifiant tragique vient doubler le spectacle réel des visions intérieures qui l'animent, riche chaîne d'associations où l'objet-témoin se fait mot, et le mot image.

Le « grand jour » n'est donc pas — ou pas seulement[38] — le grand jour bien réel de la scène sous un authentique ciel de Grèce. Au *páthos* il faut le grand jour du dire, qui en suggère plus qu'aucune mise en scène, si sanglante soit-elle, ne peut en montrer.

Dans la pleine lumière de la veille, sans nul recours aux

---

36. Pour Oreste, il l'est déjà : voir les vers 987 (un jour, en justice, il sera témoin pour moi), 1010 (ce voile témoignera pour moi que...).

37. Voir les remarques de Z. Petre (« La représentation de la mort », p. 24-25 et 28) et de D. Lanza, (« La disciplina dell'emozione », p. 52).

38. Selon Philostrate, il est vrai, Eschyle fut le premier à concevoir la mort derrière la *skēnē*, « pour ne pas égorger en public, *en phanerōi* », et l'expression a ici son sens propre ; mais on notera qu'elle est alors *sous négation*.

hallucinations somnambuliques d'une Lady Macbeth, les mots voient la mort.

Soit, encore une fois, le meurtre d'Agamemnon. Le chœur ne le voit pas, mais il entend des cris. Le spectateur voit le chœur entendre, et entend lui-même : aussi a-t-il deviné la mort avant que le chœur ne s'y résolve, qui prend encore le temps de s'interroger, par la voix du coryphée, sur l'identité du mourant (1344). Il est vrai que, mauvais devin, le chœur ne croit qu'à ce qu'il voit de ses propres yeux, parce qu'il identifie le voir au savoir — ainsi, pendant que le chœur délibère inutilement pour prendre enfin la décision de s'informer, il y aura encore un choreute, suivi d'un autre, pour mettre en doute la réalité de ce qui n'a été qu'entendu (1366-1369). Le chœur identifie le voir au savoir ? Il verra donc des cadavres. Et, avec le spectateur qui, lui, sait entendre, il devra écouter Clytemnestre détailler le récit du meurtre. Sans doute n'en est-ce point le dernier récit et, tout au long de l'*Orestie,* la mort ignominieuse du roi sera inlassablement racontée, mais, à Clytemnestre qui a agi, revient l'initiative du dire. La reine raconte au présent et mime cette tuerie dont elle fait une victoire ; puis elle prend assez de distance pour désigner le corps mort :

> Celui-ci est Agamemnon, mon époux ; ce cadavre est dû à ma main droite — du travail de juste ouvrière ! (1404-1406).

Ainsi, lors même que le déictique redouble le spectacle au sein de la parole, le récit ne vire pas pour autant au commentaire ; il se fait oraison funèbre impie, épitaphe parlée, forcément injurieuse (« Il gît, l'insulteur de la femme que je suis, miel des Chryséis sous Troie »). Le dire déborde sur le voir, et, à son tour, Egisthe dira sa joie de voir le corps gisant de l'ennemi.

Que le dire déborde sur le voir sans jamais se limiter à le commenter, l'attestent encore les paroles que, pour clore *Agamemnon,* Clytemnestre adresse à Egisthe, qui voulait s'en prendre au coryphée :

> Arrête, ô le plus cher des hommes, n'accomplissons pas d'autres maux. Nous avons déjà ainsi moissonné beaucoup, triste récolte. C'est assez de souffrance : nous sommes trempés de sang (1654-1656).

La tragédie veut une fin, mais on ne tue pas le chœur :
Clytemnestre, qui s'est naguère assimilée au démon vengeur du
génos, n'en incarne plus l'insatiable présence : en arrêtant le
bras d'Egisthe, elle exprime bien plutôt la cohérence du genre
tragique. Elle dit surtout qu'une action a trouvé sa fin, avec
cette moisson de meurtres. Qu'il faille y voir un effet de
lassitude ou un accomplissement *in extremis* du personnage (la
mère en furie est vengée, la femme adultère a toujours été moins
exigeante), la reine arrête le jeu : « Nous sommes trempés de
sang ! » (*hēimatōmetha*). Mal inspiré serait sans doute le met-
teur en scène qui transcrirait cette forme de parfait passif dans
l'élément du visible. Car il n'y a là aucune indication scénique :
tout juste une conclusion et l'amorce d'un tournant dans la
formulation de ce thème du sang qui court tout au long de
l'*Orestie.* « Nous sommes trempés de sang » : le sang nous a
recouverts, jusqu'à devenir notre nature. Rien de moins réaliste
que cette déclaration : déjà la tache de sang au front de
Clytemnestre n'était qu'imagination de son cœur en délire
(1426-1428). La reine n'aura pas à la laver, fût-ce en rêve : la
tache est désormais incorporée à son être.

Revenons un instant à la *Poétique.* Lorsque Aristote affirme
que, « pour composer les histoires et, par l'expression (*léxis*),
leur donner leur forme achevée, il faut se mettre au maximum
la scène sous les yeux (*prò ommátōn*) » (1455a 22-26), cette
vision, premier temps du *poieîn,* du faire poétique, est tout
intérieure : il s'agit de trouver la *léxis* appropriée, celle qui aura
absorbé le voir, de telle sorte que toujours le dire soit en
excédent sur ce qu'il montre. Ainsi, du voile que brandissait
Oreste, on pouvait un instant penser qu'il était sorti du texte,
mais le geste n'a eu lieu que pour réincorporer au texte le voile,
devenu figure matricielle de l'*Orestie.*

Le dire l'a emporté, le voir fournit seulement des indices, des
tekmēria propres à appuyer la plaidoirie dans un procès.

Et l'*Orestie* n'a pas fini de raconter la mort d'Agamemnon.

Quittons Eschyle et franchissons encore un pas. La mort ne
s'entend même plus en direct, reste le récit.

Alors s'avancent les messagers qui, censés avoir vu l'acte

refoulé hors scène, doivent impérativement le donner à entendre.

CE QUE DIT LE MESSAGER

Un dernier détour par Aristote, tant il est vrai qu'il n'est pas
d'étape de ce parcours où l'on n'ait dû revenir à la *Poétique*.

Dans un passage difficile, que certains lecteurs ont même cru
corrompu et où il n'y a peut-être qu'un « parallélisme un peu
boiteux » [39], Aristote distingue entre deux formes de la représentation :

> Il est possible de représenter (*mimeîsthai*) les mêmes objets et
> par les mêmes moyens, tantôt comme narrateur (*apaggéllonta*)
> — que l'on devienne autre chose (c'est ainsi qu'Homère com-
> pose) ou qu'on reste le même sans se transformer — ou tous
> peuvent, en tant qu'ils agissent effectivement, être les auteurs
> de la représentation (*toùs mimouménous*) (1448a 19-24).

Il y aurait donc deux formes du *mimeîsthai* : comme narrateur
(que ce narrateur dise *je* — ainsi dans la poésie lyrique — ou que
le poète s'efface en tant qu'instance de narration, et l'on a
l'épopée) ; ou bien dans le cas où tous les personnages, passant
effectivement à l'acte, sont eux-mêmes les agents de la représentation. La rupture de construction (que l'on soit narrateur / ou
bien tous sont les imitateurs) et le dédoublement de la *mímēsis*
dans la seconde partie de la phrase (il est possible d'imiter, que
l'on soit narrateur... ou bien tous sont les imitateurs) indiquent
assez que le parallélisme n'en est pas un, car il est impossible :
Aristote a annoncé deux formes de la représentation, et seule
la narration présente le statut dérivé de « forme de... » ; de
l'autre côté, du côté du jeu des acteurs-personnages, il y a la
mímēsis en personne.

Cherchez les deux formes de la *mímēsis*. Vous n'en trouverez
qu'une qui ne se réduise pas à la *mímēsis* elle-même. C'est
l'*apaggelía*, l'acte d'annoncer (*apaggéllein*). Un tel enchaînement
suffirait peut-être en soi à attirer l'attention sur cette activité où,
sans mimer réellement un autre, le poète dit *je* par la bouche
d'un autre : il devient autre que lui-même tout en entretenant

---

39. Dupont-Roc-Lallot, *Aristote. La Poétique*, p. 161.

un rapport privilégié avec la position d'énonciateur du récit [40]. Et l'on s'interroge : si c'était Sophocle, « transformé en messager », qui racontait la mort de Jocaste ?

Sans doute Aristote revient-il plus loin sur la question de l'*apaggelía,* pour lui refuser cette fois-ci sans ambiguïté toute part à la représentation tragique (« La tragédie est la représentation d'une action noble [...] mise en œuvre par les personnages du drame et n'ayant pas recours à la narration, *ou di' apaggelías* » : 1449b 24). Mais, dans la *Poétique,* la réflexion est marquée — ainsi, à propos de l'*ópsis* — par un va-et-vient entre le radicalisme d'une définition « essentialiste » du genre et une pensée très modalisée de la tragédie, par où le réel ferait retour. Et il se peut qu'après le paradoxe sur la *mímēsis* le philosophe choisisse ici la radicalité qui tranche, que l'on doive supposer en lui la même méfiance à l'égard des tragédies du Ve siècle — où les récits de messager sont partie intégrante de l'œuvre — qu'envers celles de son temps — où se multiplient les « morceaux », détachables à volonté — ou qu'Aristote prenne ici résolument le parti de l'origine — entendons celui de la tragédie d'avant Eschyle, puisque Eschyle passe pour avoir le premier introduit les messagers dans ses pièces [41].

Dans un cas comme dans l'autre, on prendra le parti de s'émanciper de l'autorité d'Aristote (que l'on a d'ailleurs voulu traiter moins comme l'Autorité que comme un lecteur moderne de l'Antiquité, le premier).

Le temps est venu de rappeler que le mot *apaggelía* (la « narration ») est dérivé du même radical que les noms de messager dans la tragédie : *ággelos,* le messager qui vient du dehors, tel celui de la mort d'Hémon dans *Antigone,* et surtout *exággelos,* le messager qui sort de ce hors-scène infiniment proche qu'est le palais derrière la *skēnē* — dans *Antigone* encore, celui de la mort d'Eurydice, perpétrée au creux de l'appartement des femmes, ou, dans *Œdipe roi,* celui qui annonce la pendaison de Jocaste et l'aveuglement d'Œdipe.

40. Ch. Segal, « Vérité, tragédie et écriture », p. 354-355 : « Les événements [sont alors] envisagés du point de vue de l'auteur, c'est-à-dire d'un texte écrit et d'un *scriptor.* »

41. Les modernes, il est vrai, estiment plus volontiers que le récit de messager est, dans sa forme, un archaïsme : J.M. Bremer, « Why Messenger-Speeches ? », p. 42-44 ; D. Lanza, « L'attore », p. 135.

En me fondant sur un vers des *Choéphores* (266), où *apaggél-lein* caractérise l'attitude de qui irait dénoncer hors scène ce qui se passe dans le théâtre, je verrai simplement dans l'*exággelos* la figure inverse : est *exággelos* celui qui vient de l'envers invisible de la scène pour informer le chœur et les spectateurs ; en un mot, le « bon messager », par qui le message circule dans le bon sens. Certes, un tel messager n'est pas, comme ceux de l'épopée, envoyé par Zeus[42] — il n'est même la plupart du temps mandaté, semble-t-il, que par lui-même. Mais il obéit à la nécessité d'offrir au voir et à l'entendre du chœur, dans l'*orkhêstra*, et des spectateurs, sur les gradins, ce qui n'a été ni vu ni entendu. Aussi est-il cru sur parole, parce qu'il prête sa figure et sa voix à une exigence tragique, et son statut de messager fidèle d'un *dráma* n'est pas mis en doute, parce que peut-être on entend dans sa voix celle du poète tragique qui prendrait de la distance envers la *mímēsis* pour se faire narrateur et restituer, au travers de l'entendre, le voir perdu. Mais ce voir est fictif ou, du moins, intérieur au dire : si l'on y adhère aussi aisément, c'est que, dans la tragédie, l'oreille est le seul instrument réel de la vérité.

Soit la mort de Déjanire, dans *Les Trachiniennes* (900-929) ; la nourrice en est messagère. Elle en eût été spectatrice — elle a de fait commencé à l'être — si, à l'instant décisif, elle ne s'était précipitée hors de la chambre nuptiale pour aller signifier (*phrázein*) au fils ce qui se passe : et c'est ainsi que la nourrice n'a rien vu du geste mortel de la désespérée. Avec Hyllos, elle verra (*horômen* : 930, *idōn* : 932), certes, et ce qu'elle voit est un corps transpercé.

J'en viens, surtout, à la mort de Jocaste[43], qui présente d'ailleurs comme un écho textuel de celle de Déjanire[44].

Jocaste a traversé le palais, jusqu'à sa chambre d'épouse.

---

42. Sur les messagers du chant XXIV de l'*Iliade*, voir F. Létoublon, « Le messager fidèle », dans J.M. Bremer, I.J.F. de Jong et J. Kaff éd., *Homer : Beyond Oral Poetry. Recent Trends in Homeric Interpretation*, Amsterdam, B.R. Grüner, 1987, p. 123-144.

43. Voir N. Loraux, « L'empreinte de Jocaste », *L'Ecrit du temps*, 12 (1986), p. 35-54.

44. Malgré tout l'écart séparant une mort par le glaive d'un suicide par pendaison, on notera que *amphiplēgi... peplēgménēn* (du côté du tranchant : *Trachiniennes*, 930-931) a comme un répondant dans *plektaîs... empeplegménēn* (du côté du nœud : *Œdipe roi*, 1264) ; l'un des manuscrits d'*Œdipe roi* comporte d'ailleurs la leçon (erronée) *empeplēgménēn* : voir R.D. Dawe, *Studies on the Text of Sophocles*, I, Leyde, 1973, *ad loc.*

Alors, elle a violemment fermé la porte, se dérobant à la vue, et le serviteur qui la suivait a entendu ses lamentations.

> Comment, après cela, elle périt, je ne peux plus le dire ;
> Car, hurlant, vint s'abattre Œdipe et, de son fait,
> Il n'était plus possible d'*assister* (*ektheásasthai*) à la mort de
> [celle-ci.
> (1251-1253)

Ektheásasthai : voir jusqu'au bout — de ce vœu, on peut à coup sûr créditer le spectateur dans le *théatron*. Le mot a singulièrement troublé la tradition. « Comment le messager pouvait-il la voir, puisqu'il était derrière des portes closes, qu'Œdipe n'a pu ouvrir qu'en les forçant ? » Et de répondre, avec le plus grand sérieux, que « peut-être y avait-il quelque fenêtre ou quelque fente dans le mur », faute de quoi, l'âme navrée, on serait contraint de reconnaître qu'ici « Sophocle a fait un faux pas »[45]. A moins d'imaginer que le messager avait suivi Jocaste jusqu'en sa chambre, et c'est bien d'un spectacle qu'Œdipe aurait, au sens propre, privé son serviteur[46]. Comme quoi la volonté de réalisme mène à récrire *Œdipe roi*[47].

Mieux vaut prendre le texte au mot, admettre que Jocaste elle-même, en rendant tout voir impossible, a tout fait pour que nul n'assiste en personne à sa mort. Que donc, en empêchant par ses cris le messager d'être jusqu'au bout spectateur du suicide, Œdipe n'a, de ce point de vue, qu'aggravé un processus déjà engagé. Et pourtant il s'agissait bien pour le messager d'être spectateur — *ektheásasthai* —, car entendre, c'est encore assister : occasion de rappeler que le lieu des acteurs se nomme *logeîon*, « lieu où l'on parle », par opposition sans doute à l'*orkhêstra* où danse le chœur, mais aussi au *théatron* où se masse le public (de là à supposer que, très canoniquement, c'est, de toute façon du dire que l'on voit, il n'y a pas loin). Entendre : assister (et recomposer le spectacle absent). On méditera peut-être sur le

---

45. La question et la réponse sont empruntées à Dawe, dans son édition commentée d'*Œdipe roi* (Oxford, 1982).

46. C'est l'hypothèse de G.F. Else, qui toutefois hésite (*The Madness of Antigone,* Heidelberg, 1976, p. 84).

47. Commentant le vers 1253, R.D. Dawe estime que le verbe *ektheásasthai,* qu'aucun auteur classique qui se respecte n'emploierait, est dû à un copiste, et propose *eistheásasthai,* « regarder à l'intérieur » (*Studies on the Text of Sophocles, ad loc.*) : et voilà la thèse du trou dans le mur !

fait qu'un serviteur sophocléen en sait plus qu'un chœur d'Eschyle
— on se rappelle celui d'*Agamemnon* — sur ce qu'est une écoute
au théâtre : entendre, et voir ce qu'on entend.

Le voir intérieur au récit était déjà entravé, mais nul doute
que, sans l'intervention d'Œdipe avec ses cris, l'oreille eût perçu
le spectacle. Nul doute ? Au jeu du dire et du voir, je me suis
laissé prendre, allant trop vite en besogne ; il faut recommencer,
avec plus de précision, plus d'attention aussi à la modalité
indirecte de tout ce discours. Nul doute, n'était Œdipe... : telle
est la *fiction* (le jeu de scène imaginaire) à laquelle doit un
instant adhérer le spectateur-auditeur pour que les nécessités du
genre tragique ne lui apparaissent pas trop clairement. Il *faut*
que le geste de mort soit sous ellipse — et la nourrice quitte
précipitamment Déjanire, et Jocaste n'est plus aperçue que
pendue ; mais, parce qu'il écoute et croit le messager, le spectateur dans le théâtre pensera peut-être seulement qu'il faut
toujours, en somme, qu'Œdipe se mette en avant.

Puissance du récit, lorsque les mots donnent à voir l'impossibilité de voir ce qui n'existe que par eux.

Comment résister encore à la tentation d'évoquer le premier
échange entre le chœur et le messager, à l'arrivée de ce dernier ?
Le chœur chantait la chute d'Œdipe, sans savoir à quel point
il était prophète du destin de son roi :

> Par toi, j'ai recouvré la vie, et par toi aujourd'hui j'ai fermé les
> [yeux
> (1219-1221)

Et le messager :

> Quels actes donc entendrez-vous ? quels actes verrez-vous ?

Le moment venu, le chœur *verra* réellement Œdipe aveuglé et,
pour l'instant, il apprendra que le messager n'a pas pu entendre
la mort de Jocaste. Mais il est tout aussi exact qu'il *entend*
d'abord un récit sur la pendaison de la reine et la mutilation du
roi, et qu'à la lumière de ce récit qui révèle le caché, des
malheurs apparaîtront au jour (*eis tò phôs phaneî kaká* : 1229),
dont on verra que les plus affligeants sont ceux qui ont été
l'objet d'un choix (*phanôsi* : 1231). Dans l'écoute, il y a de la
lumière. Certes, jusqu'au bout, le spectacle du corps de Jocaste

aura été refusé : *hē gàr ópsis ou pára* (1237), et dans cette variation très serrée sur les formes et les degrés du voir on peut déceler la marque de l'écriture poétique, antérieure à toute représentation [48] ; mais on méditera surtout ici sur le bon usage des spectacles refusés : dans l'entre-deux du message, avec le lien de la mémoire (1239) et le concours du chœur interrogeant les souvenirs tout neufs et déjà si fixés du serviteur, le spectateur-auditeur apprend ce qu'est la souffrance. Ce que fut la souffrance de Jocaste — Sophocle dit *pathḗmata* tout comme, pensant l'événement tragique, Aristote parle de *páthos* (douleurs, blessures, « morts au grand jour »). Et l'apprentissage du *páthos* a lieu au plus près des mots [49]. En quelque sorte, une *talking cure* où celui qui sait (que l'on suppose tel) dirait, cependant qu'écouterait en silence celui qui apprend. En silence, ce qui ne signifie pas dans l'inactivité, car, pour entendre le jeu des mots avec l'*ópsis*, il faut — comment éviter de revenir à cette formulation ? — une singulière attention dans l'écoute.

Mais mieux vaut relire — écouter — ces quelques vers d'*Œdipe roi* :

> De ce qui a été accompli
> le plus douloureux est loin de toi ; car le spectacle n'est pas là.
> Cependant, pour autant que la mémoire en moi puisse y
> [parvenir,
> tu apprendras la passion de la pauvre reine.
>
> (1237-1240, trad. J. et M. Bollack)

Les mots donnaient du corps aux personnages et souvent les blessaient ; ils savent aussi leur retirer ce trop-plein de corporéité qui saturerait un spectacle émancipé du dire. Il est des spectacles que la tragédie grecque préfère imaginer, derrière le mur opaque de la *skēnḗ*, dans le palais qui abrite les horreurs du *génos*. Pourquoi montrer l'imprésentable, que les mots voient si bien ?

Les mots voient : formuler cette proposition, c'est tenter d'exprimer cette façon qu'a le genre tragique de protéger le

---

48. Ch. Segal, « Vérité, tragédie et écriture », p. 352-354.
49. Eschyle aime dire que la souffrance apprend (par exemple : *Agamemnon*, 177 : *tôi páthei máthos*) ; le *páthos* est en lui-même source du comprendre et, dans les mots qui l'expriment, le spectateur expérimente et apprend.

spectateur des émotions violentes et brèves du spectaculaire[50], en soumettant l'auditeur au voir intérieur à la *léxis,* qu'Aristote nomme *páthos.* Peut-être, du côté des spectateurs dans le *théatron,* ce *páthos,* bien qu'épuré de tout spectacle qui ne serait pas fictif, s'éprouve-t-il sur le mode de la terreur (du frisson) et de la pitié. C'est, dit encore Aristote, « ce qu'on ressentirait (*háper àn páthoi*) en écoutant l'histoire d'Œdipe » (*Poétique,* 1453b 1 sqq.). Mais Freud lecteur d'Aristote précise :

> Le drame a donc pour thème toutes les sortes de souffrance à partir desquelles il promet de procurer du plaisir à l'*auditeur.* [...] Pourtant cette souffrance se limite rapidement à une souffrance *psychique,* car nul ne veut d'une souffrance *corporelle,* sachant avec quelle rapidité le sentiment du corps dès lors modifié met un terme à toute jouissance psychique[51].

Une souffrance psychique pour une souffrance corporelle : parce que les mots ont du corps, il n'était pas nécessaire qu'Œdipe s'aveuglât devant nous. Et rien dans le texte d'*Œdipe roi* ne garantit qu'à la première représentation de la tragédie le héros terrassé soit apparu aux yeux des spectateurs avec un masque *vraiment* ensanglanté.

Les mots ont du corps. Peut-être maintenant avançons-nous d'un pas dans la compréhension de cette proposition, plusieurs fois esquissée, à chaque fois laissée en l'état : que, dans le texte tragique, il n'est pas à proprement parler de métaphore. Parce qu'entre le mot et « l'image » il n'est pas sûr que l'on puisse introduire la distance qui permettrait que s'établisse un rapport sur fond d'écart. Comme si toujours les mots devaient être pris au mot. Pour l'auditeur, le bénéfice est grand : il y gagne d'être indissociablement spectateur, il y gagne surtout de n'être pas atteint directement en son corps, puisque, dans les mots, il y a déjà du corps.

La *léxis* serait-elle, entre les citoyens au spectacle et la

50. Z. Petre (« La représentation de la mort », p. 30-31) observe que les peintures de vases où l'on cherche des informations sur les mises en scène font en réalité voir très exactement ce que le spectacle ne montre presque jamais : l'instant même où le héros tue ou est tué.

51. Freud, « Personnages psychopathiques à la scène », traduit par J. Altounian, A. Bourguignon, P. Cotet, A. Rauzy, dans *Résultats, idées, problèmes,* I, Paris, PUF, 1984, p. 125. Le mot *auditeur* est souligné par moi.

tragédie (autant dire : la *léxis* elle-même) quelque chose comme une très singulière médiation ?

C'est une interprétation. Qui se revendique comme telle, en ce que la lectrice de textes connaît sa pente à privilégier, dans la culture grecque, tout ce qui donne à l'écoute le pas sur le voir, toute réflexion qui, du voir, fait beaucoup plus que du simplement voir. Comme toute interprétation, celle-ci croit cependant n'être pas sans fondement : dans la réflexion mythique des Grecs, y a-t-il voyant plus aigu que l'aveugle dont les oreilles ont été déliées ? Tirésias, le devin aveugle, est à Œdipe le déchiffreur d'énigmes comme un inquiétant miroir, et l'on sait que le poète archaïque comptait le *mántis* au nombre de ses rivaux les plus proches. Mais il n'est pas d'interprétation qui ne se veuille intérieure à son objet : aussi a-t-on sans relâche demandé aux textes de se faire témoins de cela même que l'on pensait ne pouvoir articuler que sous l'effet de leur suggestion.

Une interprétation, donc. Qui parie pour sa propre pertinence, mais se sait par définition le fruit d'un choix — dirai-je : d'une rencontre entre des textes et la forme assez constante des questions d'un sujet ?

Qu'une telle rencontre soulève à son tour des questions, j'en assume le risque. Et je devine deux d'entre elles. La première serait : et la mise en scène ? La seconde, plus sévère, demanderait ce qu'il advient du texte dans tout cela.

L'ensemble de ce parcours sera peut-être entendu comme un plaidoyer pour des représentations tragiques qui ne soient pas spectaculaires et mettent dans le texte l'essentiel de la présence dramatique. Et c'est bien de cela qu'il a été question : comment jouer aujourd'hui la tragédie grecque (sans se contenter seulement de la lire dans le silence du cabinet), sur le mode d'une fidélité — dont les limites seraient certes à définir — à ce que fut le genre pour ses premiers inventeurs ? Ce qui impliquerait sur-le-champ que l'on cherche des solutions à la très réelle difficulté qu'il y a pour un moderne à présenter le chœur, ce collectif qui danse, chante, parle, mais, ce faisant, *exprime* ; que l'on entend énoncer des visions et que l'on regarde enchaîner entre eux les sons et les images, en longs morceaux signifiants ;

bref, qui est « la scénographie vivante de la pièce »[52] et, tout à la fois, l'instance la plus achevée du verbe tragique. Il est vrai que, la musique symphonique et l'opéra s'étant interposés à notre écoute, nous ne savons plus imaginer que l'on puisse entendre ce que disent les chœurs tragiques lorsqu'ils chantent, sauf à les immobiliser dans le strict registre de la parole ornementale.

Certes, nos oreilles ne sont pas grecques et il se pourrait que l'ensemble de ces propositions soit impraticable. Parions qu'il ne l'est pas, et travaillons.

Quant au texte... La réponse est malaisée, et cependant il faut bien revenir sur ce dont il a été question dans ces pages sous le nom de texte. La brève histoire d'un trajet s'imposerait alors : il faudrait raconter comment les historiens de la Grèce ancienne réduisent volontiers la tragédie à la fonction instrumentale de pur document ; comment les anthropologues ont retrouvé le texte, mais en insistant sur la nécessité d'en articuler l'étude avec la connaissance des pratiques sociales qui en sont le contexte, voire le sous-texte, avec cette difficulté que celles-ci sont parfois (ainsi la configuration du sacrifice) partiellement reconstruites à partir de textes tragiques. Le tout dans l'élément silencieux de la lecture. Or un intérêt de longue date pour ce que peut être une mise en scène contemporaine de la tragédie et — coïncidence ? — l'attention à la résonance du signifiant en régime psychanalytique ont sans doute contribué à quelque chose comme la décision de lire la tragédie sous *épokhè* de son statut écrit, procédure certes provisoire, mais toujours à répéter : tenter, à titre d'hypothèse de travail, de se défaire d'une notion du texte où l'écriture serait en elle-même comme une lecture silencieuse qui aurait le premier et le dernier mot, pour travailler sur l'idée d'une textualité dont le statut serait de ne s'ouvrir qu'à l'écoute, parce qu'un texte tragique a peut-être toujours d'abord été entendu, à commencer par le poète. Ce qui ne signifie pas qu'on annexe la tragédie au débat homérique opposant l'oralité et l'écriture comme deux modalités rivales de la composition poétique. Mieux vaudrait parler d'une écriture dont la voix serait le registre et la matière, puisque aussi bien

---

52. Pour la citation et les remarques sur l'écoute du chœur, voir D. Seale, *Vision and Stagecraft in Sophocles*, Londres-Canberra, 1982, p. 15.

la lecture doit un jour ou l'autre se faire écoute. Que la proposition reste à préciser va de soi ; du moins n'a-t-on pas fini d'explorer cette voie.

Pour l'instant, il est grand temps de se taire, et d'écouter les mots de la tragédie (« De ce qui a été accompli, le plus douloureux est loin de toi ; car le spectacle n'est pas là... »).

JEAN-MICHEL ADAM

POUR UNE PRAGMATIQUE
LINGUISTIQUE ET TEXTUELLE

Nous apprenons à mouler notre parole dans les formes du genre et, entendant la parole d'autrui, nous savons d'emblée, aux tout premiers mots, en pressentir le genre, en deviner le volume (la longueur approximative d'un tout discursif), la structure compositionnelle donnée, en prévoir la fin, autrement dit, dès le début, nous sommes sensibles au tout discursif qui, ensuite, dans le processus de la parole, dévidera ses différenciations. Si les genres du discours n'existaient pas et si nous n'en avions pas la maîtrise, et qu'il nous faille les créer pour la première fois dans le processus de la parole, qu'il nous faille construire chacun de nos énoncés, l'échange verbal serait quasiment impossible.

(M. Bakhtine, 1984, p. 285)

Comme le présent ouvrage en est la preuve, les textes ne sont en aucune façon l'objet propre du linguiste. Historiens, psychanalystes, spécialistes de l'exégèse en parlent depuis longtemps. De plus, stylisticiens, poéticiens et sémioticiens s'intéressaient aux textes quand la linguistique limitait encore volontairement son propos au mot et à la phrase[1]. Si, depuis près de vingt-cinq ans, la théorie du texte s'est largement développée dans les pays anglo-saxons, il n'en va pas de même dans le domaine francophone, où le terrain a surtout été occupé par les recherches de

---

1. Il suffit de citer Barthes pour *Le plaisir du texte* (Seuil, 1973), et surtout son article « (Théorie du) Texte » de l'encyclopédie *Universalis* ; Gérard Genette pour son *Introduction à l'architexte* (Seuil, 1979) ; mais aussi les essais plus anciens de J.-L. Houdebine dans *Théorie d'ensemble* du groupe Tel Quel : « Première approche de la notion de texte » (Seuil, 1988) et de J. Kristeva : « Le texte et sa science » (in *Semeiotike, recherches pour une sémanalyse*, Seuil, 1969).

sémiotique et d'analyse de discours, auxquelles il faut ajouter
l'herméneutique de Paul Ricœur. Le récent *Essais d'herméneutique II* (1986) de ce dernier constitue certainement l'une des
plus stimulantes tentatives de définition du texte.

Si, pour rester dans le domaine qui est le mien, je recherche
une tradition linguistique d'approche d'une telle question, le
nom de Bakhtine vient le premier à l'esprit[2]. Au début d'une
étude consacrée au « problème du texte »[3], il commence par
reconnaître qu'il ne peut parler de cet objet ni en linguiste, ni
en philologue, ni en littéraire et il situe d'emblée son propos
« dans les sphères limitrophes, aux frontières de toutes les
disciplines mentionnées, à leur jointure, à leur croisement »
(1984, p. 311). Entreprendre de parler en linguiste du texte,
c'est, en effet, se trouver en présence d'un objet pluridiscipli-
naire et être confronté inévitablement aux limites d'une discipline constituée. Ainsi, confronté à la célèbre réplique de
Sganarelle à la scène 2 de l'acte V du *Dom Juan* de Molière,
est-il possible d'aborder linguistiquement une telle suite textuelle ?

(1)   SGANARELLE. — O Ciel ! qu'entends-je ici ? Il ne vous
manquait plus que d'être hypocrite pour vous achever de
tout point, et voilà le comble des abominations. Monsieur, cette dernière-ci m'emporte et je ne puis m'empê-
cher de parler. Faites-moi tout ce qu'il vous plaira,
battez-moi, assommez-moi de coups, tuez-moi, si vous
voulez : il faut que je décharge mon cœur, et qu'en valet
fidèle je vous dise ce que je dois. Sachez, Monsieur, que
tant va la cruche à l'eau qu'enfin elle se brise ; et, comme
dit fort bien cet auteur que je ne connais pas, l'homme
est en ce monde ainsi que l'oiseau sur la branche ; la
branche est attachée à l'arbre ; qui s'attache à l'arbre suit
de bons préceptes ; les bons préceptes valent mieux que
les belles paroles ; les belles paroles se trouvent à la

---

2. Pour un bilan des tendances récentes, voir le n° 46-47 de *Degrés* (Bruxelles,
1986) et, pour une introduction très générale, T.A. van Dijk : « Le texte : structures
et fonctions. Introduction élémentaire à la science du texte », p. 63-93 de *Théorie de
la littérature* (A. Kibédi-Varga éd., Picard, Paris, 1981) et son article « Texte » du
Dictionnaire des littératures de langue française (J.-P. de Beaumarchais, D. Couty,
A. Rey éds., Bordas, 1984).
3. Essai écrit entre 1959 et 1961, publié près de vingt ans plus tard et traduit en
français en 1984 seulement.

cour ; à la cour sont les courtisans ; les courtisans suivent la mode ; la mode vient de la fantaisie ; la fantaisie est une faculté de l'âme ; l'âme est ce qui nous donne la vie ; la vie finit par la mort ; la mort nous fait penser au Ciel ; le Ciel est au-dessus de la terre ; la terre n'est point la mer ; la mer est sujette aux orages ; les orages tourmentent les vaisseaux ; les vaisseaux ont besoin d'un bon pilote ; un bon pilote a de la prudence ; la prudence n'est point dans les jeunes gens ; les jeunes gens doivent obéissance aux vieux ; les vieux aiment les richesses ; les richesses font les riches ; les riches ne sont pas pauvres ; les pauvres ont de la nécessité ; nécessité n'a point de loi ; qui n'a point de loi vit en bête brute ; et par conséquent, vous serez damné à tous les diables.

DOM JUAN. — O beau raisonnement !

SGANARELLE. — Après cela, si vous ne vous rendez pas, tant pis pour vous.

Si le « raisonnement », ironiquement qualifié par Dom Juan, paraît effectivement absurde et comique, comment expliquer linguistiquement cet effet ? Une analyse linguistique peut-elle décrire les stratégies énonciatives de Sganarelle et de Dom Juan ?

Autant de questions qui se posent également, dans un autre champ discursif, à la lecture d'une annonce publicitaire de ce type :

(2)   [§1] IL ETAIT UNE FOIS...
          ... un charmant petit pays.
      [§2] Avec beaucoup de châteaux. Des collines verdoyan-
          tes, des forêts millénaires, des ruisseaux enchan-
          teurs. Avec des habitants accueillants, joyeux et
          gourmets.
      [§3] Ils sont là, au cœur de l'Europe ; si près de chez
          vous. Car le plus beau de l'histoire, ce pays existe
          vraiment !
          . . . .
          LE GRAND DUCHE DE
          LUXEMBOURG

OFFICE NATIONAL DU TOURISME LUXEMBOURGEOIS
B.P. 1001 L 1010 LUXEMBOURG

> En complément d'une documentation générale, je
> désire recevoir des
> informations sur : *hotels*   *camping*   *ap-*
> *partements*
> *Nom* : ...... *Adresse* : ....

L'enchaînement des premiers paragraphes est assurément surprenant, mais comment décrire la structure parataxique du second ? Comment rendre compte du passage du conte à l'argumentation et des rapports entre *texte* et *action* impliqués par la fin du document ?

Pour répondre à de telles questions, le linguiste ne peut pas procéder par simple extension de son domaine en passant de la phrase — limite ultime classique — au texte. Comme le note A. Culioli dans sa préface de *La langue au ras du texte* (1984) :

> Le texte écrit nous force, de façon exemplaire, à comprendre
> que l'on ne peut pas passer de la phrase (hors prosodie, hors
> contexte, hors situation) à l'énoncé, par une procédure d'exten-
> sion. Il s'agit en fait d'une rupture théorique, aux conséquences
> incontournables (1984, p. 10).

En d'autres termes, pour aborder des textes comme (1) et (2) et apporter quelques réponses aux questions posées, le linguiste doit absolument redéfinir son objet. C'est dans cette voie que Bakhtine s'engageait, en 1924, à l'occasion de son essai sur « le problème du contenu, du matériau et de la forme dans l'œuvre littéraire » :

> La linguistique [...] n'a absolument pas défriché la section
> dont devraient relever les grands ensembles verbaux : longs
> énoncés de la vie courante, dialogues, discours, traités, romans,
> etc., car ces énoncés-là peuvent et doivent être définis et étudiés,
> eux aussi, de façon purement linguistique, comme des phéno-
> mènes du langage. [...] La syntaxe des grandes masses verbales
> [...] attend encore d'être fondée ; jusqu'à présent, la linguistique
> n'a pas avancé scientifiquement au-delà de la phrase complexe :
> c'est le phénomène linguistique le plus long qui ait été scientifi-
> quement exploré (1978, p. 59).

Tout en soulignant que « le langage méthodiquement pur de la linguistique » s'arrête à la phrase, il envisageait malgré tout alors la possibilité de « poursuivre plus loin l'analyse linguistique pure, si difficile que cela paraisse, et si tentant qu'il soit

d'introduire ici des points de vue étrangers à la linguistique »
(*id.*). Ces difficultés et tentations sont probablement responsables du fait qu'il désigne, près de trente-cinq ans plus tard, son
travail sur « les problèmes du texte » comme une « analyse
philosophique » située dans une zone frontière entre littérature,
philologie et linguistique.

En repartant volontairement de propos déjà anciens mais
fondateurs de Bakhtine, je me propose de signaler quelques-uns
des déplacements que la linguistique textuelle est obligée
d'opérer, et surtout quelques-unes des limites qu'elle est tenue
de se fixer pour espérer dire quand même quelque chose d'un
objet qu'elle doit faire passer du statut de corpus (l'énoncé
comme objet empirique matériel) à celui d'objet théorique. Afin
de répondre à ce qui reste, pour le linguiste, une question
essentielle — *l'analyse linguistique « pure » est-elle encore possible quand sont franchies les limites morpho-syntaxiques de la
langue comme système ?* —, j'étudierai ensuite dans le détail les
deux textes cités.

1. LE « DISCOURS » EST-IL UN OBJET LINGUISTIQUE ?

Il est utile de partir, avec Bakhtine, d'une observation
générale sur la compétence linguistique : « Apprendre à parler,
c'est apprendre à structurer des énoncés (parce que nous
parlons par énoncés et non par propositions isolées et, encore
moins, bien entendu, par mots isolés). Les genres du discours
organisent notre parole de la même façon que l'organisent les
formes grammaticales (syntaxiques) » (1984, p. 285). A travers
la notion de « genres du discours », ce qui est avant tout
souligné, c'est l'existence de pratiques discursives réglées. Si
« tous nos énoncés disposent d'une *forme* type et relativement
stable, de *structuration d'un tout* », c'est parce que nous avons
appris, en même temps que notre langue maternelle, des
« formes types d'énoncés ». Quels sont, au juste, ces « genres
du discours » et ces « formes types d'énoncés » ? Faut-il distinguer les *textes* des *discours* ? Bakhtine ne pose pas ces questions
et, développant une théorie de la compétence discursive, il
ajoute :

Le locuteur reçoit donc, outre les formes prescriptives de la langue commune (les composantes et les structures grammaticales), les formes non moins prescriptives pour lui de l'énoncé, c'est-à-dire les genres du discours — pour une intelligence réciproque entre locuteurs, ces derniers sont aussi indispensables que les formes de langue. Les genres du discours, comparés aux formes de langue, sont beaucoup plus changeants, souples, mais, pour l'individu parlant, ils n'en ont pas moins une valeur normative : ils lui sont donnés, ce n'est pas lui qui les crée. C'est pourquoi l'énoncé, dans sa singularité, en dépit de son individualité et de sa créativité, ne saurait être considéré comme une combinaison absolument libre des formes de langue (1984, p. 287).

Si ces remarques déterminantes peuvent nous servir de point de départ, il reste à nous demander quelles régularités transphrastiques peuvent être linguistiquement observées et aussi ce que sont exactement ces « genres du discours ». Tout en notant l'existence de « types relativement stables d'énoncés », Bakhtine insiste sur leur extrême mobilité ; la diversité du dialogue quotidien, du récit familier, de la lettre, de l'exposé scientifique, du commandement militaire standardisé ou des discours de la propagande (publicitaire et politique) a pour conséquence une dilution des traits communs qui peut expliquer le fait que le problème général de ces « genres du discours » n'ait jamais été posé en linguistique (1984, p. 266).

En fait, cette liste de types manifeste clairement qu'il serait nécessaire, pour penser tous les paramètres de la discursivité, de disposer d'un modèle assez puissant pour articuler discours et institutions, capable de décrire le « système de rapports » qui, « pour un discours donné, règle les emplacements institutionnels des diverses positions que peut occuper le sujet d'énonciation » (Maingueneau, 1984, p. 154). L'unité d'analyse devenant moins le discours qu'« un espace d'échanges entre plusieurs discours » (*id.*, p. 11), ceci m'incite à situer le *discours* dans le cadre des « formations discursives » de Foucault (1969, p. 153). Dans cette perspective, les « genres du discours » de Bakhtine pourraient probablement être envisagés dans leur dimension sociale et l'on entrerait dans les réseaux institutionnels des différents groupes sociaux que « l'énonciation discursive à la fois suppose et rend possible », selon une formule de D. Maingueneau (1984, p. 13). Une telle analyse excède les moyens théoriques propres aux linguistes et il semble qu'elle doive plutôt faire l'objet d'une collaboration entre chercheurs de divers secteurs des sciences humaines.

Deux exemples littéraires m'aideront à situer les problèmes posés par cette dimension proprement discursive des pratiques langagières. Lorsque Blaise Cendrars recopie — presque mot pour mot — un fait divers du journal *Paris-Midi* du 21 janvier 1914 pour en faire un de ses *Dix-neuf poèmes élastiques* [4], ou lorsque René Char reprend l'essentiel de la définition de l'iris du Littré pour en faire un poème de *Lettera amorosa* [5], ils modifient l'un comme l'autre le sens des propositions assertées. Devant cette pratique interdiscursive, on perçoit aisément qu'il ne suffise pas de parler de plagiat avoué (Cendrars) ou dissimulé (Char). Pour l'essentiel, l'opération consiste dans le transfert d'un discours d'une formation discursive (celle de la presse quotidienne ou celle du dictionnaire de langue) dans une autre (la littérature et la poésie comme genre du discours littéraire). Ce que dit Foucault de l'exemple d'une phrase prononcée par un romancier dans la vie quotidienne et replacée par lui, ensuite, dans un roman, s'applique parfaitement à de tels exemples :

> On ne peut pas dire qu'il s'agisse dans les deux cas du même énoncé. Le régime de matérialité auquel obéissent nécessairement les énoncés est donc de l'ordre de l'institution plus que de la localisation spatio-temporelle ; il définit des possibilités de réinscription et de transcription (mais aussi des seuils et des limites) plus que des individualités limitées et périssables (1969, p. 135).

Au terme d'un tel déplacement, ce qui bouge de façon déterminante, ce sont les conditions mêmes de l'interprétation : le contrat de lecture à la base de la sémantisation de propositions pourtant presque identiques.

Dans *L'archéologie du savoir,* Michel Foucault met claire-

---

4. Voir l'édition critique de J.-P. Goldenstein (*19 poèmes élastiques de Blaise Cendrars,* Paris, Klincksieck, 1986) pour l'origine de « Dernière heure ».
5. Sur ces deux exemples, voir J.-M. Adam 1985b.

ment en doute la pertinence même de la notion de « genres du discours »[6] :

> Peut-on admettre, telles quelles, la distinction des grands types de discours, ou celle des formes ou des genres qui opposent les uns aux autres science, littérature, philosophie, religion, histoire, fiction, etc., et qui en font des sortes de grandes individualités historiques ? Nous ne sommes pas sûrs nous-mêmes de l'usage de ces distinctions dans le monde de discours qui est le nôtre. A plus forte raison lorsqu'il s'agit d'analyser des ensembles d'énoncés qui étaient à l'époque de leur formulation, distingués, répartis et caractérisés d'une tout autre manière : après tout la « littérature » et la « politique » sont des catégories récentes qu'on ne peut appliquer à la culture médiévale ou même encore à la culture classique que par une hypothèse rétrospective, et par un jeu d'analogies formelles ou de ressemblances sémantiques ; mais ni la littérature, ni la politique, ni non plus la philosophie et les sciences n'articulaient le champ du discours au XVIIe ou au XVIIIe siècle, comme elles l'ont articulé au XIXe siècle. De toute façon, ces découpages — qu'il s'agisse de ceux que nous admettons, ou de ceux qui sont contemporains des discours étudiés — sont toujours eux-mêmes des catégories réflexives, des principes de classement, des règles normatives, des types institutionnalisés : ce sont à leur tour des faits de discours qui méritent d'être analysés à côté des autres (1969, p. 33).

Cette méfiance m'amène à formuler une première définition assez communément admise aujourd'hui :

Discours = Texte + contexte
Texte = Discours - contexte.

En d'autres termes, un discours est un énoncé caractérisable certes par des propriétés textuelles mais surtout comme acte de

---

6. D. Maingueneau va encore plus loin : « Pour maîtriser un tant soit peu l'univers discursif, on utilise constamment des typologies fonctionnelles (discours juridique, religieux, politique...) et formelles (discours narratif, didactique...) qui s'avèrent aussi inévitables que dérisoires. [...] On est condamné à penser un mélange inextricable de même et d'autre, un réseau de rapports constamment ouvert. Rien d'étonnant si les typologies, dès qu'on les scrute d'un peu près et qu'on veut les appliquer, volent en éclats, laissant apparaître un immense entrelacs de textes dans lesquels seules les grilles idéologiques d'une époque, d'un lieu donné, ou les hypothèses qui fondent une recherche peuvent introduire un ordre (1984, p. 16).

discours accompli dans une situation (participants, institutions, lieu, temps). Le texte est un *objet abstrait* résultant de la soustraction du contexte opérée sur l'*objet empirique* (discours). Soit une définition du *texte* comme *objet abstrait* qu'avec C. Fuchs (à la suite de D. Slakta) j'oppose au *discours,* « considéré [...] en tant qu'objet *concret,* produit dans une situation déterminée sous l'effet d'un réseau complexe de déterminations extralinguistiques (sociales, idéologiques...) » (1985, p. 22). A ceci j'ajoute, pour ma part, une première délimitation : *le discours ne peut pas être l'objet d'une approche purement linguistique.* Linguistique et pragmatique textuelles doivent donc définir un champ de recherche limité, à l'intérieur du domaine plus vaste du discours que d'autres disciplines (histoire, sociologie, psycho-sociologie, psychanalyse, etc.) sont probablement plus à même de décrire. A ces limites et précautions théoriques, j'ajouterai — en transposant au domaine de la textualité les remarques d'U. Eco sur le code, à la fin de *Sémiotique et philosophie du langage* — qu'on peut voir la production textuelle « comme un labyrinthe globalement indescriptible, sans pour autant assumer ni qu'on ne peut le décrire localement ni que — puisque de toute façon ce sera le labyrinthe — on ne peut l'étudier et en *construire* les parcours » (1988, p. 274). Enfin, je rappellerai le principe suivant : les lois que nous inventons pour expliquer l'informel l'expliquent toujours « *d'une certaine manière,* jamais définitivement ».

2. DE LA PHRASE AU TEXTE : UN CONSENSUS ?

Dans le domaine purement linguistique, les approches qu'on peut ranger dans ce qu'on appelle la grammaire de texte se caractérisent par la recherche d'une sorte de continuité entre les niveaux et méthodes de la linguistique classique et le niveau du texte. C'est dans cet esprit que sont théorisés des phénomènes transphrastiques comme l'anaphore, la nominalisation, la coréférence, les connecteurs, la progression thématique, et même l'ellipse et la paraphrase. Le cadre conceptuel de ces recherches importantes reste strictement linguistique, dominé par la morpho-syntaxe et par une conception très locale de la sémantique et de la pragmatique. Bien sûr, quelques linguistes ont

essayé de penser le suivi du discours en théorisant les enchaînements d'énoncés (Irina Bellert, 1970), les enchaînements
d'actes d'énonciation (« Il n'y a texte que si l'énonciation de
chaque phrase prend appui sur l'une au moins des phrases
précédentes — de sorte que la compréhension de ce qui suit
exige celle de ce qui précède », écrivait O. Ducrot en 1972), ou
encore, plus largement, la cohésion sémantique : « La cohésion
détermine l'appropriation d'une phrase bien formée à un
contexte. Un texte répond aux exigences de cohésion si toutes
les phrases qu'il comporte y sont acceptées comme des suites
possibles du contexte antécédent » (R. Martin, 1983, p. 205).

Ces descriptions ne touchent toutefois pas à la textualité dans
son ensemble ; elles n'abordent que des phénomènes de
connexité et de cohésion locales sur lesquels je reviendrai plus
loin à la lumière du premier exemple. Bien qu'il soit absolument
nécessaire de pousser aussi loin que possible de telles investigations, je crois utile de distinguer nettement les recherches
locales, centrées sur des phénomènes intraphrastiques de
connexité et de cohésion, et sur des micro-enchaînements, et la
pragmatique textuelle qui essaie, elle, de tenir compte, à la fois,
de ces aspects locaux et de la dimension globale de la textualité
sous l'angle de la production et de l'interprétation [7]. Dans cette
perspective, je me propose de prolonger certains aspects d'une
remarque déjà ancienne d'A. Culioli :

> Si l'on accepte de brosser à gros traits l'évolution des recher-
> ches linguistiques, on ne simplifiera pas trop en marquant que
> les quinze dernières années ont vu la découverte du langage en
> tant qu'activité signifiante ; en outre, l'on commence à se poser
> avec quelque lucidité le problème de la relation existant entre
> la faculté universelle de produire et interpréter des textes d'un
> côté, et de l'autre la diversité des langues naturelles » (1973,
> p. 83) [8].

---

7. Ce que Umberto Eco appelle la « coopération interprétative » dans *Lector in
fabula*. On verra que les essais de Bakhtine mentionnés plus haut (« Le problème du
texte » et « Les genres du discours », 1984) permettent d'approcher linguistiquement
cette dimension dialogique de l'interprétation comme « compréhension active ».

8. C'est très exactement à cette réflexion et à ce déplacement théorique qu'on a vu
ces dix dernières années se consacrer l'analyse du récit. En témoignent les bilans
psycho-linguistiques de M. Fayol (1985) et de G. Denhière (éd. 1985) ainsi que mes
propres synthèses sémio-linguistiques (Adam, 1984 et 1985).

On ne peut qu'être frappé par le fait que philosophes et linguistes aboutissent au même constat : « La phrase n'existe pas dans l'utilisation réelle que l'on fait du langage, où il y a toujours un contexte d'énonciation qui situe la phrase, ou plutôt les phrases, car isoler une phrase est déjà une opération particulière [...]. » Cette idée du philosophe Michel Meyer dans *De la problématologie* (1986, p. 225) se trouve déjà, par exemple, chez le linguistique Z.S. Harris : « Toutes les occurrences de la langue ont une cohérence interne. La langue ne se présente pas en mots ou phrases indépendantes, mais en discours suivi, que ce soit un énoncé réduit à un mot ou un ouvrage de dix volumes, un monologue ou un discours politique » (1969, p. 10-11). L'initiateur de ce qui deviendra, en France, l'« analyse de discours » ajoute un peu plus loin, de façon très intéressante, que : « Le texte peut être constitué de morceaux successifs, sortes de sous-textes à l'intérieur du texte principal, comme des paragraphes ou des chapitres » (p. 24-25). Malheureusement, la méthodologie mise en place reste très strictement phrastique. Bloquée par la recherche d'une continuité phrase-texte, elle ne permet pas de théoriser ces segments textuels qui résultent du découpage de l'énoncé par le travail d'organisation-planification. Pour introduire « dans l'analyse textuelle une manière de mouvement » (Culioli, 1973), il est avant tout nécessaire de dépasser « la conception simpliste d'une langue décrite comme un stock de phrases isolées, où, à chaque suite, correspondrait une analyse syntagmatique indépendante, irréductible » (*id.*), nécessaire aussi de se débarrasser d'une conception qui « enferme le langage à double tour, en faisant de toute phrase un phénomène isolé [...] » (*id.*). A propos des textes et des actes de langage, A. Culioli n'écrivait-il pas dans le même article :

> Le danger de la terminologie courante tient certes à son caractère parfois erroné et à ses origines douteuses, mais aussi à l'illusoire sécurité qu'elle provoque. La terminologie conçue comme une nomenclature fait coller à la surface, masque les opérations, fige un marqueur en une valeur unique ponctuelle. Ainsi, le linguiste se voit renforcé dans l'idée que lui souffle l'observation naïve : le langage n'est-il pas de l'énoncé, et un énoncé n'est-il pas une succession linéaire d'unités discrètes ?

Pour sortir d'une problématique trop exclusivement locale, il faut lui adjoindre une réflexion plus globale — à la fois *descendante* (du texte aux unités de la langue) et *ascendante* — et partir du fait que la compréhension d'un texte ne se réduit pas à l'assimilation phrase par phrase des conditions de vérités individuelles. « Comprendre *Don Quichotte* n'est pas une opération analytique de décomposition phrastique », écrit M. Meyer (1986, p. 225) et il prolonge plus loin cette réflexion par une critique destinée aussi bien à Frege et au calcul des prédicats qu'à la pragmatique actuelle : « Le texte est un tout, et non un simple assemblage de propositions indépendantes (et analysables comme telles) que l'on aurait mises bout à bout » (1986, p. 252).

Thomas Pavel aboutit à la même conclusion dans *Univers de la fiction* :

> Les textes littéraires, tout comme la plupart des ensembles non formels de propositions — conversations, articles de journaux, dépositions de témoins oculaires, livres d'histoire, biographies des gens célèbres, mythes et critiques littéraires —, ont en commun une propriété qui étonne les logiciens mais qui paraît normale à la plupart d'entre nous : la vérité de ces ensembles de propositions ne se définit pas de manière récursive à partir de la vérité des propositions individuelles qui les composent. La vérité globale de l'ensemble ne se déduit pas immédiatement des valeurs de vérité locales des phrases présentes dans le texte. [...] De surcroît, le sens d'un texte peut se déployer à plusieurs niveaux [...]. Il est donc inutile de mettre sur pied une procédure pour évaluer la vérité et la fausseté individuelle des propositions d'un roman, car leur micro-valeur de vérité risque fort de n'avoir guère d'effet sur la vérité du texte pris en sa totalité (1988, p. 27).

Cette idée n'est pas nouvelle, bien sûr, c'est « l'énoncé conçu comme un tout de sens » de Bakhtine (1979, p. 332), conception présente aussi dans *Cohesion in English* (1976) de M.A.K. Halliday et R. Hasan.

Nombre de linguistes essaient de théoriser ce point en insistant sur la notion de thème, ou *topic,* du discours qu'ils distinguent du thème phrastique. A la relation linéaire de connexité intra- et inter-phrastique il faut bien ajouter une relation non linéaire de cohésion-cohérence, construction élabo-

rée par l'interprétant à partir d'éléments discontinus du texte[9].
C'est ce que je désigne, pour ma part, comme la perception-
construction d'une macro-structure sémantique, elle-même
prise dans la dynamique de ce que j'appellerai « l'orientation
configurationnelle du texte ».

Il reste à signaler un point rarement souligné du travail de
Halliday et Hasan : mettant l'accent sur le fait que notre
compétence linguistique nous permet de distinguer une collection de phrases sans liens d'un tout unifié, ils en viennent à
constater que cette compétence générale se double d'une compétence spécifique, en quelque sorte typologique : ils parlent
d'une « *macro-structure that establishes it as a text of a particu-
lar kind — conversation, narrative, lyric, commercial correspon-
dence and so on* » (p. 324). Pour eux, chacun de ces genres
possède sa propre « structure discursive » ; ils entendent par là :
« *The larger structure that is inherent in such concepts as
narrative, prayer, folk-ballad, formal correspondance, son-
net...* » (p. 326-327). C'est ce que je théorise, pour ma part,
avec la notion de « séquence » complémentaire de l'« orientation configurationnelle ».

3. TEXTE ET PROPOSITION(S)

Pour dépasser un consensus aussi contradictoire — admettant
l'existence de grandes masses verbales réglées, mais arrêté par
leur trop grande hétérogénéité —, il faut commencer par définir
une unité d'analyse et les relations de cette unité au tout
signifiant qu'est précisément le texte.

Définition de l'unité constituante : la proposition énoncée

Pour Bakhtine, « la proposition est élément signifiant de
l'énoncé dans son tout et acquiert son sens définitif seulement

---

9. Soulignons ici que l'isotopie (et la poly-isotopie) peut être envisagée comme un
phénomène de cohésion sémantico-référentielle, tandis que le topic du discours est un
phénomène pragmatique à mettre en rapport avec la cohérence et la pertinence
(U. Eco, 1985, p. 119). L'approche linguistique de la cohérence (description des suites
linguistiquement bien formées d'unités et des conditions syntactico-sémantiques de

dans ce tout » (1984, p. 290). Essayons de préciser ce point en termes de pragmatique textuelle.

D'un point de vue local, la production de toute proposition est, en même temps, « acte de référence » (a) (c'est-à-dire construction d'une représentation discursive, description au sens large) et « acte d'énonciation ». Ce dernier doit — me semble-t-il — être envisagé, d'une part, sous l'angle de la « prise en charge énonciative » (b) et, d'autre part, de l'articulation (textuelle) des propositions entre elles ; soit une définition textuelle de la proposition comme « unité liée séquentiellement » (c) et « configurationnellement » (d) :

Enonciation d'une prop. (Enonciateur)	RÉFÉRENCE	= Construction d'une représentation discursive (a)	VALIDITÉ et ORIENTATION ARGUMENTATIVE
	MODALISATION	= Prise en charge (b) (par un Locuteur)	
	MISE EN TEXTE	= Liage séquentiel (c) et configurationnel (d)	TEXTUALITÉ

Examinons ces quatre points :

a) Référence et construction d'une représentation discursive

Comme Benveniste l'a écrit : « La référence est partie intégrante de l'énonciation » (1974, p. 82). Paul Ricœur partage la même conception et apporte une précision importante : « Le texte [...] n'est pas sans référence ; ce sera précisément la tâche de la lecture, en tant qu'interprétation, d'effectuer la référence » (1986, p. 141). Enoncer ou lire une proposition, c'est *construire* une représentation discursive. Au lieu d'envisager la référence dans un cadre logique védiconditionnel classique (vrai *vs* faux), il est nécessaire d'élaborer un cadre théorique résolument :
— *dynamique* : une représentation discursive est appelée à

---

bonne formation cotextuelle) doit être doublée d'une approche interprétative de la pertinence contextuelle. On assiste d'ailleurs actuellement dans la linguistique du discours à un déplacement de la pragmatique dans cette direction.

être confirmée ou infirmée ou seulement modifiée-complétée par les propositions suivantes ;

— *partiel* : pour raisonner et interagir, les locuteurs-énonciateurs manipulent des simulacres de « mondes » (« espaces mentaux » de G. Fauconnier, ou « univers » de R. Martin) consistants et limités aux besoins de l'interaction en cours. Le caractère nécessairement partiel d'une représentation discursive m'amène à préférer le concept d'« espaces » (mentaux) de G. Fauconnier à celui de « monde » de la logique des mondes possibles. En tout cas, il me paraît indispensable de ne pas séparer référence et prédication en restant dans une logique naturelle de la *validité* plus que de la *vérité* — c'est le sens de l'accolade qui réunit (a) et (b).

b) Enonciation et prise en charge des propositions

Une proposition n'est jamais « directement » assertée par un locuteur. Comme le suggère la théorie polyphonique de l'énonciation (Anscombre et Ducrot, 1983 ; Authier-Revuz, 1982), le *locuteur* (L) peut s'engager ou se dégager en prenant ou non en charge la proposition énoncée. Cette possibilité de dégagement est à l'origine du fait qu'un *énonciateur* (E) est toujours à la source de la proposition, mais que le locuteur peut présenter [10] cette dernière comme valide (E =L) ou non (E ≠ L) dans son espace de « réalité » (G. Fauconnier) en l'assumant ou en marquant ses distances :

— si E = L : la proposition est valide dans l'espace du locuteur (R) ;

— si E ≠ L : la proposition est valide dans un autre espace (M, voire contrefactuel hypothétique H).

— si E = Ø : la proposition est posée comme valide dans l'ordre des choses (c'est le cas de l'énonciation « historique » de Benveniste, mais aussi de l'énonciation proverbiale à laquelle Sganarelle recourt dans l'exemple (1)).

Ceci m'amène à poser que la visée référentielle de l'énoncia-

---

10. « Il est très important de souligner d'emblée que la notion de *présenter* (ou *montrer*) est cruciale dans cette théorie qui concerne uniquement la question de savoir comment le locuteur *présente* son énonciation, abstraction faite de ce qu'il peut penser réellement » (H. Nølke, 1985, p. 58).

tion d'une proposition est la (co-)construction *finalisée* d'un micro-univers ou espace sémantique. De ce fait, toute expression linguistique est argumentativement et énonciativement marquée. Ce qui signifie que, sur la base de *marqueurs référentiels* (qui renvoient à des individus avec leurs propriétés), de *marqueurs énonciatifs*[11] et de *marqueurs ou signaux d'arguments* (R. Martin, 1985, p. 305), le destinataire-interprétant (re)construit un ou des *espace(s) sémantique(s)*. C'est à ce niveau que, pour ma part, je situe la prise en compte linguistique du principe dialogique. Avec la notion de validité, il s'agit de théoriser ce que veut dire Bakhtine quand il note que : « L'énoncé (son style et sa composition) est déterminé par le *rapport de valeur* que le locuteur instaure à l'égard de l'énoncé » (1984, p. 298 ; je souligne). La présence — intertextuelle — d'autres énoncés se manifeste par tous les phénomènes d'« hétérogénéité montrée » étudiés par J. Authier-Revuz, mais aussi par les normes sous-jacentes qui garantissent que, dans tel espace sémantique, telle proposition a valeur d'argument pour telle conclusion. Un signal d'argument est la « marque d'un assujettissement consenti à une norme de cohérence. Par lui, l'énoncé commente son énonciation comme acte d'allégeance à un code de rationalité publique » (Berrendonner, 1981, p. 235). On verra que le discours de Sganarelle (1) manifeste une telle allégeance à la ON-validité de la doxa ; la conclusion de son « raisonnement » est vraie dans cet espace de réalité endoxal que, précisément, conteste Dom Juan.

c) La dimension séquentielle

D'un point de vue séquentiel, le fait qu'une proposition puisse être soit un argument, soit une conclusion correspond à un type particulier d'enchaînement[12] : une séquentialité locale

---

11. Comme le souligne A. Culioli : « Un texte n'a pas de sens en dehors de l'activité signifiante des énonciateurs » (1973, p. 87). « La signification d'un énoncé, par-delà son sens, proviendra de cette accommodation inter-subjective, bref, des conditions même de l'énonciation. Le langage est un système, mais un système ouvert » (*id.*). Les espaces sémantiques donnent accès aux systèmes de repérage des co-énonciateurs et aux aspects polyphoniques d'un ajustement plus ou moins réussi et toujours plus ou moins souhaité.

12. Sur cette question, voir J.-M. Adam, 1987a et 1987b.

argumentative. D'autres modes de micro-enchaînements locaux sont aussi possibles : enchaînements narratifs dans lesquels le lien *post hoc, ergo propter hoc* entre deux ou plusieurs propositions tient lieu de rapport chrono-logique ; enchaînements descriptifs régis par des opérations nettement hiérarchisantes et paradigmatiques ; enchaînements conversationnels et explicatifs, instructionnels ou encore poétiques (dominés, eux, par des parallélismes superficiels).

Ainsi, par exemple, une proposition complexe comme :

(3) **Les hommes aiment les femmes qui ont les mains douces**

a beau être une unité signifiante de la langue et, par là même, intelligible isolément, elle ne prend sens qu'en co(n)texte, où elle peut aussi bien constituer les prémisses d'une argumentation publicitaire que la morale d'une fable ou d'un conte grivois. Tout dépend de sa place dans une suite séquentielle donnée où elle fait sens, à l'occasion d'une énonciation particulière.

Lorsque Bakhtine relève l'autonomie très particulière de certaines propositions d'ouverture et de fermeture d'un récit, il insiste sur le fait que cette apparente autonomie est emportée par leur fonction dialogique : « Ce sont, en effet, des propositions d'"avant-poste", pourrait-on dire, situées en plein sur la ligne de démarcation où s'accomplit l'alternance (la relève) des sujets parlants » (1984, note de la page 297) [13].

D'un point de vue général, il faut avant tout souligner le fait qu'une proposition descriptive élémentaire comme :

(4) **Le ciel est bleu**

intelligible dans sa *signification* linguistique intrinsèque, mais hors situation et/ou isolément dépourvue de *sens,* peut fort bien devenir élément d'une séquence argumentative :

---

13. L'existence de telles propositions a été confirmée depuis lors par l'étude de l'inscription des séquences narratives dans des contextes conversationnels. Cette insertion donne en effet systématiquement lieu à une procédure d'ouverture sous forme de *résumé* ou d'*entrée-préface* et de fermeture sous forme de *chute* ou de *morale-évaluation,* qui ramène les interlocuteurs au contexte de l'interaction en cours. Les recherches de Labov et Waletzky sur le récit oral ont, de plus, permis de confirmer plus largement encore le bien-fondé de l'hypothèse dialogique : les propositions narratives répondent à des questions implicites du destinataire (cf. Adam, 1984, p. 109). Ajoutons brièvement que la structure des *enchaînements explicatifs* — pourtant monologaux — est très proche de celle de la *conversation* — elle, ouvertement

> (5) **Le ciel est bleu et pourtant je ne sortirai pas aujourd'hui**

où (4) est devenu un argument (p) pour une conclusion implicite (q) justement niée par la proposition (non-q) qui suit le connecteur-marqueur d'argument « et pourtant ».

La proposition (4) peut aussi être prise dans une suite narrative de ce type :

> (6) **Un jour, alors que le ciel était bleu, les animaux du village se mirent étrangement à hurler.**

Ici, le passé simple fournit l'ancrage énonciatif narratif et l'imparfait confère un statut descriptif nouveau à (4).

Enfin, dans « Sagesse », Verlaine peut donner à (4), à l'intérieur d'une strophe, un statut cette fois poétique :

> (7) **Le ciel est, par-dessus le toit,**
> **Si bleu, si calme !**
> **Un arbre, par-dessus le toit,**
> **Berce sa palme.**

Ceci n'exclut, bien sûr, pas le fait que (4) puisse isolément constituer un poème élémentaire. Dans ce type de mise en texte des unités linguistiques s'instaurerait un dialogue spécifique des mots et des lettres/sons avec le blanc typographique [14].

Si l'on revient à des énoncés élémentaires de la vie courante de type exhortatif ou injonctif comme :

> (8) **STOP**
> (9) **Défense de fumer**

---

dialogale — : une *question-problème* est posée à laquelle une *réponse-solution* est donnée et ensuite *évaluée*. La structure réfutative de certains *enchaînements argumentatifs* va, elle aussi, dans un sens ouvertement dialogique.

14. Sur cette inscription d'un rythme dans l'espace de la page, voir, par exemple, la préface de *Cent phrases pour éventails* de Paul Claudel : « [...] — et voici, de quelques mots, débarrassés du harnais de la syntaxe et rejoints à travers le blanc par leur seule simultanéité, une phrase faite de rapports ! [...] Laissons à chaque mot, qu'il soit fait d'un seul ou de plusieurs vocables, à chaque proposition verbale, l'espace — le temps — nécessaire à sa pleine sonorité, à sa dilatation dans le blanc. Que chaque groupe ou individu graphique prenne librement sur l'aire attribuée l'habile position qui lui convient par rapport aux autres groupes. Substituons à la ligne uniforme un libre ébat au sein de la deuxième dimension ! » Les effets de cette *disposition* d'une proposition élémentaire sur l'interprétation sont décrits en ces termes par le poète : « Et puisque c'est la pensée seule par une espèce de choc en retour qui solidifie les successifs éléments du mot, pourquoi ne pas retarder quand il le faut par un espacement calculé la révolution du noir caillot intellectuel et prolonger l'insistance de l'appel qu'il articule. »

on perçoit aussitôt la nature de leur lien avec une réponse non verbale (action/réaction).

Quelles soient assertives, interrogatives ou exclamatives, des propositions comme (4) ou (10) :

   (10)   Le soleil s'est levé (.)(?)(!)

sont, de toute façon, prises dans un contexte énonciatif où elles font sens. Il est possible de suivre ici encore Bakhtine qui note à propos de (10) et de propositions semblables à (4) que de telles occurrences fort classiques de la proposition ne prennent sens que dans un co(n)texte déterminé. Considérées isolément, les assertions constatives peuvent, bien sûr, à l'analyse linguistique de leur signification, être perçues comme susceptibles de former un énoncé complet, mais : « Dans la réalité, une information de ce type s'adresse à quelqu'un, est suscitée par quelque chose, poursuit un but quelconque, autrement dit, est un maillon réel de la chaîne de l'échange verbal, à l'intérieur d'une sphère donnée de la réalité humaine ou de la vie quotidienne » (1984, p. 280) [15].

Le graffiti s'apparente assez bien à un tel fonctionnement. Ces exemples que j'ai étudiés plus longuement ailleurs (1985b, p. 173-178) :

   (11)   Merde à qui le lira

   **(12)   Ma peur se fera haine
            en vos cités trop grandes**

permettent de comprendre l'importance de l'acte de lecture hors duquel ces propositions sont, comme on dit, « lettres mortes ». L'acte de lecture seul permet de faire fonctionner (11) comme injure et (12) comme menace.

---

15. Même idée dans *Le Marxisme et la philosophie du langage* de Volochinov-Bakhtine : « Toute énonciation-monologue, même s'il s'agit d'une inscription sur un monument, constitue un élément inaliénable de la communication verbale. Toute énonciation, même sous forme écrite figée, est une réponse à quelque chose et est construite comme telle. Elle n'est qu'un maillon de la chaîne des actes de parole. Toute inscription prolonge celles qui l'ont précédée, engage une polémique avec elles, s'attend à des réactions actives de compréhension, anticipe sur celles-ci, etc. Toute inscription est une partie inaliénable de la science ou de la littérature ou de la vie politique. Une inscription, comme toute énonciation-monologue, est prévue pour être comprise, elle est orientée vers une lecture dans le contexte de la vie scientifique ou de la réalité littéraire du moment [...] » (1977, p. 105-106).

Il est aussi possible de considérer (3) comme un proverbe, c'est-à-dire une proposition en apparence encore plus « autonome » et suffisante qu'un slogan. En fait, un proverbe est, avant tout, un énoncé disponible et destiné à la réappropriation polyphonique, sans parler de proverbes détournés ou polémiques comme la célèbre maxime de La Rochefoucauld :

(13)   Pauvreté n'est pas vice

qui laisse entendre l'assertion qu'elle conteste et la structure polyphonique, signalée plus haut : *non-p* est pris en charge par le locuteur (E1 = L) dans un espace sémantique M1 et *p* est attribué à un énonciateur (E2) distinct du locuteur (E2 ≠ L) dans un espace M2 dont les normes se trouvent, en quelque sorte, visées et contestées par l'énonciation de la maxime.

d) De la proposition au tout signifié : l'orientation configurationnelle

Si l'on considère non plus les enchaînements séquentiels locaux mais la présence de la proposition dans un texte complet, on peut partir, de nouveau, d'un fait souligné par Bakhtine :

> Lorsque nous choisissons un type donné de proposition, nous ne choisissons pas seulement une proposition donnée, en fonction de ce que nous voulons exprimer à l'aide de cette proposition, nous sélectionnons un type de proposition en fonction du tout de l'énoncé fini qui se présente à notre imagination verbale et qui détermine notre opinion. L'idée que nous avons de la forme de notre énoncé, c'est-à-dire d'un genre précis du discours, nous guide dans notre processus discursif. Le dessein de notre énoncé, dans son tout, peut ne nécessiter, pour sa réalisation, qu'une seule proposition, mais il peut aussi en nécessiter un grand nombre et le genre choisi nous en dicte le type avec ses articulations propositionnelles (1984, p. 288).

Comprendre un texte, comme P. Ricœur l'a observé, c'est être capable de passer de la séquence (lire-comprendre les propositions comme venant les unes *après* les autres conformément à la contrainte de la linéarité de la langue et au type de séquentialité) à la figure (c'est-à-dire comprendre le texte comme faisant sens dans sa globalité). Soit une définition élémentaire à partir de laquelle il devient possible de travailler :

DÉFINITION : **Un texte est une suite configurationnellement orientée d'unités (propositions) séquentiellement liées et progressant vers une fin.**

Il reste, bien sûr, à théoriser la façon dont des séquences de propositions peuvent être progressivement intégrées dans un tout cohésif et cohérent, c'est-à-dire un texte, à voir aussi comment de proposition en proposition est progressivement construite une représentation orientée. Cette orientation qui tient lieu de programme permet d'anticiper sur la suite et sur la cohérence globale du texte, de vérifier le caractère co-orienté ou non de chaque nouvelle proposition. Lita Lundquist a formulé récemment des remarques qui vont tout à fait dans ce sens :

> Les premiers opérateurs argumentatifs fonctionnent comme des instructions locales d'orientation argumentative (*bottom-up procedures*) à partir desquelles sont construites, grâce au principe de consistance argumentative, des anticipations concernant la cohérence globale du texte (*top-down procedures*). Ces anticipations, qui constituent le programme argumentatif, permettent de prédire l'orientation argumentative des séquences ultérieures et par conséquent d'identifier des séquences qui sont conciliables avec le programme argumentatif [et] d'identifier des séquences qui s'opposent au programme argumentatif, et de les classifier, par exemple, comme étant polyphoniques (1987, p. 12).

Ainsi, ce que nous avons dit plus haut de la polyphonie peut probablement expliquer qu'une proposition non co-orientée argumentativement ne soit pas obligatoirement en contradiction avec le texte dans lequel elle se trouve insérée : il suffit en effet qu'elle soit attribuable à un énonciateur différent du locuteur (E ≠ L) dans un espace sémantique hétérogène.

La notion d'« orientation configurationnelle » permet de penser — ou, du moins, d'émettre des hypothèses sur — le contrôle de l'interprétation du texte en un tout cohérent, elle permet aussi de considérer la proposition comme « élément signifiant de l'énoncé dans son tout » qui « acquiert son sens définitif seulement dans ce tout » (Bakhtine, 1984, p. 290).

Le texte : séquentialité et orientation configurationnelle [16].

En passant de la *proposition* en tant qu'unité constituante au texte en tant qu'unité constituée, je propose de définir ce dernier en limitant la « syntaxe des grandes masses verbales » chère à Bakhtine à la structure séquentielle et en prenant aussi en considération l'orientation configurationnelle dont il vient d'être question.

La structure séquentielle du texte.

La séquence doit d'abord être définie comme une structure :
a) réseau relationnel hiérarchique : grandeur décomposable en parties reliées entre elles et reliées au tout qu'elles constituent ;
b) entité relativement autonome, dotée d'une organisation interne qui lui est propre et donc en relation de dépendance/indépendance avec l'ensemble plus vaste dont elle fait partie.

En tant que grandeur décomposable en parties, le texte (T) se compose de *n séquence(s) [complète(s) ou elliptique(s)]*. En d'autres termes, comme structure séquentielle, un texte comporte un nombre n de séquences complètes ou incomplètes, n étant compris entre 1 et un nombre théoriquement illimité. *Les Mille et une nuits,* le *Conte du Graal,* un poème de Queneau, une brève conversation ou un discours-fleuve d'un homme politique sont tous, et au même titre, des structures séquentielles. Comme le souligne encore Bakhtine :

> L'une des raisons qui fait que la linguistique ignore les formes d'énoncés tient à l'extrême hétérogénéité de leur structure compositionnelle et aux particularités de leur volume (la longueur du discours) — qui va de la réplique monolexématique au roman en plusieurs tomes. La forte variabilité du volume est valable aussi pour les genres discursifs oraux (1984, p. 288).

Définir le texte comme une structure séquentielle permet d'aborder l'hétérogénéité compositionnelle en termes hiérarchiques assez généraux. La *séquence* est une unité constituante du texte dont on peut formuler l'hypothèse qu'elle est constituée

---

16. Pour une première ébauche de cette distinction, voir J.-M. Adam, 1986.

de paquets de propositions, les *macro-propositions,* à leur tour constituées de n (*micro*)*propositions*. Ce qui revient à reformuler le principe de base repéré par P. Ricœur : « En même temps qu'elles s'enchaînent, les unités élémentaires s'emboîtent dans des unités plus vastes » (1986, p. 150). Soit une structure hiérarchique élémentaire qui vaut pour tous les textes [17] et qui permet de dépasser la définition toute empirique d'Harald Weinrich : « Un texte [...] peut être défini comme une suite signifiante de signes entre deux interruptions manifestes de la communication » (1974, p. 198). Je note ici par / # / la délimitation du texte par des marques de début et de fin :

 # T # ⩾ Séquence(s) > macro-proposition(s) ⩾ proposition(s)

Mon hypothèse de travail est la suivante : les régularités compositionnelles dont parle Bakhtine, sont, en fait, des régularités séquentielles. Les séquences de base semblent se réduire à quelques types d'articulation(s) propositionnelle(s) : narratif, descriptif, argumentatif, instructionnel, auxquels il faut probablement ajouter un type explicatif assez proche des séquences conversationnelles et, enfin, un type un peu différent et, lui aussi, combinable avec les autres : le type poétique [18]. Si les discours, produits empiriques, semblent aussi différents les uns des autres, si donc la créativité et l'hétérogénéité peuvent apparaître avant les régularités, c'est avant tout parce qu'au niveau textuel la combinaison des séquences est généralement complexe. L'homogénéité est, tout comme le texte élémentaire d'une seule séquence, un cas relativement exceptionnel. Généralement, un texte combine des séquences différentes : *description* dans un *récit, récit* dans une *argumentation* ou une *conversation,* etc. Sans entrer, faute de place, dans ces différents cas de figure, retenons surtout l'autonomie relative du plan local-

---

17. A l'exception probablement du seul type poétique, réglé, lui, essentiellement par des principes rythmiques et des paralélismes qui l'emportent parfois sur la syntaxe et les principes sémantico-pragmatiques habituels (voir sur ce point N. Ruwet, 1975). Disons qu'à l'empaquetage sémantique dominant dans les autres types de discours, la « fonction poétique » substitue des empaquetages et des mises en relations formelles vi-lisibles (de « surface », en ce sens).

18. Ce sont, bien sûr, de telles régularités avec leurs modes de combinaisons que les typologies rhétoriques et les traités de composition observent depuis l'Antiquité. Pour les types de séquences envisagés ici, voir J.-M. Adam, 1987b.

phrastique et sa surdétermination partielle par la dimension séquentielle globale, fait noté très simplement par Michel Foucault :

> Ce ne sont pas la même syntaxe, ni le même vocabulaire qui sont mis en œuvre dans un texte écrit et dans une conversation, sur un journal et dans un livre, dans une lettre et sur une affiche ; bien plus, il y a des suites de mots qui forment des phrases bien individualisées et parfaitement acceptables, si elles figurent dans les gros titres d'un journal, et qui pourtant, au fil d'une conversation, ne pourraient jamais valoir comme une phrase ayant un sens (1969, p. 133).

L'orientation configurationnelle du texte

> Comprendre, c'est non seulement avoir devant soi une structure qui s'organise dans l'unité du sens intelligible. Comprendre nous met en présence d'une totalité signifiante qui intègre toutes les parties et tous les moments qui la composent (Jean Starobinski).

Ce qui fait l'unité signifiante du texte, c'est aussi — et peut-être même surtout — son *orientation configurationnelle*. Par la notion de « configuration », Paul Ricœur exprime essentiellement, on l'a vu, le fait qu'un récit possède, à la base de son intelligibilité, non seulement un caractère *épisodique* (venir après), mais également un caractère *configuré* (former un tout). Etendue au texte en général, cette notion peut nous aider à théoriser linguistiquement le « tout de l'énoncé fini » (Bakhtine). On est généralement amené, en cours et surtout au terme de la lecture, à une activité de réinterprétation globale du texte lu. Par exemple, un récit est à reconsidérer comme une simple *réponse* à une *question* ou comme un *argument* pour une *conclusion* (c'est le cas de l'*exemplum* narratif bien décrit par la tradition rhétorique).

Etant donné le schéma de la proposition donné plus haut, il me paraît nécessaire, en passant du niveau propositionnel (local) au niveau global du texte, de distinguer linguistiquement trois aspects de l'orientation configurationnelle : sa *dimension sémantique-référentielle*, sa *dimension énonciative* et son *orientation argumentative*.

Avec la dimension sémantico-référentielle, il s'agit simplement de souligner qu'un texte construit progressivement une représentation discursive et que, de plus, il peut globalement être résumé — quelle que soit sa longueur — par un titre (sous forme donc d'une ou de plusieurs propositions de synthèse). Que l'on parle à ce niveau de « macro-structure sémantique » ou de « thème-topic du discours », ce qu'il s'agit de désigner, c'est un phénomène pragmatique :

> Le topic est une hypothèse dépendant de l'initiative du lecteur qui la formule d'une façon quelque peu rudimentaire, sous forme de question (« Mais de quoi diable parle-t-on ? ») qui se traduit par la proposition d'un titre provisoire (« On est probablement en train de parler de telle chose »). Il est donc un instrument métatextuel que le texte peut tout aussi bien présupposer que contenir explicitement sous forme de marqueur de topic, de titres, de sous-titres, de mots clés. C'est à partir du topic que le lecteur décide de privilégier ou de narcotiser les propriétés sémantiques des lexèmes en jeu, établissant ainsi un niveau de cohérence interprétative dite isotopie (U. Eco, 1985, p. 119).

Mais, pour être perçu comme un tout cohésif et cohérent, un texte doit également comporter un ancrage énonciatif, lui aussi plus ou moins homogène, et une orientation argumentative globale : un acte de discours, explicite ou non, résumant l'orientation pragmatique du texte. Un texte est l'objet d'un traitement, la lecture-compréhension cherchant à identifier une « intention » du texte, sinon de son « auteur » : « La cohérence du discours — telle qu'elle est construite en commun par les énonciateurs —, (...) c'est celle d'un acte, qui vise, à travers une série de transformations réglées, à atteindre un but » (J. Caron, 1983, p. 117). Comprendre un texte, c'est saisir l'*intention* qui s'y exprime, ce que M. Meyer reformule en termes très bakhtiniens :

> Donner une signification revient toujours à énoncer ce qui est en question, à rapporter le discours considéré à ce à quoi il répond, donc à le considérer comme réponse, concept qui implique l'articulation problématologique. [...] Quant au texte, il est pris comme un tout, et le comprendre exige du lecteur qu'il

dégage une problématique dans une interaction où il repose la question des questions du texte (p. 253)[19].

Hypothèse sur la « coopération interprétative » (U. Eco) et reformulation intéressante de la « compréhension responsive » de Bakhtine[20], cette réflexion nous amène au bord de ce que nous avons situé hors du champ de la linguistique textuelle. Retenons surtout qu'en définissant le texte comme une « structure qui combine séquentialité et orientation configurationnelle », nous voulons mettre l'accent autant sur la nécessaire compréhension d'un *tout signifiant* que sur l'appréhension d'une succession de propositions.

A partir des deux exemples cités au début de cette étude et sur la base des quelques hypothèses qui viennent d'être esquissées, il me reste à préciser encore quelques points théoriques.

4. DE LA PHRASE AU TEXTE : SÉQUENTIALITÉ ET COMPLEXITÉ DE LA PRISE EN CHARGE DES PROPOSITIONS

L'examen rapide du texte de Molière va me permettre de revenir sur certains aspects de la séquentialité propositionnelle (c) et de la prise en charge (b). Observons tout d'abord deux énoncés très différents :

(14)   **Le ciel est par-dessus le toit.**
       Le ciel est par-dessus le toit.

---

19. Il écrit un peu plus haut : « Le sens d'un texte se détermine par ses composants mais ne s'y ramène pas : chaque phrase du texte renvoie à ce dernier comme à son sens profond. Cela revient à dire que l'on ne peut interpréter ces phrases indépendamment du co-texte, et surtout que le texte fonctionne comme différenciateur problématologique, puisque les phrases sont réponses problématologiques et le sens textuel, la réponse apocritique, ce par quoi se résout la problématique du texte, sa textualité si l'on veut, et qui, une fois connue, donne la cohérence du sens global, ce que "veut dire" le tout. Comprendre un texte consistera à relier ses constituants à la problématique qu'ils mettent en œuvre, et ce sera une recherche qui aura pour objectif d'analyser ce qui est résolu et comment ce l'est, donc par rapport à quoi » (1986, p. 252-253).

20. « L'énoncé a toujours un destinataire (aux caractéristiques variables, qui peut être plus ou moins proche, concret, perçu avec une conscience plus ou moins grande) dont l'auteur de la production verbale attend et présume une compréhension responsive » (1984, p. 336). Le dernier livre de H. Weinrich (*Literatur für Leser,* Munich, D.T.V., 1986) va bien dans ce sens. A propos de N. Sarraute et de *Portrait d'un inconnu,* il écrit : « Les phrases d'un roman sont un "appel" au lecteur et elles demeurent incomplètes s'il n'y apporte pas sa "réponse". Cela engage le lecteur et l'oblige à coopérer en tant qu'auteur, à participer à la création. »

> **Le ciel est par-dessus le toit.**
> **Le ciel est par-dessus le toit.**
> **Le ciel est par-dessus le toit.**

On peut dire que les propositions qui composent une telle suite n'introduisent, à partir de la seconde ligne, plus la moindre information nouvelle. La non-satisfaction de l'exigence de progression entraîne un jugement immédiat d'inacceptabilité.

Une autre incohérence (envisagée par les définitions d'I. Bellert, O. Ducrot et R. Martin signalées plus haut) pourrait venir de propositions successives n'apportant, cette fois, que des informations nouvelles, non reliées entre elles. Ainsi en (15) :

> **(15)** **Sganarelle parle à Dom Juan avec sincérité. Moi qui ne fume pas, j'ai décidé d'arrêter de fumer. L'Université française est dans un état inquiétant. Le beau temps est d'ailleurs total, ce matin, sur Lausanne.**

On le voit, une progression trop forte, sans cohésion (phénomènes de reprise-répétition) suffisante, produit, elle aussi, un effet de « non-texte ».

En (1), la situation est plus proche de (15) que de (14). A partir de « Sachez, Monsieur », nous avons le sentiment de nous trouver en présence d'une suite de phrases isolées. Si chaque phrase est bien formée, la suite paraît difficilement acceptable, en raison d'une trop forte progression et d'une cohésion tout à fait insuffisante. La seule reprise de l'élément apparu en fin de phrase précédente (position rhématique) aboutit à un enchaînement du type « marabout, bout de ficelle, selle de cheval, etc. », le procédé étant simplement étendu ici du niveau du signe à celui de la phrase.

A la lumière des exemples (1), (14) et (15), la textualité peut être définie comme un équilibre délicat entre une *continuité-répétition,* d'une part, et une *progression* de l'information, d'autre part. Les linguistes constatent d'ailleurs cette tension caractéristique. Ainsi B. Combettes : « L'absence d'apport d'information entraînerait une paraphrase perpétuelle ; l'absence de points d'ancrage renvoyant à du « déjà dit » amènerait à une suite de phrases qui, à plus ou moins long terme, n'auraient aucun rapport entre elles » (1986, p. 69). Idée qui se trouve déjà chez O. Ducrot, pour qui le discours (monologue ou dialogue) tend à satisfaire :

a) une condition de progrès. Il est interdit de se répéter : chaque énoncé est censé apporter une information nouvelle, sinon il y a rabâchage.

b) une condition de cohérence. Nous n'entendons pas seulement par là l'absence de contradiction logique, mais l'obligation, pour tous les énoncés, de se situer dans un cadre intellectuel relativement constant, faute duquel le discours se dissout en coq à l'âne. Il faut donc que certains contenus réapparaissent régulièrement au cours du discours, il faut, en d'autres termes, que le discours manifeste une sorte de redondance.

La conciliation de ces deux exigences pose le problème d'assurer la redondance nécessaire tout en évitant le rabâchage (1972, p. 87).

Pour être interprétée comme un texte, une suite d'énoncés doit donc — conformément à la définition proposée plus haut — non seulement apparaître comme une *séquence d'unités liées,* mais aussi comme une *séquence progressant vers une fin* [21]. L'intérêt de (1) réside dans son degré de non respect de cette tension — continuité-répétition et/vs progression — constitutive de toute textualité.

On peut dire qu'en (14) une paraphrase perpétuelle introduit une perturbation de l'indispensable progression, mais, de son côté, si (1) renvoie partiellement à du « déjà dit », il ne respecte pas les conditions habituelles de reprise. Après le rappel du contexte et l'allusion au rapport de force et aux places des interlocuteurs (effet en retour de type *être battu, assommé, tué*), la tirade de Sganarelle apparaît comme une argumentation bien singulière : « Beau raisonnement ! », s'exclame d'ailleurs ironiquement Dom Juan. L'emploi final de « et par conséquent » signale l'argumentation et donne à lire un raisonnement, alors que nous sommes en présence d'une juxtaposition parataxique de proverbes ou de maximes (« tant va la cruche à l'eau... », « l'homme est en ce monde... », etc.), voire d'énoncés bien proches de la tautologie et qui, du moins, n'apportent pas d'informations nouvelles (« les richesses font les riches ; les riches ne sont pas pauvres », « la terre n'est point la mer »).

Le mode d'articulation des propositions ressemble à une

---

21. C'est aussi la définition de D. Slakta : « Séquence bien formée de phrases liées qui progressent vers une fin » (1985, p. 138).

progression linéaire classique : le rhème (Rh) de la première phrase devenant thème (Th) de la suivante et ainsi de suite :

P1 : Th1 → Rh1

P2 :   Th2 (= Rh1) → Rh2

P3 :   Th3 (= Rh2) → Rh3

P4 (etc.) :   Th4 (= Rh3) → Rh4, etc.

Cette progression thématique linéaire correspond à une textualité simple dans laquelle l'opération de thématisation des rhèmes successifs assure la cohésion de la séquence — les rhèmes successifs prenant quant à eux en charge la progression. Il est fréquent que le point d'aboutissement d'une phrase devienne ainsi l'élément initial de la suivante [22], mais ceci implique généralement des transformations morphologiques et sémantiques. Ainsi, dans ces lignes de M. Schwob, citées par D. Slakta (1977, p. 42) :

> (16)   **Sur la mer, il y a un bateau ; dans le bateau, il y a une chambre ; dans la chambre, il y a une cage ; dans la cage, il y a un oiseau (...).**

Alors que ces enchaînements permettent de dessiner un ensemble descriptif réglé par une série d'emboîtements, les enchaînements de Sganarelle sont, eux, dépourvus d'isotopie. En (16), on peut dire de l'oiseau qu'il est enfermé dans la cage qui est dans la chambre du bateau qui se trouve sur la mer, et remonter ainsi une chaîne sémantique cohésive et cohérente. En (1), ce type de mouvement est impossible. Chaque nouvelle phrase ne peut être interprétée à la lumière de ce qui précède : elle apporte une information nouvelle sans prendre réellement appui sur le cotexte précédent. On n'a donc plus qu'une suite de propositions p1, p2, p3, p4... p27, dont la connexité se limite aux enchaînements linéaires très locaux de phrase à phrase, sans aller au-delà. L'absence de cohésion globale est flagrante, on ne peut pas appliquer la définition de R. Martin donnée plus haut : toutes les phrases ne se présentent pas comme des suites

---

22. Voir A. Blinkenberg, *L'ordre des mots en français contemporain*, Levin et Munksgaard, Copenhague, 1928, p. 10.

possibles du co(n)texte antécédent, mais seulement du cotexte immédiat de la phrase précédente.

Cet isolement des propositions est lisible dans l'usage des déterminants définis. En (1), ceux-ci ne remplissent plus du tout le rôle de reprise anaphorique qu'ils assurent, en revanche, en (16) : *un bateau* → *le bateau ; une chambre* → *la chambre,* etc. Ce dernier enchaînement apparaît, d'un point de vue référentiel, comme une succession de phrases spécifiques, c'est-à-dire l'expression d'un jugement qui se réfère à une occurrence particulière d'un événement ou d'un état de chose (*une mer, un bateau, une chambre, une cage, un oiseau* spécifiques et non génériques). En (1), en revanche, une lecture générique des syntagmes nominaux est induite par l'usage des déterminants (singuliers ou pluriels). La description porte dès lors sur des propriétés et des états de choses généraux, habituels ou constants. L'usage du présent entraîne lui aussi une telle lecture des syntagmes verbaux. On a, de ce fait, affaire à des prédicats gnomiques et, en l'absence de liaisons interphrastiques, chaque phrase apparaît comme une unité autonome artificiellement reliée aux autres.

Ceci se double d'un processus de dés-énonciation, ou plutôt de dégagement du locuteur. Une absence de prise en charge énonciative, caractéristique du proverbe et de la maxime, permet au valet de présenter chacun de ses énoncés comme asserté, au-delà de sa personne, par la doxa. Le recours à un énonciateur générique de ce type confère aux propositions une validité singulière : elles sont « on-vraies », pour reprendre une expression d'A. Berrendonner[23].

A l'exception de celles qui précèdent le passage considéré et de la dernière proposition qui réfère directement à l'interlocuteur Dom Juan (« vous »), les vingt-sept propositions assertées

---

23. « On, que j'appelle, faute de mieux l'"opinion publique", parce que son rôle est le plus souvent de dénoter une *doxa* anonyme » (1981, p. 59). Voir aussi ce que A. Grésillon et D. Maingueneau disent du proverbe : « Le ON du prédicat "ON-vrai" qui le fonde, au lieu de varier numériquement et qualitativement à l'infini, au gré des contextes énonciatifs, tend à coïncider avec l'ensemble des locuteurs de la langue, dont la compétence inclut un stock de proverbes. *Énonçant un proverbe, le locuteur maximise la validité de son dire, la place au-delà de la diversité et de la relativité des "autorités"* » (1984, p. 114 ; je souligne).

par Sganarelle ont toutes[24] le même statut énonciatif. En l'absence d'une prise en charge directe (de type « à mon avis », « selon moi », etc., qui marquerait l'assertion comme simplement valide du point de vue du locuteur : JE-valide), les vingt-sept propositions p sont présentées comme une suite de propositions suffisamment fortes (valides) pour convaincre Dom Juan et surtout pour permettre l'acte de parole annoncé depuis le début.

Le signal d'argument « et par conséquent » ne peut pas être interprété comme portant sur la consistance argumentative séquentielle (la connexité) du raisonnement précédent, mais sur sa valeur énonciative (c'est-à-dire sa validité). La première partie de la tirade annonce le risque encouru par le valet. Ensuite, les vingt-sept propositions p suspendent et surtout préparent l'assertion de q. La seule présence du connecteur « et par conséquent » signale que le but du locuteur est de convaincre son interlocuteur de q (« vous serez damné... »). La proposition q est bien le but de sa prise de parole ; elle est amenée par l'intermédiaire de vingt-sept propositions qui apparaissent, dès lors, comme autant de raisons et de justifications pour énoncer q et oser accomplir l'acte illocutoire sous-jacent de prédiction menaçante. En d'autres termes, Sganarelle cherche vingt-sept fois le courage d'accomplir l'acte de discours qu'il ose enfin en q. Le rapport de force institutionnel entre le maître et le valet est, bien sûr, à l'origine de la recherche d'un tel nombre de justifications.

Ce texte permet de mettre l'accent sur le fait qu'ici la pertinence argumentative de la tirade ne réside pas dans la grammaticalité de ses enchaînements, pas dans sa connexité séquentielle argumentative (de type prémisses-conclusion), mais plutôt dans l'énonciation et la valeur de ON-validité des vingt-sept propositions. Une macro-structure sémantique, résumé de ces vingt-sept propositions, peut être construite sur la base de la proposition q (« vous serez damné »), conséquence d'une série de propositions qui implicitent toutes que Dom Juan contrevient par sa conduite à toutes ces manifestations de

---

24. La seule qui soit nettement différente des autres : « ... l'auteur que je ne connais pas » insiste en fait, elle aussi, sur l'effacement de l'énonciateur individuel, mis en quelque sorte à distance du locuteur Sganarelle.

l'ordre du monde et de l'opinion commune. La valeur illocutoire de promesse menaçante (futur + deuxième personne) en découle directement. Toutefois, le jugement antiphrastique ironique de Dom Juan et l'effet humoristique produit sur le lecteur/spectateur prouvent que le manque de connexité séquentielle induit un jugement immédiat d'incohérence — et donc de disqualification — d'un texte dont le locuteur semble avoir perdu le contrôle. Au comique lié au déséquilibre hiérarchique qui rend difficile le discours de Sganarelle à son maître s'ajoute l'hétérogénéité polyphonique et surtout le comique de répétition des vingt-sept propositions successives. L'incohérence relative de cette tirade est, bien sûr, *récupérable*, par le lecteur-auditeur, au niveau contextuel de la pièce, où elle apparaît comme conforme à l'idéologie du gros bon sens de Sganarelle et où elle annonce surtout le dénouement, en portant en avant les rapports de Dom Juan et de la loi commune.

Soulignons ici que la réplique de Dom Juan est aussi complexe énonciativement que le discours de Sganarelle : l'antiphrase apparaît comme un travail énonciatif sur la proposition énoncée « O beau raisonnement ! » L'exclamation admirative donne à lire/entendre une énonciation sérieuse où « O ! » et « beau » argumentent en faveur d'une conclusion C, tandis que l'acte d'énonciation (ton et/ou geste lors de la représentation théâtrale) donne à entendre :

a) que l'énonciation sérieuse ne peut être que le fait d'un énonciateur E1 différent du locuteur (E1 ≠ L) ;

b) une argumentation totalement inverse, non-C, prise en charge, elle, par le locuteur (E2 = L).

Aux coups attendus et redoutés par Sganarelle, Dom Juan oppose un fin de non-recevoir ironique. La réplique suivante de Sganarelle, en enchaînant sur l'énonciation sérieuse accentue encore le comique de la situation : la réplique ironique de Dom Juan permet à Sganarelle d'aller au bout de son raisonnement et de surenchérir (« après cela ») en évaluant positivement la complétude de son monologue. En ne disqualifiant pas le discours de son valet et en ne réagissant pas comme prévu, le maître feint d'être convaincu et d'adhérer au propos tenu. Je suis tenté de considérer cette attitude de Dom Juan comme révélatrice de tout son comportement. En effet, l'ironie lui permet de feindre l'adhésion aux normes de l'espace de réalité endoxal dans lequel Sganarelle vient de raisonner (la norme de l'espace de « réalité » du monde R). Comme le note A. Berrendonner dans ses *Eléments de pragmatique linguistique* : « L'ironie est [...] le moyen d'échapper à une règle de cohérence, tout en l'assumant. Elle n'est pas dépourvue de valeur argumentative, elle les a toutes » (1981, p. 237). Il poursuit en soulignant deux conséquences intéressantes : « L'ironie est une manœuvre qui déjoue une norme, et, à un point du discours où l'énonciateur est mis par les institutions dans l'obligation de restreindre explicitement ses possibilités de continuation, elle lui permet en réalité de ne se fermer aucune issue. [...] Elle laisse donc ouverte l'alternative, et ménage la liberté du locuteur » (p. 237-238). A cette première manœuvre fort dom-juanesque s'ajoute l'autre conséquence : « elle lui permet d'échapper à toute sanction éventuelle ». Il me semble que ceci décrit bien la puissance discursive de Dom Juan, très au-delà de cette simple réplique-symptôme.

5. STRUCTURE SÉQUENTIELLE ET ORIENTATION CONFIGURATIONNELLE D'UN TEXTE PUBLICITAIRE

Le texte publicitaire (2) — dont l'importante part iconique est constituée par une métonymie du pouvoir : la représentation d'une chaise ducale — comporte trois paragraphes et une suite de phrases typographiquement marquées. Le premier d'une seule phrase (P1), le second de trois phrases (P2, P3, P4) et le dernier de deux phrases (P5 et P6). Je tiendrai compte ensuite du reste du texte, mais j'insiste tout d'abord sur le mouvement dynamique de la construction progressive d'une représentation discursive.

Le premier paragraphe, en dépit des points de suspension et de l'alinéa qui le scinde en deux, ancre énonciativement, référentiellement et séquentiellement le discours :

— énonciativement, le « Il était une fois... » des contes met en place un repérage anaphorique des événements (l'« histoire » de Benveniste) : les événements à venir devront être repérés les uns par rapport aux autres et non en référence à l'ici-maintenant de l'énonciation ;

— référentiellement, « Il était une fois... » est un opérateur de

construction de monde. Il agit comme un marqueur de fiction-
nalité qui suspend les conditions habituelles de validité des
propositions et ouvre un espace sémantique M ;
— séquentiellement, « Il était une fois... » signale, à la fois, une
suite narrative et un genre : le conte.

Ces diverses instructions, fournies par un seul marqueur,
agissent comme autant d'opérateurs de contrôle de l'interprétation du texte à venir. Dans cette dynamique textuelle, les
premières instructions, en gros caractères, apparaissent comme
des déclencheurs de procédures sur la base desquelles une
représentation pourra être progressivement construite. Le seul
opérateur de la première ligne fournit des instructions locales
d'orientation sémantico-référentielle, énonciative et séquentielle
(ceci est un récit) à partir desquelles des anticipations concernant la cohérence globale du texte deviennent possibles. De
façon plus générale, les instructions initiales aident le lecteur à
prédire l'orientation des séquences ultérieures et, dès lors, elles
en facilitent tout simplement le traitement. Par exemple, elles
permettent ici de calculer que, puisqu'il s'agit du début d'un
conte, il va être question des circonstances (temps et lieu) et des
acteurs du récit (avec leurs qualifications propres). Le lecteur
prévoit que la séquence répondra aux questions initiales classiques (qui ?, où ?, quand ? et quoi ?), qu'elle sera avant tout
descriptive, posant les éléments de base pour le récit à venir.

Le second paragraphe donne à lire des propositions descriptives qui énumèrent, après ses propriétés (« charmant » et
« petit »), les composantes du pays. Sa structure parataxique
met le lecteur dans l'obligation de lier cette suite de phrases
nominales sur d'autres bases que les rapports syntaxiques
habituels. Une structure périodique (rythmique) apparaît d'en-
trée :

(1)	AVEC beaucoup de *châteaux*.	P2
(2)	(1) Des *collines* verdoyantes,	
	(2) des *forêts* millénaires,	P3
	(3) des *ruisseaux* enchanteurs.	
(3)	AVEC des *habitants* (1) accueillants,	
	(2) joyeux et	P4
	(3) gourmets.	

Deux choses doivent être soulignées : d'une part le fait que nous
avons affaire ici à sept propositions descriptives élémentaires.

Divers objets (soulignés) sont successivement sélectionnés et leurs propriétés énumérées. Cette structure séquentielle descriptive est ordonnée en surface par une structure périodique : les trois phrases, qui correspondent chacune à une catégorie (monde objectal-construit, nature et monde humain), fixent une mesure ternaire initiale, P2 comporte trois propositions descriptives et, enfin, P3 développe trois propriétés des « habitants ». A cela il faut ajouter le caractère, chaque fois, totalement stéréotypé des propriétés choisies.

La structure séquentielle descriptive peut, quant à elle, être résumée de la façon suivante[25] :

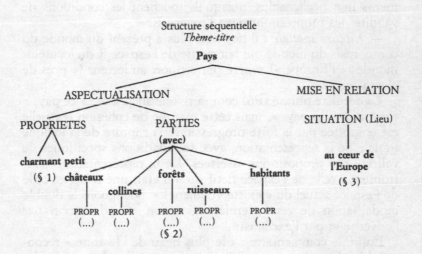

Avec la phrase suivante (P5) et le troisième paragraphe, on assiste à une étonnante rupture des ancrages initiaux. Par une ellipse du récit attendu[26], nous passons sans transition du début d'un conte à ce qui pourrait être sa morale :

a) *rupture de l'ancrage énonciatif,* d'abord : même si « là » est un adverbe anaphorique et si « ils » réfère à ce qui précède

25. Pour le détail de cette hiérarchie séquentielle, voir J.-M. Adam, 1987, et J.-M. Adam et A. Petitjean, 1989.
26. Le récit manque ici comme la chaise ducale reste vide : place destinée au lecteur lui-même, bien sûr.

sans préciser toutefois s'il s'agit des habitants seulement ou de l'ensemble des éléments nominaux du second paragraphe, le présent (il ne s'agit pas d'un présent de narration) et la deuxième personne du pluriel introduisent une irruption du « discours », c'est-à-dire de l'ancrage déictique dans l'espace de « réalité » (R) du locuteur et du lecteur[27].

b) *double rupture référentielle,* ensuite, malgré l'anaphore pronominale vague déjà signalée (« ils ») :

— *rupture temporelle et sémantique* : les événements ne sont plus repérés dans le temps du conte, les uns par rapport aux autres, mais dans le présent de l'ici-maintenant de l'énonciation, par rapport au « vous » du lecteur, soit une série de changements non négligeables, puisqu'ils touchent les conditions de validité des propositions dans l'espace R.

— *rupture spatiale* : il ne s'agit plus à présent du monde du conte, mais du monde qui fait partie de l'espace R du locuteur, monde (« l'Europe ») repéré par rapport au lecteur (« près de chez vous »).

La dernière phrase (P6) comporte une anaphore : « ce pays » renvoie à « un pays », mais cette marque de cohésion textuelle est emportée par la forte progression : la rupture de la logique initiale de la représentation, avec ses conditions spécifiques de validité des propositions assertées. Deux représentations s'affrontent : celle de l'espace fictif du « il était une fois » et celle de l'espace actuel du « existe vraiment ! ». Soulignons la double modalisation de cette dernière assertion : modalisation par l'adverbe et par l'exclamatif.

Enfin, le commentaire : « le plus beau de l'histoire » reconnaît bien la catégorie textuelle initialement introduite et finalement avortée.

Dans l'analyse du dernier paragraphe, il faut insister sur le rôle du connecteur « car » chargé de lier P5 (proposition) et P6 (proposition q). La présence de « car » s'explique par le fait que l'énonciation de la proposition p (P5) est rendue incongrue en l'absence du récit attendu (du noyau narratif du conte). La

---

27. Rappelons que Benveniste définit ainsi ce type d'énonciation de discours : « Toute énonciation supposant un locuteur et un auditeur, et chez le premier l'intention d'influencer l'autre en quelque manière » (p. 242 des *Problèmes de linguistique générale*).

proposition q vient justifier cette énonciation. P6 se divise, en fait, en une proposition évaluative (« le plus beau de l'histoire ») et une proposition argumentative (q) : « ce pays existe vraiment ! ». Cet argument q est présenté en faveur de l'assertion de p. En effet, les conditions de validité posées en q rendent possible l'ancrage déictique de p : « Ce qu'exige "car", c'est que le locuteur s'investisse dans l'assertion q, c'est-à-dire qu'il l'accomplisse (ou la réaccomplisse) dans le mouvement même de sa parole » (O. Ducrot, 1983, p. 179)[28]. En d'autres termes, cette assertion permet de légitimer, en toute fin de texte, une rupture difficilement acceptable en raison de l'ellipse du conte.

Venons-en au dernier mouvement de ce texte publicitaire, à savoir le glissement d'« un pays » à « ce pays », puis « le grand-duché de Luxembourg ». En passant de la fiction (M) à la réalité (R), il faut bien voir que le « pays » garde ses parties et ses propriétés initiales euphoriques. Mais à celles-ci s'ajoute la fiction qui devient une nouvelle propriété : le grand-duché de Luxembourg, c'est une fiction devenue réalité et, si le conte amorcé a été interrompu, c'est parce que la réalité *est* ce conte. L'espace R *est* l'espace M. C'est dans R, en quelque sorte, que le lecteur est invité à prolonger M.

La description initiale du « charmant petit pays » devient, par affectation d'un nouveau thème-titre (nom propre), celle du grand-duché. Le schéma de la structure séquentielle de la description du « charmant petit pays » devient donc celle du grand-duché de Luxembourg, nom propre à placer en position de thème-titre, en haut de la structure.

La dernière phrase (P6) établit à la fois l'orientation argumentative et la macro-structure sémantique du texte en insistant sur le processus de positivation : le fait qu'un tel pays existe vraiment ne peut être interprété que comme une recommandation à aller le visiter. Ceci est, bien sûr, confirmé par le coupon

---

28. Soulignons que l'étymologie confirme cette description sémantique du connecteur *car* : on peut parler, avec O. Ducrot, d'un ablatif du pronom interrogatif : *qua re* = « à cause de quelle chose ? » : « A l'origine de p *car* q, on aurait ainsi une sorte de dialogue cristallisé en monologue. L'emploi de *car* aurait donc à sa base un procédé rhétorique courant qui consiste à faire comme si quelqu'un vous posait les questions auxquelles on a envie de répondre » (1983, p. 177).

réponse situé en bas, à droite, du document et l'indication du producteur du message.

Le schéma de synthèse suivant tente de présenter les divers aspects de la signifiance complexe du texte étudié en soulignant les divers modules dont il a été question.

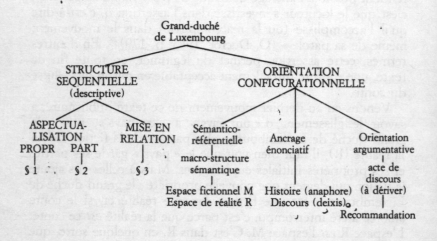

On voit que le texte n'est pas une structure statique, mais qu'il porte traces d'une orientation configurationnelle qui impose de soumettre la séquence descriptive à un ajustement global déterminé, en dernière instance, par l'interaction. Celle-ci est marquée de façon privilégiée dans l'acte de discours à dériver. Ajoutons que, dans le cadre d'une logique de l'action, c'est bien le texte global qui fait sens. Ce document présente l'intérêt de lier texte et action, l'action ici demandée (coupon à découper et à envoyer, donc envisager de se rendre dans le grand-duché) implique une indication sur la façon dont le texte doit être compris-interprété et cela sans la moindre ambiguïté [29].

_____

29. Je remercie Sylvie Durrer et Françoise Revaz pour leur relecture attentive et amicale ainsi que pour leurs remarques sur les premiers états de ce travail.

RÉFÉRENCES

Adam, J.-M., 1984 : *Le récit*, Que sais-je ? 2149, PUF, Paris.
— 1985a : *Le texte narratif*, Paris, Nathan.
— 1985b : *Pour lire le poème*, Bruxelles, De Boeck-Westmael.
— 1986 : « Dimensions séquentielle et configurationnelle du texte », *Degrés*, 46-47, Bruxelles.
— 1987a : « Textualité et séquentialité. L'exemple de la description », *Langue française*, 74, Paris, Larousse.
— 1987b : « Types de séquences textuelles élémentaires », *Pratiques*, 56, Metz.
Adam, J.-M. & Petitjean, A., 1989 : *Le texte descriptif*, Nathan.
Authier-Revuz, J., 1982 : « Hétérogénéité montrée et hétérogénéité constitutive : éléments pour une approche de l'autre dans le discours », DRLAV, 26, Université Paris-Vincennes.
Anscombre, J.-C. & Ducrot, O., 1983 : *L'argumentation dans la langue*, Bruxelles, Mardaga.
Bakhtine, M., 1978 : *Esthétique et théorie du roman*, Paris, Gallimard.
— 1984 : *Esthétique de la création verbale*, Paris, Gallimard.
Bakhtine-Volochinov, V.N., 1977 : *Le marxisme et la philosophie du langage*, Paris, Minuit.
Bellert, I., 1970 : « On a condition of coherence of Textes », *Semiotica*, 4, La Haye, Mouton.
Benveniste, E., 1974 : *Problèmes de linguistique générale, II*, Paris, Gallimard.
Berrendonner, A., 1981 : *Eléments de pragmatique linguistique*, Paris, Minuit.
Caron, J., 1983 : *Les régulations du discours*, Paris, PUF.
Combettes, B., 1986 : « Introduction et reprise des éléments d'un texte », *Pratiques*, 49, Metz.
Culioli, A., 1973 : « Sur quelques contradictions en linguistique », *Communications*, 20, Paris, Le Seuil.
— 1984 : Préface de *La langue au ras du texte*, Atlani et al. éds., P.U. Lille.
Denhière, G., éd., 1985 : *Il était une fois*, P.U. Lille.
Ducrot, O., 1972 : *Dire et ne pas dire*, Paris, Hermann.
— 1984 : *Le dire et le dit*, Paris, Minuit.
Eco, U., 1985 (1979) : *Lector in fabula*, Paris, Grasset pour la trad. fr.
— 1988 : *Sémiotique et philosophie du langage*, Paris, PUF.
Fauconnier, G., 1984 : *Espaces mentaux*, Paris, Minuit.
Fayol, M., 1985 : *Le récit et sa construction*, Neuchâtel-Paris, Delachaux & Niestlé.

222   L'INTERPRÉTATION DES TEXTES

Fuchs, C., éd., 1985 : *Aspects de l'ambiguïté et de la paraphrase dans les langues naturelles,* Berne, Peter Lang.

Grésillon, A. & Maingueneau, D., 1984 : « Polyphonie, proverbe et détournement », *Langages,* 73, Larousse.

Halliday, M.A.K. & Hasan, R., 1976 : *Cohesion in English,* Longman.

Harris, Z.S., 1969 : « Analyse de discours », *Langages,* 13, Paris, Didier-Larousse.

Jakobson, R., 1973 : *Questions de poétique,* Paris, Le Seuil.

Lundquist, L., 1987 : « Cohérence : marqueurs d'orientation argumentative et programme argumentatif », *Semantikos,* vol. 9, n° 2, Paris.

Maingueneau, D., 1984 : *Genèse du discours,* Bruxelles, Mardaga.

Martin, R., 1983 : *Pour une logique du sens,* Paris, PUF.

— 1985 : « Argumentation et sémantique des mondes possibles », *Revue internationale de philosophie,* 155/4.

Meyer, M., 1986 : *De la problématologie,* Bruxelles, Mardaga.

Nølke, H., 1985 : « Le subjonctif. Fragments d'une théorie énonciative », *Langages,* 50, Paris, Larousse.

Pavel, Th., 1988 (1986) : *Univers de la fiction,* Paris, Le Seuil.

Ricœur, P., 1986 : *Du texte à l'action, Essai d'herméneutique, 2,* Paris, Esprit/Seuil.

Ruwet, N., 1975 : « Parallélismes et déviations en poésie », in *Langue, discours, société,* vol. collectif en hommage à E. Benveniste, Kristeva, Milner, Ruwet éd., Paris, Seuil.

Slakta, D., 1977 : « Introduction à la grammaire de texte », *Actes de la session de linguistique de Bourg-Saint-Maurice,* 4-8 septembre 1977, publication du Conseil scientifique de la Sorbonne nouvelle-Paris III.

— 1985 : « Grammaire de texte : synonymie et paraphrase », in C. Fuchs 1985.

Weinrich, H., 1974 : *Le temps,* Paris, Seuil.

Normandie Impression S.A., Alençon (France)

Cet ouvrage a été achevé d'imprimer le six février mil neuf cent quatre-vingt-neuf et inscrit dans les registres de l'éditeur sous le n° 2381. Dépôt légal : février 1989